L'ÉVANGILE DE LUC
ET
LES ACTES
DES APÔTRES

MICHEL MAZZALONGO

LA SÉRIE « POUR DÉBUTANTS »

La série de livres et de vidéos « pour débutants » présente de manière facile à comprendre et non-technique des livres et des sujets bibliques dont les leçons sont riches en information et en applications pour le débutant aussi bien que pour l'étudiant biblique plus avancé.

Droits d'auteur © 2018 by Michel Mazzalongo

Traduction: Lise LaSalle

ISBN : 978-1-945778-71-1

BibleTalk Books
14998 E. Reno
Choctaw, Oklahoma 73020

Les citations bibliques sont tirées de la version Louis Segond (domaine public)

TABLE DES MATIÈRES

LES ACTES DES APÔTRES

Note de traduction: *Dans le texte écrit, on notera que pour le mot "église", le "é" est parfois majuscule, parfois minuscule. Le texte biblique utilise généralement la majuscule mais le langage courant, constamment en évolution, nous force à faire une distinction entre l'ensemble du corps spirituel (majuscule-Église) et une assemblée locale ou le bâtiment où elle se réunit (minuscule-église).*

1.
INTRODUCTION

Chacun des auteurs des évangiles écrivait pour un auditoire particulier et avec un but spécifique, ce qui a naturellement influencé leur présentation. Par exemple :

- **Matthieu** : Matthieu a écrit son livre principalement pour les Juifs. Son matériel est bien structuré et présente une série de descriptions narratives des allées et venues de Jésus et de Son ministère, ainsi que de Ses discours et échanges avec différents groupes. L'évangile de Matthieu est un effort apologétique (une défense) pour prouver, à partir des Écritures, que Jésus était le Messie promis dans l'Ancien Testament. Cela explique pourquoi il supporte les actions, les enseignements et les miracles de Jésus par des textes et des prophéties concernant le Messie et ce qu'Il dirait et ferait. Matthieu utilise donc des témoignages oculaires de l'histoire et des coutumes juives (généalogie, etc.) et ses arguments sont basés sur l'accomplissement des prophéties au sujet du Messie juif.

- **Marc** : L'évangile de Marc est le plus court et l'un des premiers textes inspirés du Nouveau Testament ayant été écrit entre 64 et 67 apr. J.-C. (Matthieu date de 60-65 apr. J.-C.). Marc donne bien peu d'information d'arrière-plan ou de spéculation théologique mais présente dès son premier verset Jésus comme le Fils de Dieu décrivant ensuite Ses nombreux miracles comme preuve. Cette méthode de présenter son matériel, courte et directe, faisait appel à la mentalité romaine et l'évangile de Marc était donc facile à comprendre pour les non-juifs, sans la complication des généalogies juives et des références à l'Ancien Testament qui les auraient confus. Bien que l'évangile de Marc soit le plus court, il est aussi celui dont le plus de matériel a été copié (Luc en utilise 350 versets) et il décrit le plus de miracles (18 des 35 possibles) dans un effort de présenter Jésus clairement et de manière concise comme le Fils de Dieu.

- **Jean** : L'évangile de Jean a été écrit après que la différence entre les Juifs et les non-juifs ait disparue considérablement (après la destruction du temple à Jérusalem par les Romains en 70 apr. J.-C.). Il écrit de l'Asie mineure (la Turquie) où de fausses doctrines telles que le gnosticisme contestent les revendications du christianisme, et donc le but de Jean est de montrer que Jésus était à la fois pleinement humain et pleinement divin. Le gnosticisme enseignait que Jésus était partiellement humain ou partiellement divin à différents moments ; par exemple que la partie divine de Lui-même était descendue sur Lui à Son baptême et l'avait quitté à Sa crucifixion. Jean veut donc montrer que Jésus est pleinement le divin Fils de Dieu et que le salut ne se trouve qu'en Lui seul. Il le fait en présentant une série d'événements où Jésus démontre Sa gloire divine par Ses enseignements inspirés ou par des miracles puissants, puis il décrit la réaction de foi ou d'incrédulité de ceux qui sont témoins de ces choses.

- **Luc** : Matthieu et Jean étaient tous les deux des apôtres choisis et ils ont été témoins du baptême de Jésus, de Son ministère, de Sa mort, de Sa résurrection et de Son ascension, et leurs récits le reflètent. Marc était un collègue de Paul et de Barnabas lors de leur premier voyage missionnaire mais il les a quittés avant la fin du voyage. Barnabas, son cousin, a continué par la suite à le guider dans le ministère après que Paul avait refusé de l'amener avec eux pour leur voyage missionnaire suivant. Il a plus tard retrouvé l'approbation de Paul. Éventuellement, il est devenu le secrétaire de l'apôtre Pierre; son évangile est en fait ce qu'il a écrit et mis en ordre concernant le témoignage et l'expérience de Pierre avec Jésus. De la même manière, Luc n'était pas un des apôtres choisis mais il en est venu à sa connaissance de l'évangile, des détails et des enseignements de la vie de Jésus à travers son association avec l'apôtre Paul.

Luc — histoire

Dans sa description d'un événement qui a pris place à Antioche (Actes 11.27-30), la grammaire de Luc suggère qu'il était présent et témoin de l'événement. Cela signifierait qu'il était un non-juif, probablement converti au Christ après que les chrétiens qui s'étaient enfuis de Jérusalem à cause de la persécution qui y sévissait prêchaient l'évangile à travers la Judée et même plus au nord. Pendant ce temps, une église a été établie à Antioche où Luc vivait (Actes 11.19). Colossiens 4.10-14 mentionne Luc comme un gentil et un médecin; il pourrait avoir reçu sa formation médicale à Antioche où se trouvait une école médicale réputée à l'époque. S'il en est ainsi, le quart du Nouveau Testament a été écrit pas un gentil converti au christianisme.

Luc et Paul

Luc, donc, était un converti non-juif qui était membre de la première congrégation mixte (Juifs et gentils). Il avait été converti avant que Paul n'ait été recruté par Barnabas pour aller enseigner à Antioche en 43 apr. J.-C. (Actes 11.25). Cela signifie qu'il a rencontré Paul et reçu de l'enseignement de lui pendant toute une année pendant que l'apôtre était à Antioche, et qu'il était présent quand Paul et Barnabas ont été choisis et envoyés pour leur premier voyage missionnaire (Actes 13.1-3).

Le ministère de Luc

Le premier aperçu que nous avons du ministère de Luc avec Paul est présenté en Actes 16.10 alors qu'il est avec lui à Troas où l'apôtre reçoit la vision d'aller prêcher en Macédoine pendant son deuxième voyage missionnaire (49 apr. J.-C.). C'est là un passage où le nom de Luc n'est pas mentionné mais sa présence est présumée vu qu'il est l'auteur de ce texte et qu'il décrit les événements à la première personne plurielle ("nous"). Luc est aussi présent à Césarée après le retour du troisième voyage missionnaire de Paul, et il sert Paul pendant son emprisonnement initial (53 apr. J.-C.). C'est là que l'apôtre est pris dans une émeute alors qu'il visite le temple et capturé (Actes 24.23). Après plusieurs années d'emprisonnement, Paul est accompagné de Luc pendant son dangereux voyage à Rome puis pendant son procès devant César en 62 apr. J.-C. (Actes 27.1). Nous apprenons que Luc demeure avec Paul pendant son premier emprisonnement à Rome (Actes 28.30-31). Paul mentionne Luc une dernière fois en 2 Timothée pendant son deuxième emprisonnement à Rome alors qu'il attend son exécution (66-67 apr. J.-C.). Luc est un de seulement deux compagnons restants pour servir aux besoins de Paul pendant qu'il est en prison.

L'évangile de Luc

Luc avait accès à de nombreuses ressources originales pour écrire son évangile. En tant qu'un des premiers membres de l'église à Antioche, il était immergé dans la prédication des apôtres et de leurs disciples au premier siècle (Barnabas, Actes 11.22). Il a aussi reçu l'enseignement de Paul pendant un an et l'a accompagné pendant ses voyages missionnaires entendant sa prédication et son enseignement, et étant témoin de ses miracles. De plus, il a passé plusieurs années à servir Paul pendant qu'il était en prison et qu'il écrivait ses nombreuses épîtres. Luc a aussi travaillé avec Jean Marc (l'auteur de l'évangile). En Philémon 24 et en 2 Timothée 4.10, on note que ces deux hommes servaient Paul pendant qu'il était en prison et qu'ils étaient présents à son exécution. Toute cette expérience l'a préparé à écrire (sous la direction de l'Esprit Saint) un récit de l'évangile qui n'est pas uniquement basé sur son propre témoignage de la vie, de la mort et de l'ensevelissement de Jésus mais aussi sur les récits de témoins oculaires de ses contemporains parmi les apôtres (Paul et Pierre) ainsi que des disciples des apôtres (Marc) et des membres de la jeune église à Jérusalem (Barnabas). Luc établit dès son premier verset que son évangile est une compilation de nombreuses sources d'information qu'il présentera attentivement pour expliquer et révéler la vérité de l'évangile concernant Jésus Christ.

Date

La majorité des érudits sont d'accord que lorsque le Nouveau Testament a été produit sous forme de manuscrit (ou de livre), les quatre évangiles y ont été placés dans l'ordre chronologique où ils ont été écrits: Matthieu (60-64 apr. J.-C.), Marc (64-68 apr. J.-C.), Luc (66-68 apr. J.-C.), et Jean (80 apr. J.-C.).

Thème

Un exposé précis. Alors que les autres évangiles ont des buts théologiques (Matthieu: Jésus est le Messie; Marc: Jésus est le divin Fils de Dieu; Jean: Jésus est à la fois Dieu et homme), le thème principal de Luc n'est pas de montrer que Jésus est Dieu mais que le Fils de Dieu a vécu parmi les hommes dans un contexte historique. Matthieu a fait de grands efforts pour soutenir sa prémisse que Jésus était le Messie juif, utilisant de nombreux textes des prophètes de l'Ancien Testament comme preuve. Luc, lui, donne toutes sortes de repères historiques (noms de dirigeants, événements historiques, interactions intimes avec des disciples et des amis) pour situer la présence de Jésus non seulement dans l'histoire mais aussi dans les contextes humains. Il présente une narration bien précise de la naissance extraordinaire de Jésus, de Sa vie, de Sa mort, de Sa résurrection et de Son ascension, dans le contexte très ordinaire de la vie juive à Jérusalem et dans la région de la Galilée au premier siècle.

Plan

R. C. H. Lenski, dans son commentaire, donne le plan le plus simple qui soit de la division du matériel de Luc (St. Luke's Gospel - R. C. H. Lenski)

1. Le commencement - 1.1-3.38
2. Jésus en Galilée - 4.1-9.50
3. Jésus face à Jérusalem - 9.51-18.30
4. Jésus entre à Jérusalem - 18.31-21.38
5. L'accomplissement - 22.1-24.53

Sommaire

Luc écrit un compte-rendu de la vie de Jésus qui présente étape par étape les signes et les événements qui ont précédé Sa naissance. Il continue avec un récit historique précis de Son ministère menant à Sa mort et à Sa résurrection, plusieurs récits de Ses apparitions après la résurrection et il finit avec une description de Son ascension et un bref épilogue sur les actions des apôtres par la suite, tout cela dans un style simple et direct qui aide le lecteur à imaginer le divin Fils de Dieu vivant réellement parmi les hommes ordinaires à un moment précis de l'histoire de l'humanité.

Approche

Luc est le deuxième évangile en longueur avec 24 chapitres (Matthieu en compte 28). Pour maintenir ici une longueur raisonnable, nous n'examinerons pas chaque événement et chaque enseignement contenus en Luc. Nous essaierons plutôt d'en tirer le maximum en portant une attention spéciale aux choses qui ne se trouvent qu'en Luc et non dans les autres évangiles. Nous traverserons ainsi chaque section avec un bref commentaire mais concentrerons notre étude sur les choses dont Luc est le seul à parler ou sur ce qu'il a peut-être emprunté d'un seul autre évangile.

Cette approche nous permettra, espérons-le, de couvrir le livre en entier avec une emphase sur la contribution unique de Luc dans les 13 chapitres de notre étude. Pour en tirer le maximum, il est donc recommandé de compléter la lecture assignée ci-dessous avant de passer à la leçon suivante.

Passage à lire : Luc 1.1-3.38

Questions à discuter

1. Si vous écriviez aujourd'hui un récit de l'Évangile, pour quelle audience l'écririez-vous? Pourquoi?

2. À partir de ce que vous avez appris jusqu'ici, quelle sorte d'homme était Luc? Décrivez ses qualités personnelles et son caractère.

3. Selon vous, quelle sorte de personne serait aujourd'hui plus réceptive...

   - À l'évangile de Matthieu?

   - À l'évangile de Marc?

   - À l'évangile de Luc?

   - À l'évangile de Jean?

L'ÉVANGILE DE LUC

2.
LE COMMENCEMENT

LUC 1.1-3.38

Au chapitre précédent nous avons présenté le plan que nous utiliserons pour étudier l'évangile de Luc.

1. Le commencement - 1.1-3.38
2. Jésus en Galilée - 4.1-9.50
3. Jésus face à Jérusalem - 9.51-18.30
4. Jésus entre à Jérusalem - 18.31-21.38
5. L'accomplissement - 22.1-24.53

Introduction – 1.1-4

L'évangile de Luc est unique du fait qu'il a été écrit originalement pour un auditoire d'une personne, Théophile.

> [1]Plusieurs ayant entrepris de composer un récit des événements qui se sont accomplis parmi nous, [2]suivant ce que nous ont transmis ceux qui ont été des témoins oculaires dès le commencement et sont devenus des ministres de la parole, [3]il m'a aussi semblé bon, après avoir fait des recherches exactes sur toutes ces choses depuis leur origine, de te les exposer par écrit d'une manière suivie, excellent Théophile, [4]afin que tu reconnaisses la certitude des enseignements que tu as reçus.
> - Luc 1.1-4

Luc commence par expliquer pourquoi, comment et à qui il écrit cet évangile.

Pourquoi?

Beaucoup ont décidé d'écrire un récit de la vie, de la mort et de la résurrection de Jésus. Certains étaient des apôtres (Matthieu et Jean) alors que d'autres écrivaient et commentaient simplement sur l'époque. Luc entreprend une mission semblable.

Comment?

Il n'est pas un témoin oculaire comme le sont les apôtres, mais il a accès aux écrits des témoins oculaires, et il a travaillé avec un apôtre (Paul) et avec un disciple de Pierre (Marc). Luc est un homme éduqué et sa formation lui a permis de faire des recherches, d'organiser et de choisir le matériel qui rendra clair et concis son compte-rendu de l'évangile. Avec le temps la jeune église a reconnu ses écrits comme guidés par le Saint Esprit et les a ajoutés au canon du Nouveau Testament (c'est-à-dire à l'ensemble des écrits reconnus comme inspirés).

Qui?

Théophile n'est mentionné qu'ici et dans l'autre livre de Luc, *Les Actes des apôtres*. Il était un gentil, soit un haut fonctionnaire ou un homme riche puisque Luc s'adressait à lui avec le titre "le plus excellent." Le livre de Luc est un effort de lui fournir l'information qui confirmera ce qu'il sait déjà du christianisme. Plusieurs pensent que Théophile a été éventuellement converti parce que Luc s'adresse à lui avec son nom seul, sans titre, dans le livre des Actes, ce qui n'aurait pas été acceptable s'il n'était pas devenu chrétien.

La naissance de Jean-Baptiste – 1.5-80

Tel que mentionné dans l'introduction, Luc commence son récit avec Jean-Baptiste qui sert à la fois d'incarnation et de pont pour tout ce qui a eu lieu jusqu'à la naissance du Christ:

- Il vivait sous la Loi, soit l'Ancien Testament.

- Il était à l'image d'Élie, l'un des grands prophètes de l'Ancien Testament (Marc 9.13 - selon Jésus).

- Il était lui-même un prophète (Matthieu 11.9).

- Sa vie et son ministère étaient l'accomplissement d'une prophétie de l'Ancien Testament concernant la venue du Messie.

> Une voix crie: Préparez au désert le chemin de l'Éternel, Aplanissez dans les lieux arides une route pour notre Dieu.
> - Ésaïe 40.3

> [19]Voici le témoignage de Jean, lorsque les Juifs envoyèrent de Jérusalem des sacrificateurs et des Lévites, pour lui demander: Toi, qui es-tu? [20]Il déclara, et ne le nia point, il déclara qu'il n'était pas le Christ. [21]Et ils lui demandèrent: Quoi donc? es-tu Élie? Et il dit: Je ne le suis point. Es-tu le prophète? Et il répondit: Non. [22]Ils lui dirent alors: Qui es-tu? afin que nous donnions une réponse à ceux qui nous ont envoyés. Que dis-tu de toi-même? [23]Moi, dit-il, je suis la voix de celui qui crie dans le désert: Aplanissez le chemin du Seigneur, comme a dit Ésaïe, le prophète."
> - Jean 1.19-23

Il est logique, par conséquent, que Luc commence sa narration avec Jean qui résume tout ce qui est venu avant, et qui était choisi par Dieu pour présenter le Christ au monde.

> [5]Du temps d'Hérode, roi de Judée, il y avait un sacrificateur, nommé Zacharie, de la classe d'Abia; sa femme était d'entre les filles d'Aaron, et s'appelait Élisabeth. [6]Tous deux étaient justes devant Dieu, observant d'une manière

> irréprochable tous les commandements et toutes
> les ordonnances du Seigneur. Ils n'avaient point
> d'enfants, parce qu'Élisabeth était stérile; et ils
> étaient l'un et l'autre avancés en âge.
> - Luc 1.5-7

Un trait particulier des écrits de Luc est sa précision historique. Il ne veut pas que son récit soit vu comme quelque sorte de fable ou de conte mystique. Il prend soin d'établir ses personnages avec précision et dans leur véritable contexte culturel. Par exemple, le "temps d'Hérode, roi de Judée" fait référence à une période précise de l'histoire. Zacharie peut être retracé à une tribu juive, à un lieu et un temps en particulier. Son rôle et sa fonction de prêtre sont décrits avec exactitude selon la loi et les coutumes de l'époque. Le fait que sa femme et lui étaient sans enfant prépare la scène pour l'entrée miraculeuse de Dieu dans leur vie.

Aux versets 8-80 la naissance de Jean-Baptiste est décrite, encore une fois d'une manière ordonnée et détaillée:

V. 8-25 : Le père de Jean, Zacharie, est visité par un ange qui annonce que lui et sa femme d'âge avancé auront un fils qui servira à préparer le peuple pour la venue du Messie. Zacharie, qui doute, est rendu muet par l'ange en signe de son apparition au prêtre âgé. Peu de temps après son service au temple et son retour à la maison, sa femme Élisabeth annonce sa grossesse.

V. 26-56 : Luc change la scène vers Marie et l'annonce qu'elle reçoit du même ange, Gabriel, qu'elle est enceinte aussi (avec Jésus). Sa condition est toutefois véritablement miraculeuse parce que sa conception est produite directement par Dieu sans interaction humaine. Luc décrit alors la visite de Marie à sa cousine Élisabeth pendant sa grossesse. La description détaillée de l'interaction de Marie avec l'ange et avec sa cousine Élisabeth suggère que l'information est venue de Marie elle-même. Elle était encore vivante après la mort et l'ascension de Jésus. Luc mentionne même la présence de Marie dans la chambre haute avec les apôtres et d'autres disciples le jour de la Pentecôte (Actes 1.13). Ainsi, en quelques versets, Luc établit le temps, les personnages et la présence de Dieu menant aux naissances de Jean et de Jésus.

V. 57-80 : Luc fournit de l'information détaillée concernant la naissance de Jean. Élisabeth a donné naissance naturellement au temps appointé. La coutume était de circoncire et de nommer l'enfant le huitième jour après sa naissance. Luc mentionne la circoncision (qui n'est pas spéciale en soi étant donné que tous les mâles juifs étaient circoncis) parce que deux autres choses peu communes s'y sont produites:

1. Son nom est Jean

> [59]Le huitième jour, ils vinrent pour circoncire l'enfant, et ils l'appelaient Zacharie, du nom de son père. [60]Mais sa mère prit la parole, et dit: Non, il sera appelé Jean. [61]Ils lui dirent: Il n'y a dans ta parenté personne qui soit appelé de ce nom. [62]Et ils firent des signes à son père pour savoir comment il voulait qu'on l'appelle. [63]Zacharie demanda des tablettes, et il écrivit: Jean est son nom. Et tous furent dans l'étonnement. [64]Au même instant, sa bouche s'ouvrit, sa langue se délia, et il parlait, bénissant Dieu. [65]La crainte s'empara de tous les habitants d'alentour, et, dans toutes les montagnes de la Judée, on s'entretenait de toutes ces choses.[66]Tous ceux qui les apprirent les gardèrent dans leur cœur, en disant: Que sera donc cet enfant? Et la main du Seigneur était avec lui.
> - Luc 1.59-66

C'était la coutume de nommer un fils du nom de son père. Dans ce cas, l'ange avait dit à Zacharie de le nommer Jean (qui signifiait en hébreux "le Seigneur a été gracieux"), et Élisabeth le savait. Malgré les protestations de la famille et des amis, elle insiste que son nom est Jean. Comme c'était la coutume pour le père de nommer l'enfant (et qu'Élisabeth parlait pour Zacharie qui était muet), la famille fait appel à lui, pensant que c'était son idée à elle. Il confirme que le nom de l'enfant est Jean et regagne immédiatement sa voix.

2. Zacharie prophétise

Après plusieurs mois d'émotion refoulée, Zacharie éclate dans un psaume de louange et prophétise pour Dieu et le ministère qu'Il donnera à cet enfant dans le futur.

> [76]Et toi, petit enfant, tu seras appelé prophète du Très Haut; car tu marcheras devant la face du Seigneur, pour préparer ses voies, [77]afin de donner à son peuple la connaissance du salut par le pardon de ses péchés,
> - Luc 1.76-77

Luc mentionne que le peuple était dans la crainte (verset 65) en voyant la main de Dieu qui travaillait avec puissance parmi eux. Il s'était écoulé 400 ans depuis qu'un prophète était venu parmi le peuple juif et cette expérience était tout-à-fait nouvelle et apeurante. Luc termine cette section en résumant la croissance et le développement de Jean en quelques mots, disant qu'il était fort dans l'Esprit et qu'il vivant dans le désert en attendant son appel au ministère.

La naissance de Jésus – 2.1-52

Marc et Jean ne donnent pas d'information au sujet de la naissance de Jésus. Matthieu détaille que Marie a conçu miraculeusement et la réaction initiale de Joseph ainsi que son acceptation éventuelle après avoir été averti en rêve que l'enfant était de Dieu et qu'il (Joseph) devait épouser Marie. Luc fournit plus d'information qui fixe clairement la naissance de Jésus dans son cadre historique (César Auguste était empereur de Rome, Quirinius gouverneur de Syrie). L'empereur avait ordonné un recensement, quelque chose de nouveau à l'époque et qui devait être répété tous les 14 ans pendant deux siècles (Lenski, p.116).

Luc donne cette information pour expliquer la naissance de Jésus à Bethléhem plutôt qu'à Nazareth où Ses parents vivaient. Cela est devenu plus tard un problème pour les chefs religieux juifs qui ont rejeté Jésus croyant qu'Il était né dans la ville de Nazareth, où Ses parents vivaient, et non à Bethléhem d'où les prophètes disaient que le Messie viendrait (Jean 7.50-52).

La naissance de Jésus, comme celle de Jean, est accompagnée de phénomènes surnaturels et de rituel religieux.

1. Jean était né de parents âgés et un ange était apparu à son père. Matthieu mentionne l'étoile qui avait guidé les Mages à la naissance de Jésus. Luc décrit l'apparition de l'ange qui a guidé les bergers vers Jésus et la multitude d'anges qui louaient Dieu.

2. Jean a été circoncis, il a reçu son nom et son père a prophétisé quand il a retrouvé la voix. Jésus a aussi été circoncis au temple (Bethléhem était à environ six kilomètres de Jérusalem) le huitième jour. Luc ajoute que deux prophéties ont alors été faites au sujet du ministère futur de Jésus: par Siméon d'abord puis par Anne. Zacharie, lui, mentionne clairement Jean comme le précurseur du Messie, préparant Sa voie; et les deux prophètes déclarent que Jésus (un bébé de huit jours) est le Messie envoyé par Dieu pour sauver le peuple.

> [26]Il avait été divinement averti par le Saint Esprit qu'il ne mourrait point avant d'avoir vu le Christ du Seigneur. [27]Il vint au temple, poussé par l'Esprit. Et, comme les parents apportaient le petit enfant Jésus pour accomplir à son égard ce qu'ordonnait la loi, [28]il le reçut dans ses bras, bénit Dieu, et dit: [29]Maintenant, Seigneur, tu laisses ton serviteur S'en aller en paix, selon ta parole. [30]Car mes yeux

ont vu ton salut, [31]Salut que tu as préparé devant tous les peuples, [32]Lumière pour éclairer les nations, Et gloire d'Israël, ton peuple." [...]
[38]Étant survenue, elle aussi, à cette même heure, elle louait Dieu, et elle parlait de Jésus à tous ceux qui attendaient la délivrance de Jérusalem.
- Luc 2.26-32;38

Luc omet l'information de Matthieu au sujet du séjour de la famille en Égypte et avance rapidement d'une douzaine d'années pour décrire le seul incident mentionné concernant la jeunesse de Jésus, Sa visite au temple à l'âge de douze ans (versets 41-52). Il s'agissait d'un voyage annuel démontrant la piété et la fidélité de la famille qui faisait ce voyage de 200 kilomètres à pied pour la fête de la Pâque. Luc explique que les parents de Jésus L'ont perdu de vue à leur retour vers Nazareth. Ils ont passé trois jours à Le chercher et L'ont finalement retrouvé au temple avec les professeurs qui étaient ébahis de Sa compréhension et de Ses questions concernant la Loi. Luc donne cette histoire du jeune Jésus (perdu pendant trois jours et retrouvé) comme un aperçu de Son ministère public (enseignant et prêchant) et de Son but ultime (Sa mort, Son ensevelissement pendant trois jours, et Sa résurrection).

Le commencement du ministère de Jean – 3.1-20

[1]La quinzième année du règne de Tibère César, - lorsque Ponce Pilate était gouverneur de la Judée, Hérode tétrarque de la Galilée, son frère Philippe tétrarque de l'Iturée et du territoire de la Trachonite, Lysanias tétrarque de l'Abilène, [2]et du temps des souverains sacrificateurs Anne et Caïphe, -la parole de Dieu fut adressée à Jean, fils de Zacharie, dans le désert.
- Luc 3.1-2

Encore une fois, Luc situe historiquement le début du ministère de Jean avec précision. Jean est fidèle à la prophétie de son père quant à sa tâche de préparer la voie pour Celui qui vient.

> [76]Et toi, petit enfant, tu seras appelé prophète du Très Haut; Car tu marcheras devant la face du Seigneur, pour préparer ses voies, [77]Afin de donner à son peuple la connaissance du salut Par le pardon de ses péchés,
> - Luc 1.76-77

> [4]selon ce qui est écrit dans le livre des paroles d'Ésaïe, le prophète: C'est la voix de celui qui crie dans le désert: Préparez le chemin du Seigneur, Aplanissez ses sentiers. [5]Toute vallée sera comblée, Toute montagne et toute colline seront abaissées; Ce qui est tortueux sera redressé, Et les chemins raboteux seront aplanis. [6]Et toute chair verra le salut de Dieu.
> - Luc 3.4-6

Luc fournit un bon résumé du ministère de Jean qui inclut la majorité de ce que Matthieu, Marc et Jean ont enregistré mais qui omet les détails de son exécution éventuelle aux mains d'Hérode (seulement Matthieu la mentionne).

Sa prédication annonçait que le temps du Messie était proche et que le peuple devait s'y préparer en se purifiant par la repentance et le baptême. L'idée de se purifier en préparation à se présenter devant Dieu était familière aux Juifs. Les prêtres le faisaient avant de servir au temple (Lévitique 8.1-6) et les gens du peuple le faisaient continuellement s'ils étaient impurs cérémonieusement (c'est-à-dire s'ils avaient touché un mort, Nombres 19.11). La prédication de Jean était puissante parce qu'elle condamnait la nation entière et appelait chacun à se préparer.

> [7]Il disait donc à ceux qui venaient en foule pour être baptisés par lui: Races de vipères, qui vous a appris à fuir la colère à venir? [8]Produisez donc des fruits dignes de la repentance, et ne vous mettez pas à dire en vous-mêmes: Nous avons Abraham pour père! Car je vous déclare que de ces pierres Dieu peut susciter des enfants à Abraham. [9]Déjà même la cognée est mise à la racine des arbres: tout arbre donc qui ne produit pas de bons fruits sera coupé et jeté au feu.
>
> - Luc 3.7-9

Luc donne non seulement les thèmes principaux de la prédication de Jean (la venue du Messie, chacun doit se préparer, Il baptisera avec l'Esprit), mais il donne aussi les détails de sa prédication aux individus:

> [10]La foule l'interrogeait, disant: Que devons-nous donc faire? [11]Il leur répondit: Que celui qui a deux tuniques partage avec celui qui n'en a point, et que celui qui a de quoi manger agisse de même. [12]Il vint aussi des publicains pour être baptisés, et ils lui dirent: Maître, que devons-nous faire? [13]Il leur répondit: N'exigez rien au delà de ce qui vous a été ordonné. [14]Des soldats aussi lui demandèrent: Et nous, que devons-nous faire? Il leur répondit: Ne commettez ni extorsion ni fraude envers personne, et contentez-vous de votre solde.
>
> - Luc 3.10-14

Luc décrit l'enthousiasme du peuple et sa curiosité à savoir si Jean était lui-même le Messie. Cela lui donne l'occasion de décrire davantage et de montrer le contraste entre le ministère de Jean et celui du Messie. Jean était là pour préparer la voie. Le Messie, toutefois, allait bénir (baptiser avec l'Esprit) et amener le jugement sur la nation entière.

> [16]il leur dit à tous: Moi, je vous baptise d'eau; mais il vient, celui qui est plus puissant que moi, et je ne

> suis pas digne de délier la courroie de ses souliers.
> Lui, il vous baptisera du Saint Esprit et de feu. [17]Il a
> son van à la main; il nettoiera son aire, et il
> amassera le blé dans son grenier, mais il brûlera la
> paille dans un feu qui ne s'éteint point.
> - Luc 3.16-17

Luc termine ce résumé du ministère de Jean en mentionnant brièvement qu'Hérode avait fait emprisonner Jean (parce qu'il l'avait repris au sujet de ses nombreuses fautes, y compris celle d'avoir volé la femme de son frère). Après cela, on entend seulement parler de Jean quand, de sa prison, il envoie certains de ses disciples questionner Jésus (Luc 7.18). Jean croyait qu'avec la venue du Messie, le jugement du peuple serait également imminent. À mesure que le ministère de Jésus grandissait, Jean ne voyant pas le jugement sur la nation, se demandait si Jésus était vraiment le Messie. Nous savons que le jugement de la nation est éventuellement arrivé mais c'était quelques années après la mort de Jean, quand l'armée romaine a détruit la ville de Jérusalem et son temple magnifique, et tué la plupart des gens qui s'y trouvaient (70 apr. J.-C.). Il avait prophétisé correctement le jugement à venir mais il était dans l'erreur quant au temps précis de cet événement.

Après avoir complété l'information concernant le ministère de Jean, Luc retourne en arrière et présente le ministère de Jésus.

Le commencement du ministère de Jésus – 3.21-38

> [21]Tout le peuple se faisant baptiser, Jésus fut aussi
> baptisé; et, pendant qu'il priait, le ciel s'ouvrit, [22]et
> le Saint Esprit descendit sur lui sous une forme
> corporelle, comme une colombe. Et une voix fit
> entendre du ciel ces paroles: Tu es mon Fils bien-
> aimé; en toi j'ai mis toute mon affection.
> - Luc 3.21-22

Luc donne une courte description de cet événement et concentre notre attention sur le fait que Jésus:

1. Est le divin Fils de Dieu.

2. Que Son ministère plaît à Dieu et vient de Lui.

3. Qu'Il est Celui dont Jean a parlé.

Comme il l'a fait pour Jean-Baptiste, Luc établit ici la généalogie de Jésus mais d'une manière plus complète, la retraçant jusqu'à Adam et non seulement une génération en arrière comme pour Jean. Il fixe aussi l'âge de Jésus à environ 30 ans, et nous donne ainsi un autre repère historique pour son évangile.

Leçons

Cette première section de l'évangile de Luc ne contient pas d'enseignements spécifiques par Jean ni par Jésus pour ceux qui le lisent. Nous pouvons toutefois tirer certaines leçons de cette information préliminaire:

Le christianisme est basé dans l'histoire

Contrairement à la plupart des religions orientales (par exemple l'hindouisme, le bouddhisme) et aux religions autochtones ou primitives (le vaudou, etc.), le christianisme a un point de départ historique fixe et est peuplé de gens (pour et contre) qui peuvent être retracés à travers l'histoire. Cela en rend l'attaque facile parce que les temps, les gens et les enseignements sont des cibles fixes qui peuvent être vues, étudiées et critiquées. L'avantage, cependant, est qu'il est plus facile d'étudier, d'apprendre et de croire des informations sur les personnes et les faits historiques qui sont établis en permanence.

Le texte de Luc est clair et précis

Pour ce qui est de l'enseignement, Luc et le livre des *Actes des apôtres* sont d'excellents textes. Il s'y trouve peu de spéculation théologique ni d'idées ou d'examen philosophiques. Luc n'utilise pas d'images théologiques comme Jean le fait, ni d'histoires ou de pratiques religieuses juives comme Matthieu. Luc est intéressé à présenter d'abord l'histoire de Jésus puis celle de l'établissement et du développement de Son Église après Son ascension.

L'approche de Luc fournit deux leçons de base:

1. En partageant notre foi, nous devrions toujours commencer par notre propre histoire avec des mots simples et objectifs (c'est-à-dire: j'ai fait ceci, je suis allé là, j'ai été baptisé ici...)

2. En enseignant quelqu'un nous devrions de la même manière commencer par partager la simple histoire de l'évangile (tout comme Luc le fait) et non pas débattre des points de doctrines compliqués ou contestés.

Passage à lire : Luc 4.1-6.16

Questions à discuter

1. Comment défendriez-vous l'inspiration de l'évangile de Luc étant donné qu'il n'était pas un des apôtres choisis?

2. Selon vous, pourquoi Jean-Baptiste et son ministère étaient-ils nécessaires?

3. Écrivez le résumé d'un sermon typique que Jean-Baptiste prêcherait aux gens d'aujourd'hui (50 mots ou moins).

3.
JÉSUS EN GALILÉE
DÉBUT DE SON MINISTÈRE PUBLIC
- 1re PARTIE

LUC 4.1-6.16

Luc suit le patron des autres évangélistes en documentant le ministère de Jésus en ordre chronologique, commençant au début de son ministère public. Après une courte mention de Son baptême par Jean dans le Jourdain près de Jérusalem (Matthieu 3.13-17) et une description de Sa tentation par Satan quand il jeûnait dans le désert pendant 40 jours et 40 nuits (Luc 4.1-13), (une scène aussi décrite par Matthieu et Marc et que nous ne discuterons donc pas ici), Jésus retourne à la partie nord d'Israël, dans la région de la Galilée. C'est là qu'Il commence Son ministère public près de chez-Lui et parmi le peuple qu'Il connaissait et avec qui Il avait grandi.

Jésus commence Son ministère public — 4.14-44

Sommaire général

¹⁴Jésus, revêtu de la puissance de l'Esprit, retourna en Galilée, et sa renommée se répandit dans tout le pays d'alentour. ¹⁵Il enseignait dans

les synagogues, et il était glorifié par tous.
- Luc 4.14-15

Selon la manière d'écrire de l'époque, Luc commence par une vue d'ensemble du ministère de Jésus avant d'en spécifier les détails. Il mentionne les deux éléments de base de Son ministère: les miracles (par la puissance du Saint Esprit) et l'enseignement (dans les synagogues). Luc dit aussi qu'au début Il était reçu avec enthousiasme (loué par tous). Cet enthousiasme change toutefois rapidement quand Jésus retourne dans Sa ville de Nazareth pour enseigner.

Jésus enseigne à Nazareth – 4.16-30

Luc décrivait plus tôt les miracles de Jésus et Son enseignement de manière générale mais il donne maintenant un récit plus détaillé, ajoutant comment les gens réagissent à Son instruction.

[16]Il se rendit à Nazareth, où il avait été élevé, et, selon sa coutume, il entra dans la synagogue le jour du sabbat. Il se leva pour faire la lecture, [17]et on lui remit le livre du prophète Ésaïe. L'ayant déroulé, il trouva l'endroit où il était écrit: [18]L'Esprit du Seigneur est sur moi, Parce qu'il m'a oint pour annoncer une bonne nouvelle aux pauvres; Il m'a envoyé pour guérir ceux qui ont le cœur brisé, [19]Pour proclamer aux captifs la délivrance, Et aux aveugles le recouvrement de la vue, Pour renvoyer libres les opprimés, Pour publier une année de grâce du Seigneur. [20]Ensuite, il roula le livre, le remit au serviteur, et s'assit. Tous ceux qui se trouvaient dans la synagogue avaient les regards fixés sur lui.[21]Alors il commença à leur dire: Aujourd'hui cette parole de l'Écriture, que vous venez d'entendre, est accomplie.
- Luc 4.16-21

La prédication et l'enseignement de Jésus comprennent trois thèmes principaux:

1. Les prédictions concernant le Messie sont sur le point de s'accomplir.

2. Il est le divin Messie selon les Écritures.

3. Ceux qui croient deviennent le peuple de Dieu, les élus, le royaume, les saints, etc. Ceux qui ne croient pas en sont exclus.

Le passage que Jésus lit ici est tiré d'Ésaïe 61.1-2. Au temps où ils avaient été écrits, les mots d'Ésaïe étaient supposés être une prophétie à court terme concernant la libération éventuelle des Juifs de la captivité babylonienne et leur retour. "À court terme" parce que les prophètes parlaient (prophétisaient) en trois périodes. Ils enseignaient (prophétisaient) au sujet d'événements et de questions courantes, encourageant et avertissant leurs auditeurs à obéir à Dieu, à éviter certaines actions sous peine de faire face aux conséquences du jugement divin. Ils enseignaient aussi et faisaient des prophéties à court terme concernant des événements futurs qui pourraient se produire le jour suivant, l'année suivante ou même dans le siècle suivant (par exemple la prophétie de Jérémie des 70 ans d'exil et de captivité des Juifs à Babylone, Jérémie 25.9-12). En plus de ces énonciations, ils faisaient aussi des prophéties à long terme concernant des événements qui se produiraient plusieurs siècles dans le futur (par exemple, la venue du Messie ou la fin du monde). La même prophétie avait parfois une signification double, comme ce passage en Ésaïe 61.1-2. Comme mentionné ci-dessus, elle réconfortait le peuple de son époque en promettant le retour de Babylone des exilés juifs. Mais la prophétie d'Ésaïe s'appliquait aussi à une vision lointaine dans le futur en parlant des choses merveilleuses qui se produiraient avec la venue éventuelle du Messie à un temps que personne ne connaissait mais que le peuple espérait (dans ce cas, près de 700 ans plus tard).

Au commencement du passage, Luc parle de Jésus "revêtu de la puissance de l'Esprit," qui fait des miracles et donne des enseignements remplis de l'Esprit. Quand Jésus s'assoit, Il déclare que cette Écriture "que vous venez d'entendre" est accomplie en Lui. Ce qu'Il dit, en fait, est que l'enseignement rempli de l'Esprit et les miracles opérés par l'Esprit qu'ils ont vus et entendus de Lui sont les choses dont ce passage parle. Autrement dit, le temps dont Ésaïe parle est arrivé. Son enseignement et Ses miracles le prouvent.

Jésus commence donc Son ministère public par Sa déclaration que le Messie au sujet duquel ils ont lu et qu'ils ont attendu est ici.

> Et tous lui rendaient témoignage; ils étaient étonnés des paroles de grâce qui sortaient de sa bouche, et ils disaient: N'est-ce pas le fils de Joseph?
> - Luc 4.22

Au début, ils réagissent positivement à Ses paroles mais ils sont en conflit et commencent à douter parce qu'ils Le connaissent comme quelqu'un qui a grandi parmi eux et qu'ils connaissent aussi Son père terrestre, Joseph.

> [23]Jésus leur dit: Sans doute vous m'appliquerez ce proverbe: Médecin, guéris-toi toi-même; et vous me direz: Fais ici, dans ta patrie, tout ce que nous avons appris que tu as fait à Capernaüm. [24]Mais, ajouta-t-il, je vous le dis en vérité, aucun prophète n'est bien reçu dans sa patrie. [25]Je vous le dis en vérité: il y avait plusieurs veuves en Israël du temps d'Élie, lorsque le ciel fut fermé trois ans et six mois et qu'il y eut une grande famine sur toute la terre; [26]et cependant Élie ne fut envoyé vers aucune d'elles, si ce n'est vers une femme veuve, à Sarepta, dans le pays de Sidon. [27]Il y avait aussi plusieurs lépreux en Israël du temps d'Élisée, le prophète; et cependant aucun d'eux ne fut purifié,

si ce n'est Naaman le Syrien. [28]Ils furent tous remplis de colère dans la synagogue, lorsqu'ils entendirent ces choses. [29]Et s'étant levés, ils le chassèrent de la ville, et le menèrent jusqu'au sommet de la montagne sur laquelle leur ville était bâtie, afin de le précipiter en bas. [30]Mais Jésus, passant au milieu d'eux, s'en alla.
- Luc 4.23-30

Jésus est conscient de leur doute et Il comprend qu'ils veulent un miracle pour prouver Ses revendications. Le Seigneur refuse et donne des exemples de leur manque de foi par le passé. Cette accusation les enrage et ils tentent de Le tuer, mais Il s'échappe.

Jésus accomplit des miracles – 4.31-44

Luc nous a permis de voir de près l'enseignement de Jésus et la façon dont Il a affecté beaucoup de Juifs, en particulier dans la ville où Il a grandi. L'évangéliste décrit maintenant l'autre composante majeure du ministère de Jésus: les miracles.

[31]Il descendit à Capernaüm, ville de la Galilée; et il enseignait, le jour du sabbat. [32]On était frappé de sa doctrine; car il parlait avec autorité. [33]Il se trouva dans la synagogue un homme qui avait un esprit de démon impur, et qui s'écria d'une voix forte: [34]Ah! qu'y a-t-il entre nous et toi, Jésus de Nazareth? Tu es venu pour nous perdre. Je sais qui tu es: le Saint de Dieu. [35]Jésus le menaça, disant: Tais-toi, et sors de cet homme. Et le démon le jeta au milieu de l'assemblée, et sortit de lui, sans lui faire aucun mal. [36]Tous furent saisis de stupeur, et ils se disaient les uns aux autres: Quelle est cette parole? il commande avec autorité et puissance aux esprits impurs, et ils sortent! [37]Et sa renommée se répandit dans tous les lieux d'alentour.
- Luc 4.31-37

Luc décrit ici à la fois le miracle et la réaction des gens. Il est intéressant de noter que le démon reconnaît Jésus avant même que les Juifs ne Le reconnaissent. Le Seigneur le fait taire parce qu'Il refuse de recevoir le témoignage des démons. Les gens sont étonnés et à cause de cela Sa renommée se répand dans tout le pays.

Aux versets 38-44 Luc décrit beaucoup d'autres miracles qui servent à établir l'identité de Jésus et Son ministère grandissant. Il termine le chapitre en disant que Jésus continue Son ministère dans les synagogues de la région nord de la Galilée (tout comme il avait commencé cette section).

Jésus choisit des disciples – 5.1-6.16

Luc a déjà mentionné que Jésus s'occupait à enseigner dans les synagogues et à faire des miracles. Cela a évidemment stimulé de l'intérêt mais a aussi créé un besoin pour de l'aide à Son ministère grandissant.

> [1]Comme Jésus se trouvait auprès du lac de Génésareth, et que la foule se pressait autour de lui pour entendre la parole de Dieu, [2]il vit au bord du lac deux barques, d'où les pêcheurs étaient descendus pour laver leurs filets. [3]Il monta dans l'une de ces barques, qui était à Simon, et il le pria de s'éloigner un peu de terre. Puis il s'assit, et de la barque il enseignait la foule.
> - Luc 5.1-3

Cet événement a lieu dans la ville où Il habitait à l'âge adulte, à Capernaüm le jour après qu'Il ait guéri la belle-mère de Pierre (4.39).

> [4]Lorsqu'il eut cessé de parler, il dit à Simon: Avance en pleine eau, et jetez vos filets pour pêcher. [5]Simon lui répondit: Maître, nous avons travaillé toute la nuit sans rien prendre; mais, sur ta

parole, je jetterai le filet. [6]L'ayant jeté, ils prirent une grande quantité de poissons, et leur filet se rompait. [7]Ils firent signe à leurs compagnons qui étaient dans l'autre barque de venir les aider. Ils vinrent et ils remplirent les deux barques, au point qu'elles enfonçaient. [8]Quand il vit cela, Simon Pierre tomba aux genoux de Jésus, et dit: Seigneur, retire-toi de moi, parce que je suis un homme pécheur. [9]Car l'épouvante l'avait saisi, lui et tous ceux qui étaient avec lui, à cause de la pêche qu'ils avaient faite. [10]Il en était de même de Jacques et de Jean, fils de Zébédée, les associés de Simon. Alors Jésus dit à Simon: Ne crains point; désormais tu seras pêcheur d'hommes. [11]Et, ayant ramené les barques à terre, ils laissèrent tout, et le suivirent.

- Luc 5.4-11

Il est évident que Pierre et ses compagnons connaissent déjà Jésus vu qu'ils vivent tous dans la même région, et que Pierre prend Jésus dans sa barque. Après Son enseignement, Jésus lui dit de jeter ses filets. Pierre est d'abord hésitant et avec bonne raison:

- Lui qui était un pêcheur expérimenté n'avait rien pris. Comment ce rabbin pouvait-Il lui enseigner à pêcher?

- C'était le mauvais temps de la journée pour pêcher. Le meilleur temps était à l'aube, juste avant le lever du soleil.

- C'était le mauvais endroit. Dans ce lac, les poissons ne se trouvaient pas en eaux profondes.

- C'était un inconvénient: Pierre avait déjà nettoyé et rangé ses filets pour la journée suivante.

- Cela demandait beaucoup. Pierre et les autres venaient juste de finir une longue nuit difficile et avaient besoin de repos et non pas de retourner en mer à la demande d'un enseignant religieux.

- C'était embarrassant. Tout le village observait ce qui se passait. S'il n'attrapait encore rien, il serait la risée des autres pêcheurs.

Nous connaissons la fin de l'histoire. L'enseignement de Jésus amène Pierre à la foi (il prend Jésus dans sa barque pour qu'Il puisse enseigner à la foule). Jésus le met maintenant au défi de prendre un autre pas de foi (jeter ses filets), qui est plus coûteux que le premier (gênant, embarrassant, etc.). La foi de Pierre est récompensée quand il témoigne du pouvoir de Jésus dans un contexte qu'il peut identifier: la pêche. Pierre, le pêcheur, sait que c'est là une pêche miraculeuse.

Il réagit de la même manière que toute personne réagit face au Seigneur ou face à un ange: faiblesse, honte, crainte. La Bible décrit des hommes et des femmes qui tombent face contre terre et qui adorent ou sont aveuglés en présence du Seigneur ou d'un de Ses anges. Dans le cas de Pierre, il est instantanément conscient de son indignité, et Luc dit que ses deux partenaires dans la pêche (Jacques et Jean) sont étonnés par ce qu'ils voient. Jésus réconforte Pierre en lui disant qu'Il lui donnera une nouvelle tâche maintenant que sa vie a été transformée par ce dont il a juste été témoin. Jésus, par Son ministère d'enseignement et par Ses miracles, appelle les trois premiers de Ses 12 apôtres.

Cette histoire est dite en quelques lignes mais ces trois hommes connaissaient probablement Jésus et étaient peut-être parmi les premiers disciples à recevoir Ses enseignements. Avec ce miracle ils s'engagent toutefois pleinement à tout quitter et à Le suivre exclusivement.

Luc continue à présenter le ministère des miracles de Jésus en décrivant deux guérisons miraculeuses.

Le lépreux

[12]Jésus était dans une des villes; et voici, un homme couvert de lèpre, l'ayant vu, tomba sur sa

face, et lui fit cette prière: Seigneur, si tu le veux, tu peux me rendre pur. [13]Jésus étendit la main, le toucha, et dit: Je le veux, sois pur. Aussitôt la lèpre le quitta. [14]Puis il lui ordonna de n'en parler à personne. Mais, dit-il, va te montrer au sacrificateur, et offre pour ta purification ce que Moïse a prescrit, afin que cela leur serve de témoignage. [15]Sa renommée se répandait de plus en plus, et les gens venaient en foule pour l'entendre et pour être guéris de leurs maladies. [16]Et lui, il se retirait dans les déserts, et priait.
- Luc 5.12-16

On note ici la première fois où Luc décrit que quelqu'un vient à Jésus pour demander sa guérison. Il n'y avait pas de cure pour la lèpre et ceux qui en étaient affectés étaient considérés comme déjà morts. Cet homme fait preuve d'audace, de foi et d'humilité. Il se fie totalement à Jésus pour sa guérison, et s'adresse à Lui avec la même déférence que Pierre (5.18), tous deux sont tombés face contre terre devant Jésus avec respect et foi. La lèpre avancée de cet homme a été guérie instantanément.

Le paralytique

[17]Un jour Jésus enseignait. Des pharisiens et des docteurs de la loi étaient là assis, venus de tous les villages de la Galilée, de la Judée et de Jérusalem; et la puissance du Seigneur se manifestait par des guérisons. [18]Et voici, des gens, portant sur un lit un homme qui était paralytique, cherchaient à le faire entrer et à le placer sous ses regards. [19]Comme ils ne savaient par où l'introduire, à cause de la foule, ils montèrent sur le toit, et ils le descendirent par une ouverture, avec son lit, au milieu de l'assemblée, devant Jésus. [20]Voyant leur foi, Jésus dit: Homme, tes péchés te sont pardonnés. [21]Les scribes et les pharisiens se mirent à raisonner et à dire: Qui est

celui-ci, qui profère des blasphèmes? Qui peut pardonner les péchés, si ce n'est Dieu seul? [22]Jésus, connaissant leurs pensées, prit la parole et leur dit: Quelles pensées avez-vous dans vos cœurs? [23]Lequel est le plus aisé, de dire: Tes péchés te sont pardonnés, ou de dire: Lève-toi, et marche? [24]Or, afin que vous sachiez que le Fils de l'homme a sur la terre le pouvoir de pardonner les péchés: Je te l'ordonne, dit-il au paralytique, lève-toi, prends ton lit, et va dans ta maison. [25]Et, à l'instant, il se leva en leur présence, prit le lit sur lequel il était couché, et s'en alla dans sa maison, glorifiant Dieu. [26]Tous étaient dans l'étonnement, et glorifiaient Dieu; remplis de crainte, ils disaient: Nous avons vu aujourd'hui des choses étranges.
- Luc 5.17-26

Un autre miracle étonnant prend place, mais cette fois Luc décrit l'animosité grandissante envers Jésus parce qu'Il fait une guérison le jour du sabbat. Les pharisiens (avocats et enseignants religieux) enseignaient que même la guérison d'une personne le jour du sabbat était considérée comme du "travail" et violait le quatrième commandement (Exode 20.8). Plus tard, cela deviendra l'un des principaux obstacles pour les prêtres et les pharisiens qui tenteront d'accuser et de détruire Jésus parce qu'Il travaillait le jour du sabbat, et affirmait, comme on le voit dans ce passage, qu'Il était le Fils de Dieu.

Dans la section suivante, aux versets 27-32, on voit Jésus qui continue à ajouter aux apôtres avec l'appel de Lévi, un Juif, méprisé parce qu'il était collecteur d'impôts.

[33]Ils lui dirent: Les disciples de Jean, comme ceux des pharisiens, jeûnent fréquemment et font des prières, tandis que les tiens mangent et boivent. [34]Il leur répondit: Pouvez-vous faire jeûner les amis de l'époux pendant que l'époux est avec eux? [35]Les jours viendront où l'époux leur sera enlevé, alors ils jeûneront en ces jours-là. [36]Il leur

> dit aussi une parabole: Personne ne déchire d'un habit neuf un morceau pour le mettre à un vieil habit; car, il déchire l'habit neuf, et le morceau qu'il en a pris n'est pas assorti au vieux. [37]Et personne ne met du vin nouveau dans de vieilles outres; autrement, le vin nouveau fait rompre les outres, il se répand, et les outres sont perdues; [38]mais il faut mettre le vin nouveau dans des outres neuves. [39]Et personne, après avoir bu du vin vieux, ne veut du nouveau, car il dit: Le vieux est bon.
> - Luc 5.33-39

Cette sélection mène à plus de controverse parce que Jésus appelle maintenant des gens non reconnus pour leurs positions académiques ou religieuses. Cette critique donne au Seigneur l'occasion d'avertir le peuple que de grands changements s'en viennent et qu'ils ne sont pas prêts à les recevoir.

- Un vieil habit = les Juifs incrédules

- Le morceau neuf = l'évangile, les chrétiens

- Les vieilles outres = le système religieux juif

- Le vin nouveau = l'évangile, le christianisme

Ce qui est vieux ne peut accommoder ce qui est nouveau sans être endommagé. Le vieux doit changer pour se mêler au nouveau.

Encore une fois, on voit un mélange d'enseignement et de miracles par Jésus pour Se révéler et révéler Son royaume au peuple, ainsi que le moyen d'en faire partie.

> [1]Il arriva, un jour de sabbat appelé second-premier, que Jésus traversait des champs de blé. Ses disciples arrachaient des épis et les mangeaient, après les avoir froissés dans leurs mains. [2]Quelques pharisiens leur dirent: Pourquoi faites-vous ce qu'il n'est pas permis de faire

pendant le sabbat? [3]Jésus leur répondit: N'avez-vous pas lu ce que fit David, lorsqu'il eut faim, lui et ceux qui étaient avec lui; [4]comment il entra dans la maison de Dieu, prit les pains de proposition, en mangea, et en donna à ceux qui étaient avec lui, bien qu'il ne soit permis qu'aux sacrificateurs de les manger? [5]Et il leur dit: Le Fils de l'homme est maître même du sabbat. [6]Il arriva, un autre jour de sabbat, que Jésus entra dans la synagogue, et qu'il enseignait. Il s'y trouvait un homme dont la main droite était sèche. [7]Les scribes et les pharisiens observaient Jésus, pour voir s'il ferait une guérison le jour du sabbat: c'était afin d'avoir sujet de l'accuser. [8]Mais il connaissait leurs pensées, et il dit à l'homme qui avait la main sèche: Lève-toi, et tiens-toi là au milieu. Il se leva, et se tint debout. [9]Et Jésus leur dit: Je vous demande s'il est permis, le jour du sabbat, de faire du bien ou de faire du mal, de sauver une personne ou de la tuer. [10]Alors, promenant ses regards sur eux tous, il dit à l'homme: Étends ta main. Il le fit, et sa main fut guérie. [11]Ils furent remplis de fureur, et ils se consultèrent pour savoir ce qu'ils feraient à Jésus.
- Luc 6.1-11

Luc sépare les différentes instances où Jésus choisit Ses apôtres avec des descriptions de Son enseignement et de Son exécution de miracles, ainsi qu'avec la réaction des gens à ceux-ci.

[12]En ce temps-là, Jésus se rendit sur la montagne pour prier, et il passa toute la nuit à prier Dieu. [13]Quand le jour parut, il appela ses disciples, et il en choisit douze, auxquels il donna le nom d'apôtres: [14]Simon, qu'il nomma Pierre; André, son frère; Jacques; Jean; Philippe; Barthélemy; [15]Matthieu; Thomas; Jacques, fils d'Alphée; Simon, appelé le zélote; [16]Jude, fils de

Jacques; et Judas Iscariot, qui devint traître.
- Luc 6.12-16

Jésus a prié avant de nommer les 12 apôtres (apôtre: celui qui est nommé et envoyé, c'est-à-dire ambassadeur). Il a appelé beaucoup de disciples mais Il en a choisi seulement douze. Sa nuit de prière était pour eux, Il était le Fils de Dieu et n'avait pas besoin de conseils pour choisir. Il connaissait cependant les défis auxquels ils seraient confrontés et priait pour leur fidélité et leur succès.

Leçons

Même en couvrant l'évangile de Luc comme nous le faisons, n'examinant que certains passages, ce que nous avons vu jusqu'ici contient des leçons valables et pratiques pour tous. Par exemple:

Le rejet par les dirigeants de la synagogue

Leçon: Il faut se méfier de la complaisance spirituelle.

Les chefs religieux étaient si engagés dans leurs traditions qu'ils ont refusé de croire une vérité qui contredisait leurs habitudes religieuses, bien que cette vérité soit supportée par un miracle.

Examinons toujours la parole de Dieu pour établir et perpétuer une pratique plutôt que de suivre des idées humaines de ce qui plairait à Dieu. Il aime que nous obéissions à Sa parole.

Les miracles ne sont pas toujours la réponse

Leçon: La meilleure confirmation de la présence de Dieu ou de Sa direction est la confirmation de Sa parole, et non pas un miracle.

Jésus a accompli de nombreux miracles (les évangiles en présentent 37) et pourtant la plupart L'ont rejeté, y compris ceux qui les ont vus de leurs propres yeux. Plusieurs croyants basent leur foi sur des choses inhabituelles ou "miraculeuses" qu'ils ont lues dans des livres religieux populaires ou entendu dire, mais discuter de ces choses n'est pas la manière d'établir ni de bâtir la foi. "Ainsi la foi vient de ce qu'on entend, et ce qu'on entend vient de la parole de Christ." (Romains 10.17). La manière la plus sûre de bâtir la foi, selon Dieu, est de lire, de croire et d'obéir à Sa parole.

Jésus appelle encore les hommes aujourd'hui

Leçon: Jésus continue encore aujourd'hui à appeler les gens, à travers la prédication de l'évangile (Matthieu 28.18-20), à être sauvés par la foi en Lui et à exprimer cette foi par la repentance et le baptême en Son nom (Actes 2.38). Jésus appelle aussi les chrétiens au ministère par

A. Sa parole (qui décrit le type de personne nécessaire et la tâche ou le ministère à accomplir),

B. À travers Son Esprit (qui pousse les cœurs des croyants vers un service quelconque), et

C. À travers l'Église qui confirme et appointe les ministres (anciens, diacres, évangélistes et enseignants) à Son service.

Questions à discuter

1. Expliquez dans vos propres mots pourquoi Pierre se sentait indigne après la pêche miraculeuse.

2. Partagez avec la classe vos expériences personnelles de ce que Jésus a décrit comme « aucun prophète n'est bien reçu dans sa patrie. »

3. Nommez la personne qui vous a le plus influencé dans votre décision d'aller dans le ministère et quelle habileté ou quelle qualité chez cette personne vous a impressionné le plus.

4. Selon vous, quelle était la raison principale pour laquelle :

   ○ Les pharisiens ont rejeté Jésus.

   ○ Les prêtres ont rejeté Jésus.

   ○ Le peuple juif a rejeté Jésus.

4.
JÉSUS EN GALILÉE
DÉBUT DE SON MINISTÈRE PUBLIC - 2ᵉ PARTIE

LUC 6.17-8.3

Luc continue sa narration en décrivant des éléments clés du ministère de Jésus alors qu'Il commence à prêcher et à faire des miracles dans la partie nord d'Israël. À l'âge adulte, Il vivait à Capernaüm, aux environs de la mer de Galilée, et il était normal non seulement qu'Il y commence Son ministère mais aussi qu'Il y choisisse Ses apôtres.

Dans la section que nous avons couverte au chapitre précédent, Luc décrit le choix des douze apôtres (Luc 6.12-16). Il donne ensuite un sommaire des enseignements de Jésus qui suivent cet événement.

Les versets 17 à 38 de ce chapitre sont en fait une répétition de ce que Matthieu a écrit plus longuement et de manière plus complète en Matthieu 5.1-7.29. Ce passage nous montre comment les différents auteurs des évangiles ont emprunté l'un de l'autre dans leurs écrits.

En Luc 6.39-45, Jésus ajoute aussi plusieurs paraboles à Son enseignement pour amplifier et donner des exemples concrets de ce qu'Il avait enseigné précédemment. On note que Luc place la parabole de "la maison bâtie sur le roc" à la fin de ce passage, tout comme Matthieu (Matthieu 7.24-27).

> Après avoir achevé tous ces discours devant le peuple qui l'écoutait, Jésus entra dans Capernaüm.
> - Luc 7.1

Luc complète naturellement cette section d'enseignement en notant géographiquement où est Jésus afin que son lecteur (Théophile) sache non seulement ce que Jésus dit et fait, mais aussi où ces choses prennent place, les établissant dans un contexte historique et physique.

Nous avons déjà noté que le ministère de Jésus était une série d'enseignements habituellement suivis par des miracles. Ce cycle se répète jusqu'à ce que le grand miracle final (Sa résurrection) ait été accompli. Ici, Luc mentionne un autre miracle qui est surprenant à cause de son récipiendaire.

Guérison du serviteur d'un centenier – 7.2-10

La région à laquelle nous faisons référence comme "Israël" était à l'époque sous la domination romaine. Pour maintenir la paix, les Romains permettaient une forme limitée d'autonomie avec des rois juifs nommés localement pour gérer les affaires politiques et sociales sous la direction d'un gouverneur (Pilate) qui commandait les soldats postés à Jérusalem ainsi qu'à d'autres endroits clés dans tout le pays.

L'armée romaine:

- Les légionnaires étaient les soldats d'infanterie qui composaient la majeure partie de l'armée romaine.

- Ils étaient recrutés parmi les citoyens libres de l'Empire romain.

- Ils devaient mesurer au moins 1,50 mètre et être âgés entre 14 et 19 ans.

- Une légion comptait 6000 soldats et, en 23 après J.-C., Rome commandait 23 légions.

- Une légion = 6000 soldats

- Une cohorte = 600 soldats

- Une centurie = 100 soldats

- Un centenier ou centurion commandait une compagnie d'environ 100 légionnaires.

> Un centenier avait un serviteur auquel il était très attaché, et qui se trouvait malade, sur le point de mourir.
> - Luc 7.2

Selon Flavius Josèphe (historiographe judéen - Ant. 17, 8, 3 - Lenski p. 388: Luke's Commentary) en temps de paix, il n'y avait pas de soldats romains postés à Capernaüm. Ce centurion vivait apparemment à Capernaüm et travaillait pour le roi Hérode Antipas dont les troupes étaient composées de soldats étrangers. Luc décrit la situation en mentionnant le statut privilégié de ce domestique et le fait qu'il était proche de la mort (Matthieu dit que le serviteur souffrait de paralysie, Matthieu 8.6).

> Ayant entendu parler de Jésus, il lui envoya quelques anciens des Juifs, pour le prier de venir guérir son serviteur.
> - Luc 7.3

Ce verset révèle plusieurs choses au sujet de ce centenier romain:

- Il n'avait ni vu ni entendu Jésus personnellement mais était influencé par les témoignages qu'il avait entendus à Son égard.

- Il avait la faveur des Juifs; ceux-ci avaient envoyé quelques-uns de leurs chefs pour demander de l'aide en son nom (nous découvrons pourquoi aux versets suivants).

- Il croyait vraiment. Il n'a pas demandé à Jésus de venir prier ou voir ce qu'Il pourrait faire: il Lui a spécifiquement demandé de venir sauver la vie de son serviteur mourant.

> [4]Ils arrivèrent auprès de Jésus, et lui adressèrent d'instantes supplications, disant: Il mérite que tu lui accordes cela; [5]car il aime notre nation, et c'est lui qui a bâti notre synagogue.
> - Luc 7.4-5

Luc enregistre les arguments des dirigeants juifs en faveur de cet homme. Rien n'est mentionné au sujet du serviteur quant à sa valeur ou à son caractère, seulement que le centenier le tient en haute estime. Les chefs juifs assument que Jésus est capable de le guérir et ils L'assurent que le centurion en est digne, non pas dans le sens qu'il mérite une récompense quelconque mais qu'en comparaison avec d'autres personnes que Jésus a bénies, il est digne de Sa considération. Ils attestent à la sincérité de la foi de cet homme en le décrivant comme quelqu'un qui aime le peuple de Dieu (bien qu'il soit un gentil) et qui le leur a prouvé en ayant bâti pour eux une maison de prière (une synagogue).

> [6]Jésus, étant allé avec eux, n'était guère éloigné de la maison, quand le centenier envoya des amis pour lui dire: Seigneur, ne prends pas tant de peine; car je ne suis pas digne que tu entres sous mon toit. [7]C'est aussi pour cela que je ne me suis pas cru digne d'aller en personne vers toi. Mais dis un mot, et mon serviteur sera guéri. [8]Car, moi qui suis soumis à des supérieurs, j'ai des soldats sous mes ordres; et je dis à l'un:

> Va! et il va; à l'autre: Viens! et il vient; et à mon
> serviteur: Fais cela! et il le fait.
> - Luc 7.6-8

Jusqu'ici, nous avons seulement entendu parler de la situation du centenier, de sa piété, de son amour et de sa foi. Ici nous l'entendons parler et apprenons davantage à son sujet:

- Il était pieux. La piété est un respect pour le peuple et les choses de Dieu. Dans ce cas, le centurion respectait le fait que Jésus, un Juif, ne pouvait entrer dans sa maison sans Se souiller (devenir cérémonieusement impur) selon la loi juive.

- Il était humble. L'humilité consiste à avoir une juste perception de soi-même. Il reconnaissait que la puissance de Jésus venait de Dieu et qu'elle était plus grande que la sienne (qui venait de l'homme). Il se plaçait ainsi dans la position adéquate devant Jésus en Lui demandant d'exercer cette puissance (de dire un mot) pour guérir son serviteur.

> [9]Lorsque Jésus entendit ces paroles, il admira le centenier, et, se tournant vers la foule qui le suivait, il dit: Je vous le dis, même en Israël je n'ai pas trouvé une aussi grande foi. [10]De retour à la maison, les gens envoyés par le centenier trouvèrent guéri le serviteur qui avait été malade.
> - Luc 7.9-10

Jésus est rarement en admiration de ce que les hommes ou les femmes font, mais Il l'est ici parce que ce gentil saisit pleinement le concept de la puissance de Jésus incarnée dans Ses paroles, une idée que la nation juive qui avait eu la parole de Dieu depuis près de 1400 ans refusait d'accepter. Luc note que c'est à ce moment-là que le serviteur a été complètement guéri et restauré.

Résurrection du fils de la veuve – 7.11-17

Comme s'il voulait confirmer que le pouvoir est dans la parole de Jésus, tout de suite après la guérison du serviteur, Luc présente un miracle encore plus grand, une résurrection de la mort.

Aux versets 11-12, Luc décrit rapidement la situation. Il donne encore une fois le lieu (Naïn), une ville au sud-ouest de Capernaüm, et la scène, une procession funéraire pour le fils unique d'une veuve. Cette fois, personne ne Lui demande d'intervenir parce que le jeune homme est déjà mort. C'est la compassion de Jésus pour la mère qui Le pousse à ressusciter son fils miraculeusement.

> [13]Le Seigneur, l'ayant vue, fut ému de compassion pour elle, et lui dit: Ne pleure pas! [14]Il s'approcha, et toucha le cercueil. Ceux qui le portaient s'arrêtèrent. Il dit: Jeune homme, je te le dis, lève-toi! [15]Et le mort s'assit, et se mit à parler. Jésus le rendit à sa mère.
> - Luc 7.13-15

Il dit seulement les mots pour ressusciter le mort, et Luc confirme le miracle en disant que celui qui était mort se mit à parler.

Aux versets 16-17 Luc décrit la réaction de la foule. À la différence de la guérison du serviteur (effectuée devant peu de gens et pour l'esclave d'un soldat païen), ce miracle spectaculaire est accompli devant la foule qui Le suivait, Ses disciples et la procession des pleureuses de la ville. Cela rend Jésus célèbre dans Sa propre région mais aussi dans les environs et à travers la nation.

Sommaire du ministère de Jean – 7.18-35

Au verset 16, Luc écrit que le peuple louait Dieu à la suite du miracle de Jésus et disait qu'un grand prophète avait été envoyé par Dieu. Luc utilise ce témoignage comme un pont pour résumer et clôturer l'œuvre de Jean-Baptiste qui a été le dernier prophète envoyé par Dieu au peuple juif. Après cette section, Luc raconte le temps où Jean était en prison et avait envoyé des disciples demander à Jésus s'Il était le Messie.

> [18]Jean fut informé de toutes ces choses par ses disciples. [19]Il en appela deux, et les envoya vers Jésus, pour lui dire: Es-tu celui qui doit venir, ou devons-nous en attendre un autre?
> - Luc 7.18-19

Certains sont confus et se demandent pourquoi Jean-Baptiste doute. Sa tâche était d'annoncer la venue du Messie et du jugement qu'Il apporterait, (c'est-à-dire "Déjà la cognée est mise à la racine des arbres: tout arbre donc qui ne produit pas de bons fruits sera coupé et jeté au feu." - Matthieu 3.10). Il semble que Jean croyait que ces événements (la venue du Messie et le jugement de la nation) se produiraient simultanément.

Le doute de Jean résulte probablement du fait que malgré la venue de Jésus comme Messie, le jugement de la nation ne semblait pas l'accompagner. Pour aggraver la situation, les chefs religieux juifs jugeaient Jésus et L'attaquaient. Cela mène Jean à douter et à envoyer des messagers au Seigneur pour clarifier la situation et le rassurer. Évidemment le jugement de la nation est venu quelques années plus tard, en 70 après J.-C. quand Jérusalem et son peuple furent détruits par Rome, mais Dieu ne l'avait pas révélé à Jean.

> [20]Arrivés auprès de Jésus, ils dirent: Jean Baptiste nous a envoyés vers toi, pour dire: Es-tu celui qui doit venir, ou devons-nous en attendre un autre? [21]A l'heure même, Jésus guérit plusieurs personnes de maladies, d'infirmités, et d'esprits malins, et il rendit la vue à plusieurs aveugles. [22]Et il leur répondit: Allez rapporter à Jean ce que vous

> avez vu et entendu: les aveugles voient, les
> boiteux marchent, les lépreux sont purifiés, les
> sourds entendent, les morts ressuscitent, la bonne
> nouvelle est annoncée aux pauvres. [23]Heureux
> celui pour qui je ne serai pas une occasion de
> chute!
> - Luc 7.20-23

Par Ses paroles et par Ses actions, Jésus rassure les disciples de Jean qu'Il est le Messie, accomplissant les choses promises par les prophètes (miracles et enseignements). Il encourage aussi le Baptiste à se réjouir dans la foi en dépit de ses circonstances personnelles.

Aux versets 24-35, Jésus finit en confirmant Jean-Baptiste et son ministère et Il condamne les chefs religieux juifs qui ont rejeté Jean, son baptême et le Messie qu'il proclamait. Le Seigneur encourage le peuple à ne retenir aucun doute envers Jean ni envers Lui-même malgré le moment d'hésitation de Jean à Son sujet.

Les femmes – 7.36-8.3

Jusqu'ici, à part Sa mère terrestre Marie, la prophétesse Ana au temple et les femmes qu'Il a guéries, aucune femme n'est associée à Jésus de façon évidente. Luc présente ici une femme qui versa du parfum sur Ses pieds et un groupe de femmes qui le soutenaient.

La pécheresse – 7.36-50

> Un pharisien pria Jésus de manger avec lui. Jésus
> entra dans la maison du pharisien, et se mit à
> table.
> - Luc 7.36

Encore une fois, Luc situe l'histoire mais cette fois-ci il donne le contexte social plutôt que géographique (la maison d'un pharisien pour un repas).

> [37]Et voici, une femme pécheresse qui se trouvait
> dans la ville, ayant su qu'il était à table dans la
> maison du pharisien, apporta un vase d'albâtre
> plein de parfum, [38]et se tint derrière, aux pieds de
> Jésus. Elle pleurait; et bientôt elle lui mouilla les
> pieds de ses larmes, puis les essuya avec ses
> cheveux, les baisa, et les oignit de parfum.
> - Luc 7.37-38

Le repas était servi sur une table basse et les invités étaient allongés sur des oreillers au sol, s'appuyant sur leur coude gauche, les jambes à l'écart de la table. La femme décrite par Luc comme "pécheresse" entre en scène et elle se tient derrière Jésus. On ne connaît pas son nom, mais il ne s'agit pas de Marie de Magdala qui a été guérie par Jésus de sept démons, et elle n'est pas nécessairement une prostituée - elle aurait pu voler ou encore être divorcée à cause d'adultère. Elle commence à pleurer et s'agenouille. Ses larmes tombent sur les pieds de Jésus et n'ayant pas de bassin ni de serviette, la femme se met à sécher les pieds de Jésus avec ses cheveux et les baise et y verse de l'huile d'onction. Ses actions sont un grand signe d'humilité: elle s'expose à un rejet possible et à la honte s'abaissant publiquement devant Jésus.

> Le pharisien qui l'avait invité, voyant cela, dit en lui-
> même: Si cet homme était prophète, il connaîtrait
> qui et de quelle espèce est la femme qui le touche,
> il connaîtrait que c'est une pécheresse.
> - Luc 7.39

Luc insère une sorte de sous-titre montrant les pensées du pharisien et exposant ainsi ses intentions et son attitude envers Jésus. Ce pharisien L'avait simplement invité pour voir si ce qu'on disait à propos de Lui était vrai. L'épisode confirme dans son esprit l'accusation portée contre Jésus par d'autres dirigeants juifs, à savoir qu'Il mange avec les pécheurs et les collecteurs d'impôts. Il ne peut pas venir de Dieu, et Il n'est certainement pas l'un d'eux (un pharisien).

> [40]Jésus prit la parole, et lui dit: Simon, j'ai quelque chose à te dire. -Maître, parle, répondit-il. - [41]Un créancier avait deux débiteurs: l'un devait cinq cents deniers, et l'autre cinquante. [42]Comme ils n'avaient pas de quoi payer, il leur remit à tous deux leur dette. Lequel l'aimera le plus? [43]Simon répondit: Celui, je pense, auquel il a le plus remis. Jésus lui dit: Tu as bien jugé.
> - Luc 7.40-43

Cette parabole expose les cœurs de la femme et du pharisien. Elle était accablée par ses péchés et le pharisien ne l'était pas.

> [44] Puis, se tournant vers la femme, il dit à Simon: Vois-tu cette femme? Je suis entré dans ta maison, et tu ne m'as point donné d'eau pour laver mes pieds; mais elle, elle les a mouillés de ses larmes, et les a essuyés avec ses cheveux. [45]Tu ne m'as point donné de baiser; mais elle, depuis que je suis entré, elle n'a point cessé de me baiser les pieds. [46]Tu n'as point versé d'huile sur ma tête; mais elle, elle a versé du parfum sur mes pieds. [47]C'est pourquoi, je te le dis, ses nombreux péchés ont été pardonnés: car elle a beaucoup aimé. Mais celui à qui on pardonne peu aime peu. [48]Et il dit à la femme: Tes péchés sont pardonnés.
> - Luc 7.44-48

Jésus dit que l'action de la femme était le résultat du pardon de ses péchés (c'est-à-dire qu'elle n'a pas oint les pieds de Jésus pour être pardonnée mais plutôt pour montrer son amour envers Lui à cause de Son pardon). Par contraste, le pharisien avait négligé de montrer à Jésus les courtoisies fondamentales de l'hospitalité juive, sans parler de l'amour. La parabole expose simplement l'idée que ceux à qui beaucoup a été pardonné sont généralement plus reconnaissants que ceux dont les dettes sont de moindre importance.

En réalité toutefois, la femme et le pharisien avaient tous deux de grandes dettes pour leurs péchés. La différence est qu'elle est consciente de ses fautes et que le pharisien ne l'est pas. Par conséquent, Jésus exprime ouvertement devant les témoins présents que la femme est pardonnée et, par omission, Il montre que le pharisien ne l'est pas. Cette déclaration attise le ressentiment des autres invités à l'idée que Jésus Se fait l'égal de Dieu, ce qui scellera plus tard Sa condamnation à la croix.

L'assistance de plusieurs femmes – 8.1-3

Aux trois premiers versets du huitième chapitre, Luc donne encore une fois de l'information au sujet du Seigneur et de Son ministère en décrivant comment Il était supporté financièrement. Il a décrit Jésus guérissant toutes sortes de maladies et d'infirmités, ressuscitant un mort et connaissant les pensées des gens. Est-ce tout cela bien vrai? Est-Il même humain? Il répond ici à ces doutes ou à cette question possible en expliquant que quelques femmes qu'Il avait guéries L'assistaient de leurs biens, subvenant aux différents besoins de Jésus et de Ses apôtres (nourriture, logement, voyage), une explication très pratique étant donné que Jésus et les apôtres étaient désormais entièrement engagés dans leur ministère d'une place à l'autre, ayant quitté leur travail séculier pour assumer leur ministère apostolique.

Leçons

Aux chapitre suivant, Luc décrira une autre série de paraboles et de miracles qui prendront place en Galilée avant que Jésus n'aille à Jérusalem et ses environs. Entretemps, voici quelques leçons pratiques tirées du matériel déjà couvert:

1. Les prières des justes pour autrui (juste ou non) sont efficaces.

Les chefs juifs ont fait appel à Jésus au nom d'un gentil (le centurion) avec qui ils n'auraient pas même dû avoir d'interaction.

La prière pour un mari infidèle, un ami en prison ou une grand-mère qui ne croit pas est rendue acceptable et efficace à cause de notre foi et de notre vie religieuse, et non à cause des leur.

2. La foi est confiante que Dieu trouvera une solution.

Le centenier ne pouvait amener son esclave malade et mourant à Jésus et Jésus ne pouvait entrer dans la maison du centenier sans être souillé (en plus des problèmes que cela causerait pour Son ministère). Le centenier a quand même fait appel à Jésus et Dieu a trouvé une manière d'exaucer sa prière.

Notre tâche est de demander et de croire, et non pas de trouver la solution. Dieu la connaît.

Questions à discuter

1. Qu'est-ce qui vous plaît le plus dans le caractère du centurion? Pourquoi?

2. Comment les disciples d'aujourd'hui peuvent-ils démontrer de la piété?

3. Selon vous, qu'est-ce que Jésus admirerait dans votre vie aujourd'hui? Qu'est-ce que vous voudriez qu'Il admire si vous pouviez l'accomplir?

5.
JÉSUS EN GALILÉE
DÉBUT DE SON MINISTÈRE PUBLIC - 3ᵉ PARTIE

LUC 8.4-9.50

Chaque événement, miracle et enseignement dans cette section du récit de Luc (Luc 8.4 - 9.50) est aussi contenu soit en Matthieu et/ou en Marc, excepté un passage à la toute fin.

Les paraboles – Luc 8.4-21

La parabole du semeur – 8.4-18

Cette parabole se trouve dans les évangiles de Matthieu et de Marc. C'est la première que Jésus utilise dans Son ministère (Lenski, p. 443).

> Une grande foule s'étant assemblée, et des gens étant venus de diverses villes auprès de lui, il dit cette parabole:
> - Luc 8.4

Luc note que la popularité de Jésus est grandissante avec des gens venant L'entendre non seulement de Sa propre ville, Capernaüm, mais aussi d'autres villes des alentours.

Aux versets 5-8, Luc raconte la parabole du semeur qui sème sur différents sols (le long du chemin, sur le roc, au milieu des épines, et dans la bonne terre) et les résultats (pas de croissance le long du chemin, sur le roc et parmi les épines, mais du fruit au centuple dans la bonne terre).

> [9]Ses disciples lui demandèrent ce que signifiait cette parabole. [10]Il répondit: Il vous a été donné de connaître les mystères du royaume de Dieu; mais pour les autres, cela leur est dit en paraboles, afin qu'en voyant ils ne voient point, et qu'en entendant ils ne comprennent point.
> - Luc 8.9-10

C'est la première fois que Jésus enseigne à l'aide d'une parabole et Ses apôtres veulent en connaître le sens et aussi pourquoi Il utilise ce style d'enseignement. Jésus répond d'abord au pourquoi: le mot "parabole" vient d'un mot grec qui signifie "mettre à côté." Il s'agissait d'une forme d'enseignement utilisée pour comparer des idées ou des choses et faciliter ainsi une meilleure compréhension. Jésus donnait donc une illustration physique facile à comprendre (un semeur qui sème) pour leur enseigner quelque chose qu'ils ne pouvaient pas voir et avaient du mal à saisir (la croissance du royaume des cieux).

Les apôtres savaient ce qu'étaient des paraboles parce qu'elles étaient déjà utilisées par d'autres enseignants. Ils voulaient savoir pourquoi Jésus commençait à les utiliser avec les foules. Le Seigneur explique qu'il les utilisera à la fois pour enseigner à Ses disciples au sujet du royaume (son établissement et sa croissance) et pour empêcher les incrédules et l'opposition d'en saisir le vrai sens.

Aux versets 11 à 15 Il donne le sens plus profond de cette parabole, ce qu'elle enseigne au sujet du royaume.

La parabole de la lampe

> [16]Personne, après avoir allumé une lampe, ne la couvre d'un vase, ou ne la met sous un lit; mais il la met sur un chandelier, afin que ceux qui entrent voient la lumière. [17]Car il n'est rien de caché qui ne doive être découvert, rien de secret qui ne doive être connu et mis au jour. [18]Prenez donc garde à la manière dont vous écoutez; car on donnera à celui qui a, mais à celui qui n'a pas on ôtera même ce qu'il croit avoir. [19]La mère et les frères de Jésus vinrent le trouver; mais ils ne purent l'aborder, à cause de la foule. [20]On lui dit: Ta mère et tes frères sont dehors, et ils désirent te voir. [21]Mais il répondit: Ma mère et mes frères, ce sont ceux qui écoutent la parole de Dieu, et qui la mettent en pratique.
> - Luc 8.16-21

Une fois que Jésus a expliqué pourquoi Il se sert de paraboles et comment les interpréter (Son identité en est la clé), Il continue avec une deuxième parabole qui les appelle à faire deux choses:

1. À être prêts à proclamer au monde les choses qu'ils apprendront de Lui.

2. À être attentifs à Son enseignement parce que plus ils croiront et apprendront, plus ils comprendront. D'un autre côté, moins ils croiront et apprendront, moins ils comprendront, au point où ils ne croiront ni ne comprendront quoi que ce soit.

Ce dernier avertissement à Ses disciples est la suite de ce qu'Il a expliqué au sujet des paraboles: certains, à cause de leur foi en Lui, gagneraient une meilleure connaissance de Lui; d'autres, qui ne croyaient pas, ne comprendraient que l'histoire de la parabole sans en saisir le sens qu'Il y donnait. Éventuellement, les incroyants perdraient tout intérêt et manqueraient complètement la venue et l'accomplissement du royaume.

Il est intéressant que Jésus utilise l'incrédulité de Sa propre famille pour établir l'importance et la nécessité de la foi en Lui pour avoir accès aux choses du royaume. Même les membres de Sa famille terrestre doivent croire pour y entrer.

Les miracles – Luc 8.22-50

Luc change maintenant la scène et décrit successivement trois miracles que Jésus performe pendant la traversée du lac de Galilée. Il a décrit différents exemples des enseignements de Jésus et les suit avec une démonstration de Sa puissance qui confirmera l'identité même du Maître. Pour celui à qui est écrit cet évangile, Théophile, si Jésus peut faire ces choses alors ce gentil prosélyte du christianisme peut croire tous les enseignements de Jésus.

Ces trois miracles sont enregistrés dans les livres de Matthieu et de Marc, nous les résumons donc ici.

Jésus calme la tempête (v. 22-25)

Le premier miracle prend place pendant qu'ils traversent le lac de Galilée dans une barque selon les instructions de Jésus. Luc dit qu'après que Jésus Se soit endormi, un tourbillon fondit sur le lac et qu'ils étaient en péril. La tempête doit avoir été sévère pour que les apôtres, qui avaient de l'expérience en mer, craignent pour leurs vies.

Ils réveillent Jésus et le vent et les flots se calment immédiatement à Ses menaces. Ce n'était pas le premier miracle dont ils étaient témoins (Il avait changé l'eau en vin à Cana), mais celui-ci était plus dans leur élément, sur le lac, et de nature différente des miracles du passé (par exemple de ceux du prophète Élie). Ce miracle les force à réévaluer qui Jésus est vraiment (qui contrôle le vent et la mer par Ses propres paroles?): un enseignant, un prophète, le Messie, ou plus que cela?

Les apôtres sont venus à Lui avec crainte, espérant peut-être qu'Il pourrait prier et demander à Dieu de les sauver, mais ils ne s'attendaient nullement à Sa réaction ni à Sa puissance divine. Il les réprimande en disant: "Où est votre foi?

La guérison d'un démoniaque (v. 26-39)

Ce miracle est aussi décrit par Matthieu et par Marc. La guérison prend place après que Jésus et les apôtres ont abordé de l'autre côté du lac où un homme possédé de plusieurs démons vient à eux. Jésus a déjà démontré Sa puissance sur les éléments et ici Il converse avec les démons et leur ordonne de sortir de l'homme, les envoyant dans un troupeau de pourceaux. Cela établit non seulement Sa puissance et Son autorité sur les êtres spirituels mais démontre aussi que l'homme était réellement possédé par des démons et non pas souffrant de quelque maladie mentale.

Il est intéressant de remarquer que même si les disciples les plus proches de Jésus n'avaient pas encore saisi Son identité, les démons, eux, Le connaissaient ainsi que leur châtiment futur (ils seraient jetés dans l'abîme, v. 31). Luc dit que l'homme retrouve son bon sens immédiatement et que les habitants du village sont saisis de crainte et demandent à Jésus de quitter la région. L'homme est renvoyé chez-lui pour raconter sa guérison.

Matthieu et Marc disent tous les deux que Jésus est retourné plus tard dans cette région et qu'Il y a été bien reçu, et que les gens venaient à Lui pour être guéris (Matthieu 14.34-36; Marc 7.31). Ce qui est sous-entendu est que le témoignage de l'homme possédé (qui a obéi à Jésus et est retourné chez-lui pour raconter sa guérison) a préparé le peuple.

La fille de Jaïrus et la femme malade depuis 12 ans (v. 40-56)

Luc termine cette section en décrivant deux autres miracles de Jésus quand ils ont, Lui et Ses disciples, retraversé le lac pour retourner chez eux. La scène prend place quelques jours après leur retour. On apprend en Matthieu 9 que:

- Jésus a guéri un paralytique;
- Il appelle Matthieu
- Il mange chez Matthieu dont la maison était près du lac de Galilée étant donné qu'en tant que collecteur d'impôt beaucoup de ses tâches consistaient à collecter les péages près du port.

Pendant qu'Il enseigne à la foule rassemblée chez Matthieu à Capernaüm, le chef de la synagogue, Jaïrus, supplie Jésus d'aller chez lui pour guérir sa fille qui se meurt d'une maladie non mentionnée. Luc omet plusieurs détails puisque cet incident est aussi décrit en Matthieu et Marc, et il résume donc les deux miracles.

La fille de Jaïrus

Jésus accepte d'aller chez le chef de la synagogue pour guérir l'enfant. Il est interrompu par une femme qui a aussi besoin de Son aide, et pendant ce délai, la jeune fille meurt. Jésus arrive éventuellement à la maison et ressuscite l'enfant.

La femme avec la perte de sang

Il est intéressant que Luc, qui est lui-même un médecin, ajoute le détail que personne d'autre, pas même les docteurs, ne pouvait guérir cette femme qui avait souffert pendant douze ans. Sa perte de sang s'arrête aussitôt qu'elle touche le vêtement de Jésus. Le Seigneur la force à reconnaître publiquement sa guérison pour confirmer son changement de statut (d'impur à pur, ce qui lui permet de retourner aux activités sociales et religieuses normales) et pour témoigner de sa foi en Lui.

Luc finit ici la description des miracles de Jésus et dirige son récit vers le ministère qu'Il confiera à Ses Apôtres et disciples.

Le ministère des Douze et aux Douze – Luc 9.1-50

Mission des douze apôtres (v. 1-6)

Jésus a passé beaucoup de temps à enseigner, à faire des miracles et à prêcher près de chez-Lui, en Galilée. Avant d'aller à Jérusalem et aux plus grands défis qui L'y attendent, Il donne Ses instructions aux apôtres et les envoie pour leur mission initiale.

En juste quelques versets, on voit comment le Seigneur les équipe complètement.

> Jésus, ayant assemblé les douze, leur donna force et pouvoir sur tous les démons, avec la puissance de guérir les maladies.
> - Luc 9.1

Il leur donne le pouvoir spirituel qui donnera autorité à leur prédication. Les foules peuvent croire leur message parce qu'elles voient la puissance qui l'appuie. Aujourd'hui, la "puissance" est dans l'évangile même (la mort, l'ensevelissement et la résurrection du Christ - Romains 1.16) témoigné par nos vies saintes.

> Il les envoya prêcher le royaume de Dieu, et guérir les malades.
> - Luc 9.2

Il leur donne le contenu de leur message (le royaume est proche). Aujourd'hui, le message est que le royaume est ici et tous doivent y entrer.

> [3]Ne prenez rien pour le voyage, leur dit-il, ni bâton, ni sac, ni pain, ni argent, et n'ayez pas deux tuniques. [4]Dans quelque maison que vous entriez,

restez-y; et c'est de là que vous partirez.
- Luc 9.3-4

Il pourvoira à leurs besoins à Sa manière par l'hospitalité de ceux qu'ils instruiront. Il les avertit de ne pas demander d'aide de porte à porte comme des mendiants. La même chose peut être dite à ceux qui choisissent de tout quitter pour le ministère.

> [5]Et, si les gens ne vous reçoivent pas, sortez de cette ville, et secouez la poussière de vos pieds, en témoignage contre eux. [6]Ils partirent, et ils allèrent de village en village, annonçant la bonne nouvelle et opérant partout des guérisons.
> - Luc 9.5-6

Jésus fournit aussi pour leurs besoins émotionnels. Ils seront rejetés et même persécutés, mais ils ne doivent pas répondre avec peur, vengeance, culpabilité ni désappointement. Leur réponse à ces choses sera leur témoignage du jugement à venir. Autrement dit, ils sont un témoignage de jugement pour ceux qui refusent le message. De même aujourd'hui, notre tâche n'est pas de sauver, mais de proclamer l'évangile et le jugement à venir. Si nous l'avons fait, nous avons rempli notre ministère.

Les résultats de leur ministère (v. 7-11)

Hérode

> [7]Hérode le tétrarque entendit parler de tout ce qui se passait, et il ne savait que penser. Car les uns disaient que Jean était ressuscité des morts; [8]d'autres, qu'Élie était apparu; et d'autres, qu'un des anciens prophètes était ressuscité. [9]Mais Hérode disait: J'ai fait décapiter Jean; qui donc est celui-ci, dont j'entends dire de

telles choses? Et il cherchait à le voir.
- Luc 9.7-9

Leur prédication était si efficace qu'elle a atteint les oreilles d'Hérode qui régnait sur la région de la Galilée. Luc rapporte que ce mauvais roi était perplexe, pensant que Jean-Baptiste était revenu de la mort pour le hanter (parce qu'il l'avait injustement exécuté - Marc 6.14-29).

Le peuple de cette région

[10]Les apôtres, étant de retour, racontèrent à Jésus tout ce qu'ils avaient fait. Il les prit avec lui, et se retira à l'écart, du côté d'une ville appelée Bethsaïda. [11]Les foules, l'ayant su, le suivirent. Jésus les accueillit, et il leur parlait du royaume de Dieu; il guérit aussi ceux qui avaient besoin d'être guéris.
- Luc 9.10-11

En conséquence de leur prédication, encore plus de gens étaient désireux de voir et d'entendre Jésus.

La multiplication des pains (v. 12-17)

Voici un autre épisode décrit par Matthieu et par Marc. Disons simplement que ce rassemblement est un autre signe du ministère grandissant de Jésus qui résulte directement de la prédication des apôtres dans la région. Le miracle de la multiplication des pains et des poissons pour nourrir 5000 personnes servait les apôtres en démontrant encore une fois la capacité de Jésus de combler tout besoin en toute circonstance, et elle montrait au peuple que Son enseignement était basé sur la puissance et non pas sur le pouvoir de persuasion.

Comment suivre Jésus (v. 18-27)

La scène change encore une fois et l'on trouve Jésus seul avec Ses disciples après ces événements incroyables.

> [18]Un jour que Jésus priait à l'écart, ayant avec lui ses disciples, il leur posa cette question: Qui dit-on que je suis? [19]Ils répondirent: Jean Baptiste; les autres, Élie; les autres, qu'un des anciens prophètes est ressuscité. [20]Et vous, leur demanda-t-il, qui dites-vous que je suis? Pierre répondit: Le Christ de Dieu. [21]Jésus leur recommanda sévèrement de ne le dire à personne. [22]Il ajouta qu'il fallait que le Fils de l'homme souffrît beaucoup, qu'il fût rejeté par les anciens, par les principaux sacrificateurs et par les scribes, qu'il fût mis à mort, et qu'il ressuscitât le troisième jour.
> - Luc 9.18-22

Jésus révèle les deux vérités qu'ils doivent accepter alors que Son temps avec eux tire à sa fin:

1. **Son identité:** reconnaître et accepter qu'Il est le divin Fils de Dieu.

2. **Sa mission:** le but de Son ministère sur terre est de mourir sur la croix puis d'être ressuscité glorieusement.

Une fois ces vérités révélées, Jésus décrit le véritable coût d'être Son disciple: tout ce que vous avez.

> [23]Puis il dit à tous: Si quelqu'un veut venir après moi, qu'il renonce à lui-même, qu'il se charge chaque jour de sa croix, et qu'il me suive. [24]Car celui qui voudra sauver sa vie la perdra, mais celui qui la perdra à cause de moi la sauvera. [25]Et que servirait-il à un homme de gagner tout le monde, s'il se détruisait ou se perdait lui-même? [26]Car quiconque aura honte de moi et de mes paroles, le Fils de l'homme aura honte de lui, quand il viendra dans sa gloire, et dans celle du Père et des saints anges. [27]Je vous le dis en vérité, quelques-uns de ceux qui sont ici ne mourront point qu'ils n'aient vu le royaume de Dieu.
> - Luc 9.23-27

Le disciple doit connaître sa véritable mission et en calculer le coût. Cela fait partie de sa formation.

La transfiguration (v. 28-45)

J'inclus la transfiguration dans la section sur le ministère des apôtres parce que trois d'entre eux ont ici une occasion extraordinaire de voir Jésus dans un état glorifié. Cette expérience devrait élever au-delà de tout doute leur confession précédente que Jésus est le Fils de Dieu et que comme tel, Il partage la nature divine du Père. Ils croyaient qu'Il était le Messie mais ils avaient besoin de plus de preuve concernant Sa divinité, et Jésus la leur prouve en allant au-delà des miracles.

> [28]Environ huit jours après qu'il eut dit ces paroles, Jésus prit avec lui Pierre, Jean et Jacques, et il monta sur la montagne pour prier. [29]Pendant qu'il priait, l'aspect de son visage changea, et son vêtement devint d'une éclatante blancheur. [30]Et voici, deux hommes s'entretenaient avec lui: c'étaient Moïse et Élie, [31]qui, apparaissant dans la gloire, parlaient de son départ qu'il allait accomplir à Jérusalem. [32]Pierre et ses compagnons étaient appesantis par le sommeil; mais, s'étant tenus éveillés, ils virent la gloire de Jésus et les deux hommes qui étaient avec lui. [33]Au moment où ces hommes se séparaient de Jésus, Pierre lui dit: Maître, il est bon que nous soyons ici; dressons trois tentes, une pour toi, une pour Moïse, et une pour Élie. Il ne savait ce qu'il disait. [34]Comme il parlait ainsi, une nuée vint les couvrir; et les disciples furent saisis de frayeur en les voyant entrer dans la nuée. [35]Et de la nuée sortit une voix, qui dit: Celui-ci est mon Fils élu: écoutez-le! [36]Quand la voix se fit entendre, Jésus se trouva seul. Les disciples gardèrent le silence, et ils ne racontèrent à personne, en ce temps-là, rien de ce qu'ils avaient vu.
> - Luc 9.28-36

Guérison d'un démoniaque (v. 37-45)

Après cet épisode, Luc décrit une autre guérison miraculeuse, cette fois celle d'un garçon possédé d'un démon que les apôtres laissés derrière ont été incapables de guérir (à la différence de Matthieu, Luc n'en explique pas la raison). Après avoir guéri le garçon, Jésus, qui sent peut-être que ces événements rendent les apôtres confiants pour les mauvaises raisons, leur rappelle encore qu'Il sera éventuellement tué, et ils ne le comprennent toujours pas.

Qui est le plus grand (v. 46-50)

> [46]Or, une pensée leur vint à l'esprit, savoir lequel d'entre eux était le plus grand. [47]Jésus, voyant la pensée de leur cœur, prit un petit enfant, le plaça près de lui, [48]et leur dit: Quiconque reçoit en mon nom ce petit enfant me reçoit moi-même; et quiconque me reçoit reçoit celui qui m'a envoyé. Car celui qui est le plus petit parmi vous tous, c'est celui-là qui est grand. [49]Jean prit la parole, et dit: Maître, nous avons vu un homme qui chasse des démons en ton nom; et nous l'en avons empêché, parce qu'il ne nous suit pas. [50]Ne l'en empêchez pas, lui répondit Jésus; car qui n'est pas contre vous est pour vous.
> - Luc 9.46-50

L'avertissement de Jésus au sujet de Sa mort imminente, pour garder l'attention de Ses apôtres, est confirmé ici alors qu'ils commencent à argumenter à savoir qui parmi eux est le plus grand (peut-être à cause de Pierre et des autres qui ont été témoins de la transfiguration). Ils disaient peut-être que les plus grands étaient ceux qui avaient fait des miracles ou été témoins de visions ou étaient favoris de Jésus. Le Seigneur leur rappelle que celui qui croit simplement (sans le témoignage de miracles ou de visions) a la bénédiction du Père et du Fils.

Jean, qui était avec Pierre et Jacques sur le mont de la transfiguration, révèle leur sens collectif de privilège (nous sommes les apôtres de Jésus) en empêchant quelqu'un d'autre de faire des œuvres au nom de Jésus (il dit que cette personne ne "nous" suit pas, les apôtres, et non pas "Te" suit, Jésus). Le Seigneur répond à Jean et termine cette section avec une faible réprimande de ne pas créer d'ennemis inutilement.

Résumé et leçons

Luc termine ce récit du ministère grandissant de Jésus aux environs de Capernaüm près du lac de Galilée.

Au chapitre suivant, nous commencerons où Jésus Se prépare et prépare les apôtres à l'opposition plus forte à laquelle ils feront face à Jérusalem.

Voici seulement quelques-unes des nombreuses leçons que nous pouvons tirer du matériel discuté dans ce chapitre:

Où est votre foi?

Jésus pose cette question à Ses apôtres après qu'Il ait calmé la tempête. La foi est démontrée pendant les tempêtes de la vie et non pas dans les eaux calmes. Quand les choses vont mal, demandez-vous "Où est ma foi?" et non pas "Pourquoi cela m'arrive-t-il ou pourquoi cette tempête n'est-elle pas encore finie?"

Jésus n'est jamais en retard

Ils ont dit à Jésus que c'était trop tard, que la petite fille était morte, qu'Il n'avait pas besoin de venir. Seulement ceux dont la foi est faible voient Jésus comme en retard, injuste, indifférent, etc. Jésus n'est jamais trop tard ni trop tôt pour le fidèle qui L'attend patiemment. Son heure n'accommode peut-être pas nos désirs mais elle est toujours la bonne pour accomplir Sa volonté et Son dessein dans nos vies.

Questions à discuter

1. Créez votre propre parabole en utilisant des éléments du temps présent pour enseigner quelque chose au sujet du christianisme. Partagez votre parabole en classe pour commentaires et discussion quant à son exactitude et son efficacité.

6.
JÉSUS FACE À JÉRUSALEM
- 1re PARTIE

LUC 9.51-12.12

Examinons notre plan d'étude de *L'évangile de Luc*; il est basé sur les déplacements de Jésus.

1. **Le commencement (1.1-3.38):** Décrit la naissance de Jésus jusqu'à Son baptême par Jean.

2. **Jésus en Galilée (4.1-9.50):** Commençant avec la tentation de Jésus, Luc suit le ministère du Seigneur, le choix de Ses apôtres dans la partie nord du pays dans la région de Capernaüm où Jésus vivait à l'âge adulte et aux alentours, près du lac de Galilée. Luc décrit plusieurs miracles, enseignements et confrontations avec les chefs juifs ainsi que l'interaction de Jésus avec différentes personnes.

La section suivante décrit des événements du voyage de Jésus vers le sud, vers Jérusalem.

Jésus face à Jérusalem – Luc 9.51-18.30

Dans cette section, Luc continue sa description du ministère de Jésus alors qu'Il quitte la région du nord où Il est chez-Lui pour se rendre à Jérusalem vers l'opposition féroce à laquelle Lui et Ses Apôtres devront faire face.

Entraînement pour le ministère (9.51-10.24)

Départ

> [51]Lorsque le temps où il devait être enlevé du monde approcha, Jésus prit la résolution de se rendre à Jérusalem. [52]Il envoya devant lui des messagers, qui se mirent en route et entrèrent dans un bourg des Samaritains, pour lui préparer un logement. [53]Mais on ne le reçut pas, parce qu'il se dirigeait sur Jérusalem. [54]Les disciples Jacques et Jean, voyant cela, dirent: Seigneur, veux-tu que nous commandions que le feu descende du ciel et les consume? [55]Jésus se tourna vers eux, et les réprimanda, disant: Vous ne savez de quel esprit vous êtes animés. [56]Car le Fils de l'homme est venu, non pour perdre les âmes des hommes, mais pour les sauver. Et ils allèrent dans un autre bourg.
> - Luc 9.51-56

Au verset 51 Jésus fait allusion à Son ascension qui sera la dernière scène de Son ministère (et non pas Sa crucifixion ou Sa résurrection), et Il redirige ainsi la scène de la Galilée vers Jérusalem.

Il rencontre immédiatement de la résistance de la part des Samaritains qui ne Le recevront pas chez eux. Ce refus n'a rien à voir avec le fait qu'Il est Juif ou qu'Il Se dit le Messie. Ce qui les dérange le plus, c'est que Jésus, considéré par beaucoup comme un prophète et un enseignant, contourne délibérément leur lieu de culte au mont Garizim pour aller prêcher à Jérusalem, la ville de leurs rivaux religieux. Jésus n'exige pas de vengeance pour ce rejet comme Jacques et Jean le suggèrent, mais Il leur rappelle Sa mission et la leur, qui est de sauver et non de détruire, et Il va humblement ailleurs.

Un ministère exigeant (9.57-62)

Le déménagement à Jérusalem sera exigeant et Jésus clarifie les difficultés de la vie d'un disciple alors que certains de ceux qui Le suivent donnent différentes excuses pour ne pas partir tout de suite avec Lui.

> Jésus lui répondit: Quiconque met la main à la charrue, et regarde en arrière, n'est pas propre au royaume de Dieu.
> - Luc 9.62

Il leur rappelle que pour être un disciple, il faut être prêt à aller de l'avant avec Lui sans regarder en arrière.

La mission des 70 (10.1-24)

> [1]Après cela, le Seigneur désigna encore soixante-dix autres disciples, et il les envoya deux à deux devant lui dans toutes les villes et dans tous les lieux où lui-même devait aller. [2]Il leur dit: La moisson est grande, mais il y a peu d'ouvriers. Priez donc le maître de la moisson d'envoyer des ouvriers dans sa moisson.
> - Luc 10.1-2

Jésus envoie 70 disciples par paires pour prêcher et préparer le peuple pour Son arrivée aux endroits qu'Il visitera bientôt. Il affirme qu'il y a beaucoup à faire et peu de serviteurs pour la tâche.

> [3]Partez; voici, je vous envoie comme des agneaux au milieu des loups. [4]Ne portez ni bourse, ni sac, ni souliers, et ne saluez personne en chemin. [5]Dans quelque maison que vous entriez, dites d'abord: Que la paix soit sur cette maison! [6]Et s'il se trouve là un enfant de paix, votre paix reposera sur lui; sinon, elle reviendra à vous. [7]Demeurez dans cette

> maison-là, mangeant et buvant ce qu'on vous
> donnera; car l'ouvrier mérite son salaire. N'allez
> pas de maison en maison. [8]Dans quelque ville que
> vous entriez, et où l'on vous recevra, mangez ce
> qui vous sera présenté,
> - Luc 10.3-8

Le Seigneur leur donne des directives à suivre dans leur
ministère:

1. Soyez prudents. Le monde est plein de dangers.

2. N'apportez pas d'extras, tout le nécessaire sera fourni.

3. Ne gaspillez pas de temps.

4. Pas de mendicité. Demeurez là où vous êtes accueillis.

5. Mangez ce qui vous est offert.

> ...guérissez les malades qui s'y trouveront, et
> dites-leur: Le royaume de Dieu s'est approché de
> vous.
> - Luc 10.9

Il résume leur ministère: guérir les malades (pour établir leur
crédibilité divine) et prêcher la Parole (partager la Bonne
Nouvelle).

> [10]Mais dans quelque ville que vous entriez, et où
> l'on ne vous recevra pas, allez dans ses rues, et
> dites: [11]Nous secouons contre vous la poussière
> même de votre ville qui s'est attachée à nos pieds;
> sachez cependant que le royaume de Dieu s'est
> approché. [12]Je vous dis qu'en ce jour Sodome sera
> traitée moins rigoureusement que cette ville-
> là. [13]Malheur à toi, Chorazin! malheur à toi,
> Bethsaïda! car, si les miracles qui ont été faits au
> milieu de vous avaient été faits dans Tyr et dans
> Sidon, il y a longtemps qu'elles se seraient
> repenties, en prenant le sac et la cendre. [14]C'est

> pourquoi, au jour du jugement, Tyr et Sidon seront traitées moins rigoureusement que vous. [15]Et toi, Capernaüm, qui as été élevée jusqu'au ciel, tu seras abaissée jusqu'au séjour des morts. [16]Celui qui vous écoute m'écoute, et celui qui vous rejette me rejette; et celui qui me rejette rejette celui qui m'a envoyé.
> - Luc 10.10-16

Le jugement de Dieu devrait motiver à la fois les auditeurs et les orateurs. Ceux qui entendent sont perdus s'ils ne croient pas que Jésus est le Fils de Dieu. Ceux qui parlent doivent rappeler aux auditeurs qu'il y a une conséquence pour ceux qui ne croient pas. Luc mentionne plusieurs exemples de l'Ancien Testament où des villes et des nations ont été détruites par Dieu pour leur incrédulité.

Retour des disciples

> [17]Les soixante-dix revinrent avec joie, disant: Seigneur, les démons mêmes nous sont soumis en ton nom. [18]Jésus leur dit: Je voyais Satan tomber du ciel comme un éclair. [19]Voici, je vous ai donné le pouvoir de marcher sur les serpents et les scorpions, et sur toute la puissance de l'ennemi; et rien ne pourra vous nuire. [20]Cependant, ne vous réjouissez pas de ce que les esprits vous sont soumis; mais réjouissez-vous de ce que vos noms sont écrits dans les cieux.
> - Luc 10.17-20

Les disciples reviennent excités d'avoir été capables de chasser des démons au nom de Jésus (étant donné qu'Il les a envoyés pour guérir, cette puissance supplémentaire était un bonus). En commentaire à leur succès sur les démons, Jésus mentionne qu'Il voyait Satan qui tombait. S'ils étaient capables de faire cela à ceux qui suivaient Satan, ils prouvaient donc que Satan était vaincu et qu'eux aussi, ils avaient (comme nous en tant que disciples) le pouvoir de vaincre les plans du diable (dont les symboles sont des serpents et des scorpions).

Le Seigneur finit en aidant ces hommes à gagner une certaine perspective sur leur grande victoire spirituelle sur les mauvais esprits. La véritable victoire, gagnée pour eux par Jésus et cause de réjouissance éternelle, est que la vie éternelle au paradis leur est promise (leurs noms y sont déjà inscrits).

La prière de Jésus

> [21]En ce moment même, Jésus tressaillit de joie par le Saint Esprit, et il dit: Je te loue, Père, Seigneur du ciel et de la terre, de ce que tu as caché ces choses aux sages et aux intelligents, et de ce que tu les as révélées aux enfants. Oui, Père, je te loue de ce que tu l'as voulu ainsi. [22]Toutes choses m'ont été données par mon Père, et personne ne connaît qui est le Fils, si ce n'est le Père, ni qui est le Père, si ce n'est le Fils et celui à qui le Fils veut le révéler. [23]Et, se tournant vers les disciples, il leur dit en particulier: Heureux les yeux qui voient ce que vous voyez! [24]Car je vous dis que beaucoup de prophètes et de rois ont désiré voir ce que vous voyez, et ne l'ont pas vu, entendre ce que vous entendez, et ne l'ont pas entendu.
> - Luc 10.21-24

La prière de Jésus révèle la vraie raison pour laquelle les disciples devraient se réjouir. Ils ont fait l'expérience d'une certaine mesure de puissance spirituelle et à cause de cela, ils sont excités et joyeux. D'autres par le passé avaient aussi ressenti et utilisé le pouvoir de Dieu pour accomplir des miracles et des guérisons, même pour ressusciter des morts (Élie, 2 Rois 4.18-37). Les disciples de Jésus avaient toutefois le privilège de connaître et de servir le Messie, le Fils de Dieu, ce qui n'avait été qu'un espoir pour les hommes et les femmes fidèles qui les avaient précédés.

Jésus Se réjouit pour eux et Il loue le Père pour la manière dont Il S'est pleinement révélé à l'humanité en donnant cette précieuse connaissance à des hommes et à des femmes de condition humble. Luc mentionne les trois personnes de la Divinité dans le même verset (v. 21).

La parabole du Samaritain (10.25-37)

Cette parabole n'apparaît que dans l'évangile de Luc et elle est donnée en réponse à une question posée par un docteur de la loi.

> [25]Un docteur de la loi se leva, et dit à Jésus, pour l'éprouver: Maître, que dois-je faire pour hériter la vie éternelle? [26]Jésus lui dit: Qu'est-il écrit dans la loi? Qu'y lis-tu? [27]Il répondit: Tu aimeras le Seigneur, ton Dieu, de tout ton cœur, de toute ton âme, de toute ta force, et de toute ta pensée; et ton prochain comme toi-même. [28]Tu as bien répondu, lui dit Jésus; fais cela, et tu vivras. [29]Mais lui, voulant se justifier, dit à Jésus: Et qui est mon prochain?
> - Luc 10.25-29

La question vient après un commentaire que Jésus a fait dans Sa prière au sujet des noms des disciples inscrits au ciel. Le docteur de la loi teste Jésus en Lui demandant une question dont il connaît déjà la réponse dans l'espoir de Le discréditer. Certains érudits disent qu'il était offensé par les commentaires précédents de Jésus au sujet de Ses disciples qui iraient aux cieux parce qu'ils croyaient en Lui et qu'il avait posé cette question pour attirer Jésus dans un débat.

Jésus demande au docteur de la loi de répondre lui-même à la question, à quoi celui-ci cite le bon passage. Jésus confirme que sa réponse est correcte selon la lettre de la loi (c'est-à-dire que d'aimer Dieu et son prochain mène à la vie éternelle).

Les Juifs, particulièrement les docteurs de la loi, savaient diluer ou contourner la loi de Dieu pour faire ce qu'ils voulaient mais ils prétendaient tout de même être vertueux en vertu de la loi. Par exemple, ils divorçaient leurs femmes pour n'importe quel prétexte (par ex. qu'ils n'aimaient pas sa préparation des repas) et se proclamaient justifiés parce qu'ils observaient la loi en lui donnant un certificat officiel de divorce. Leurs actions obéissaient à la lettre de la loi mais pas à l'esprit de la loi.

Ce docteur essaie de se justifier de la même manière quant au commandement d'aimer Dieu et son prochain comme lui-même. Les Juifs faisaient une distinction quand ils en venaient à leur prochain. Pour certains, seulement d'autres Juifs étaient considérés leur prochain, et pour d'autres, il s'agissait de ceux de leur tribu ou de leur famille. La véritable question par conséquent n'était pas "Comment puis-je obtenir la vie éternelle?" mais "Qui est mon prochain?" À la différence de la première question où Jésus savait que le docteur de la loi avait la bonne réponse et le bon texte, cette fois-ci le Seigneur répond parce qu'Il peut ainsi rectifier l'erreur de cet homme.

> Jésus reprit la parole, et dit: Un homme descendait de Jérusalem à Jéricho. Il tomba au milieu des brigands, qui le dépouillèrent, le chargèrent de coups, et s'en allèrent, le laissant à demi mort.
> - Luc 10.30

Jésus présente l'histoire d'un Samaritain (les Samaritains faisaient partie d'un peuple et d'une place considérés sans valeur parce que leurs ancêtres étaient un mélange de Juifs et de gentils). Un homme est dépouillé et battu, abandonné presque nu et laissé pour mort sur une route peu peuplée entre Jérusalem et Jéricho. Un sacrificateur et un Lévite qui servaient tous deux au temple à Jérusalem passent près de lui mais n'arrêtent pas pour offrir de l'aide. Certains disent qu'ils ne voulaient pas se rendre impurs en lui touchant afin de pouvoir servir au temple. Cela est erroné pour trois raisons:

1. Ils descendaient (c'est-à-dire qu'ils revenaient de Jérusalem et avaient donc complété leur service).

2. Sans l'avoir examiné pour savoir s'il était circoncis, ils ne pouvaient savoir s'il était Juif ou non. Il aurait tout aussi bien pu être un sacrificateur!

3. On devenait impur en touchant un lépreux ou un mort, mais cet homme blessé n'était ni l'un ni l'autre.

> [31]Un sacrificateur, qui par hasard descendait par le même chemin, ayant vu cet homme, passa outre. [32]Un Lévite, qui arriva aussi dans ce lieu, l'ayant vu, passa outre. [33]Mais un Samaritain, qui voyageait, étant venu là, fut ému de compassion lorsqu'il le vit. [34]Il s'approcha, et banda ses plaies, en y versant de l'huile et du vin; puis il le mit sur sa propre monture, le conduisit à une hôtellerie, et prit soin de lui. [35]Le lendemain, il tira deux deniers, les donna à l'hôte, et dit: Aie soin de lui, et ce que tu dépenseras de plus, je te le rendrai à mon retour. [36]Lequel de ces trois te semble avoir été le prochain de celui qui était tombé au milieu des brigands? [37]C'est celui qui a exercé la miséricorde envers lui, répondit le docteur de la loi. Et Jésus lui dit: Va, et toi, fais de même.
> - Luc 10.31-37

Jésus présente maintenant le personnage principal de cette parabole, le voyageur Samaritain. Cet homme s'arrête et prend soin de l'homme blessé, l'amène à un hôtel pour l'y soigner. Les deux deniers qu'il laisse auraient payé à l'avance pour deux mois de soins (Lenski p. 607).

Jésus redirige maintenant Sa question vers le docteur de la loi. Il y a en fait trois questions ici, une dite à haute voix et les deux autres sous-entendues:

1. Lequel des trois hommes a agi comme "le prochain"?

2. Es-tu cette sorte de prochain? La question implicite ici ramène le docteur de la loi à sa question initiale sur ce que l'on doit faire pour recevoir la vie éternelle, aimer Dieu et son prochain, et le met au défi avec une autre question:

3. Aimes-tu ton prochain de cette manière?

Le docteur de la loi répond de manière hésitante à la question en reconnaissant que celui qui avait fait miséricorde (il ne pouvait pas même s'emmener à prononcer les mots "... le Samaritain était le prochain"). Jésus ayant révélé le manque dans son argument (mon prochain est celui que je choisis) et dans sa vie spirituelle (il n'aimait pas les autres comme il aurait dû) lui dit de se repentir et d'agir dans l'esprit requis par ce commandement (mon prochain est celui qui est dans le besoin).

Marie et Marthe

> [38]Comme Jésus était en chemin avec ses disciples, il entra dans un village, et une femme, nommée Marthe, le reçut dans sa maison. [39]Elle avait une sœur, nommée Marie, qui, s'étant assise aux pieds du Seigneur, écoutait sa parole. [40]Marthe, occupée à divers soins domestiques, survint et dit: Seigneur, cela ne te fait-il rien que ma sœur me laisse seule pour servir? Dis-lui donc de m'aider. [41]Le Seigneur lui répondit: Marthe, Marthe, tu t'inquiètes et tu t'agites pour beaucoup de choses. [42]Une seule chose est nécessaire. Marie a choisi la bonne part, qui ne lui sera point ôtée.
> - Luc 10.38-42

Nous savons que Jésus et Ses Apôtres sont maintenant près de Jérusalem étant donné que ces femmes vivaient à Béthanie, à quelques kilomètres de la ville sainte (Jean 11.1). Luc nous donne un aperçu de deux femmes qui étaient Ses disciples et qui argumentaient quant à la tâche de recevoir Jésus et les douze. Dans cette scène, deux choses sont offertes, toutes les deux importantes:

1. La nourriture pour le corps, à laquelle s'affaire Marthe et pour laquelle elle essaie d'obtenir l'aide de Marie.

2. La nourriture pour l'âme, que Jésus fournit par Son enseignement.

Les deux sont importantes mais se nourrir de la parole de Dieu l'est davantage. En répondant à Marthe, Jésus pointe simplement cette réalité et cette vérité. Marie a choisi la plus importante des deux. Ce qui est implicite ici est que Marthe et Marie auraient toutes les deux pu s'asseoir et écouter Jésus et que le repas aurait pu être servi plus tard.

Instruction au sujet de la prière (11.1-13)

> [1]Jésus priait un jour en un certain lieu. Lorsqu'il eut achevé, un de ses disciples lui dit: Seigneur, enseigne-nous à prier, comme Jean l'a enseigné à ses disciples. [2]Il leur dit: Quand vous priez, dites: Père! Que ton nom soit sanctifié; que ton règne vienne. [3]Donne-nous chaque jour notre pain quotidien; [4]pardonne-nous nos péchés, car nous aussi nous pardonnons à quiconque nous offense; et ne nous induis pas en tentation.
> - Luc 11.1-4

Un des 70 disciples demande à Jésus de lui enseigner à prier (comme Jean l'a fait pour ses disciples). Jésus répond avec un modèle de prière et montre aussi l'attitude qu'il faut avoir en prière. Le modèle qu'Il donne ici est une version abrégée de celle du sermon sur la montagne (Matthieu 6.9-13) et son illustration est unique à l'évangile de Luc.

> [5]Il leur dit encore: Si l'un de vous a un ami, et qu'il aille le trouver au milieu de la nuit pour lui dire: Ami, prête-moi trois pains, [6]car un de mes amis est

arrivé de voyage chez moi, et je n'ai rien à lui offrir, [7]et si, de l'intérieur de sa maison, cet ami lui répond: Ne m'importune pas, la porte est déjà fermée, mes enfants et moi sommes au lit, je ne puis me lever pour te donner des pains, - [8]je vous le dis, même s'il ne se levait pas pour les lui donner parce que c'est son ami, il se lèverait à cause de son importunité et lui donnerait tout ce dont il a besoin.
- Luc 11.5-8

Cette histoire met en évidence la vertu de la persévérance parce que Jésus conclut que l'homme a reçu ce qu'il avait demandé non pas par nécessité ou par amitié mais parce qu'il ne cessait pas de demander.

[9]Et moi, je vous dis: Demandez, et l'on vous donnera; cherchez, et vous trouverez; frappez, et l'on vous ouvrira. [10]Car quiconque demande reçoit, celui qui cherche trouve, et l'on ouvre à celui qui frappe. [11]Quel est parmi vous le père qui donnera une pierre à son fils, s'il lui demande du pain? Ou, s'il demande un poisson, lui donnera-t-il un serpent au lieu d'un poisson? [12]Ou, s'il demande un œuf, lui donnera-t-il un scorpion? [13]Si donc, méchants comme vous l'êtes, vous savez donner de bonnes choses à vos enfants, à combien plus forte raison le Père céleste donnera-t-il le Saint Esprit à ceux qui le lui demandent.
- Luc 11.9-13

Aux versets suivants le Seigneur fait deux applications pratiques de cette histoire sur la prière:

1. Continuez à demander, à chercher et à essayer. Les prières continues bâtissent la foi et développent la patience. Elles sont la forme la plus fondamentale d'exercice spirituel. Dieu répond toujours aux prières

d'une manière ou d'une autre selon Sa volonté et le temps qu'Il appointe.

2. Dieu sait ce dont nous avons besoin. Un père sait habituellement ce qui est bon pour ses enfants et leur donne de bonnes choses. De la même manière mais à un niveau beaucoup plus élevé, notre Père céleste le sait aussi. Jésus mentionne le plus grand don de tous, l'Esprit Saint, qui nous ressuscitera éventuellement de la mort (Romains 8.11).

Attaque des pharisiens et avertissement à leur égard (11.14-54)

La longue section qui suit met en évidence un conflit continuel entre Jésus et les pharisiens. Maintenant que Lui et les apôtres sont près de Jérusalem, les attaque des pharisiens, qui sont concentrés dans cette région, vont se multiplier.

> [14]Jésus chassa un démon qui était muet. Lorsque le démon fut sorti, le muet parla, et la foule fut dans l'admiration. [15]Mais quelques-uns dirent: c'est par Béelzébul, le prince des démons, qu'il chasse les démons.
> - Luc 11.14-15

Luc raconte que la source de cette attaque tourne autour de leurs efforts de discréditer les miracles de Jésus en les présentant comme des œuvres du diable.

Aux versets 16-28, Jésus répond que si le diable travaille contre lui-même en chassant les démons au nom de Jésus, cela signifie qu'il est divisé et donc vaincu. Si, par contre, Jésus chasse les démons par la puissance de Dieu et que les pharisiens sont contre Lui, cela signifie qu'ils se rangent du côté du diable.

> Celui qui n'est pas avec moi est contre moi, et celui qui n'assemble pas avec moi disperse.
> - Luc 11.23

Aux versets 29-36, certains individus dans la foule mettent Jésus au défi en demandant un signe (un miracle comme au temps de Moïse, de l'eau d'un rocher ou quelque chose du genre). Le Seigneur prophétise qu'Il leur donnera un miracle spectaculaire, Sa résurrection, mais ils ne comprennent pas Sa référence au signe de Jonas et ils n'auront pas le privilège de voir ce miracle à cause de leur incrédulité. Il les accuse d'aveuglement et d'obscurité parce qu'ils Le rejettent. L'idée que leur lumière (c'est-à-dire ce qu'ils croient être la vérité) est ténèbres est une manière de signaler qu'en réalité ils croient une fausseté. S'ils acceptent qu'Il est le Messie, ils auront la véritable lumière pour les guider.

Malheurs aux pharisiens! (11.37-54)

Jésus finit en prononçant une série de six malheurs sur les pharisiens après qu'ils L'aient critiqué pour ne pas avoir rempli les rites de purification cérémoniels requis par leurs règles. Ces malheurs sont des accusations pour leurs péchés passés d'avidité, d'orgueil, d'hypocrisie, d'impureté, d'oppression, de violence et d'obstruction à la vérité (qu'Il était le Messie). Luc écrit qu'après cette confrontation, les scribes et les pharisiens s'uniront pour comploter de Le tuer.

Leçon

Nous avons vu ici une grande quantité d'événements et à part l'observation que ces choses ont toutes pris place alors que Jésus était en route vers Jérusalem, on n'y voit pas de thème général. Il s'y trouve toutefois de nombreuses leçons. En voici une.

Nous sommes les 70

Il n'y avait que 12 hommes choisis comme apôtres (ils ont été témoins du baptême, de la mort, du corps ressuscité de Jésus) en plus de Matthias choisi pour remplacer

Judas (Actes 1.12-26) et de Paul, choisi miraculeusement par Jésus sur la route de Damas (Actes 9.3-9). Toutefois les modèles à suivre pour nous et pour notre ministère aujourd'hui ne sont pas les 12 du début mais les 70 que Jésus a envoyés pour en préparer d'autres à Sa venue. De la même manière, notre tâche aujourd'hui est de proclamer l'évangile à nos voisins et à la nation, et de le confirmer par le témoignage de nos vies pures et de nos bonnes œuvres, afin que tous puissent croire et être prêts pour le retour du Christ. Il ne viendra cette fois pas pour le salut mais pour le jugement des incroyants et des méchants, et pour la glorification de ceux qui croient et qui Le servent patiemment jusqu'au jour de Son retour.

Passage à lire : Luc 12.1-14.6

Questions à discuter

1. Décrivez ce qui vous semble le plus grand obstacle pour l'évangile là où vous prévoyez prêcher et comment vous planifiez le surmonter dans votre ministère.

2. Si vous présentiez la parabole du Samaritain aujourd'hui, qui seraient vos personnages contemporains? (Les brigands, le sacrificateur, le Lévite, le Samaritain, l'hôtelier, la victime)

3. Que diriez-vous à quelqu'un qui a prié longtemps et avec ferveur sans être exaucé et par conséquent est découragé et fâché contre Dieu?

7.
JÉSUS FACE À JÉRUSALEM
- 2ᵉ PARTIE

LUC 12.1-14.6

Jésus quitte maintenant la région de la Galilée au nord du pays et Se dirige vers Jérusalem. À mesure qu'Il Se rapproche de la ville sainte où se trouvent le temple et les chefs religieux (les prêtres, les scribes, les pharisiens), Il fait face à une forte opposition envers Lui et envers Ses enseignements. On a vu à la fin du chapitre 11 que les dirigeants juifs complotaient activement pour l'attraper dans ce qu'Il dirait (11.53-54). Il les avait dénoncés parce qu'ils Le rejetaient et Le disaient possédé d'un démon.

Au chapitre 12 Jésus répond à l'opposition en prévenant Ses apôtres contre les plans de ces hommes et Il les avertit que d'être Ses disciples serait difficile et dangereux. Il les rassure toutefois avec plusieurs promesses:

- Leur message sera éventuellement entendu malgré l'opposition à laquelle ils font face (v. 1-3).

- La puissance avec laquelle ils parlent et dont ils témoignent est plus grande que celle qui les oppose (v. 4-5).

- Dieu les considère précieux même si le monde les rejette (v. 6-7).

- La foi au Christ est le facteur déterminant dans le jugement devant Dieu et non pas le pouvoir ou la position ici-bas (v. 8-9).

- Ceux qui rejettent la parole de Dieu en disant que Jésus et Sa parole viennent de Satan ne peuvent être pardonnés parce qu'ils rejettent et blasphèment le Seul qui peut les sauver (v. 10).

- Dieu leur donnera la sagesse nécessaire pour proclamer et défendre leur foi quand ils seront persécutés (v. 11-12).

À ce point, quelqu'un dans la foule interrompt Jésus et Il change la direction de Ses avertissements contre les pharisiens, en avertissements contre les dangers présents dans le monde, qui ne menacent pas seulement leur ministère mais aussi leurs âmes.

La parabole de l'homme riche – Luc 12.13-21

> [13]Quelqu'un dit à Jésus, du milieu de la foule: Maître, dis à mon frère de partager avec moi notre héritage. [14]Jésus lui répondit: O homme, qui m'a établi pour être votre juge, ou pour faire vos partages? [15]Puis il leur dit: Gardez-vous avec soin de toute avarice; car la vie d'un homme ne dépend pas de ses biens, fût-il dans l'abondance.
> - Luc 12.13-15

La question laisse entendre qu'il y a une dispute dans cette famille au sujet de l'argent et celui qui interrompt Jésus veut qu'Il lui serve de médiateur. Le Seigneur refuse de S'impliquer parce qu'Il n'est pas un des juges appointé pour ces problèmes légaux. Il utilise toutefois l'incident pour enseigner à la foule au sujet de l'avarice (qui est l'attachement excessif aux richesses et le désir de les accumuler), ce qui était probablement la cause première du problème en question.

Sa leçon est intégrée dans une parabole.

> [16]Et il leur dit cette parabole: Les terres d'un homme riche avaient beaucoup rapporté. [17]Et il raisonnait en lui-même, disant: Que ferai-je? car je n'ai pas de place pour serrer ma récolte. [18]Voici, dit-il, ce que je ferai: j'abattrai mes greniers, j'en bâtirai de plus grands, j'y amasserai toute ma récolte et tous mes biens; [19]et je dirai à mon âme: Mon âme, tu as beaucoup de biens en réserve pour plusieurs années; repose-toi, mange, bois, et réjouis-toi. [20]Mais Dieu lui dit: Insensé! cette nuit même ton âme te sera redemandée; et ce que tu as préparé, pour qui cela sera-t-il? [21]Il en est ainsi de celui qui amasse des trésors pour lui-même, et qui n'est pas riche pour Dieu.
> - Luc 12.16-21

L'histoire est simple: un homme riche est béni d'une récolte abondante qui l'enrichit davantage. Ce surplus présente un dilemme: comment tout conserver? L'homme décide d'agrandir ses greniers pour y entreposer tout ce qu'il possède. Pendant qu'il considère comment il jouira de ses richesses, il meurt et ses possessions sont données à d'autres.

L'avarice n'est pas même mentionnée dans cette histoire. L'homme riche n'est pas condamné à cause de ses biens, sa récolte abondante est une bénédiction. Son péché est dans sa décision, ce qu'il a fait ou omis de faire de son surplus, motivée par l'avarice et par un manque de foi.

Ce qu'il n'a pas fait

- Il n'a pas remercié Dieu.

- Il n'a pas demandé conseil à Dieu.

- Il ne Lui a pas donné une portion en remerciement.

- Il n'a pas considéré partager avec d'autres dans le besoin.

Ce qu'il a fait

- Il a tout gardé pour lui-même.

- Il a construit de plus grands greniers.

- Il a seulement considéré comment jouir lui-même de sa nouvelle richesse.

- Il a présumé qu'il vivrait assez longtemps pour accomplir ses plans.

L'avarice se voit ici chez quelqu'un qui était déjà riche et qui, en recevant de plus grands biens n'a considéré que l'occasion de maintenir son style de vie. Le véritable danger de l'avarice est qu'elle amène à ne considérer que la vie matérielle (plus de biens signifie plus de sécurité, plus de bonheur ou de succès) avec peu d'égard à l'aspect spirituel de la vie.

Au verset 21 Jésus fait une comparaison:

1. Celui qui n'amasse des trésors que pour lui-même n'est pas prêt pour la mort et le jugement.

2. Le "riche pour Dieu," c'est-à-dire celui qui est riche dans le pardon, la vertu, le fruit de l'Esprit, le ministère, etc., est mieux préparé pour la mort et le jugement.

Les béatitudes – Luc 12.22-34

Cette parabole mène naturellement à une discussion plus profonde de ce qu'est une vie vécue pour Dieu. Jésus se détourne de la dispute entre les frères et leur héritage, à laquelle Il a répondu par la parabole de l'homme riche, et S'adresse maintenant à la foule en général. Luc enregistre la répétition de la leçon de Jésus sur les béatitudes qui se trouve en Matthieu (chapitres 5-7) comme la manière de vivre "riche pour Dieu."

> Car là où est votre trésor, là aussi sera votre cœur.
> - Luc 12.34

Tenez-vous prêts – Luc 12.35-13.9

Une fois qu'Il a complété la parabole et sa leçon, Jésus continue avec un avertissement à tous Ses disciples, présents et futurs, qu'ils doivent toujours se tenir prêts.

> [35]Que vos reins soient ceints, et vos lampes allumées. [36]Et vous, soyez semblables à des hommes qui attendent que leur maître revienne des noces, afin de lui ouvrir dès qu'il arrivera et frappera. [37]Heureux ces serviteurs que le maître, à son arrivée, trouvera veillant! Je vous le dis en vérité, il se ceindra, les fera mettre à table, et s'approchera pour les servir. [38]Qu'il arrive à la deuxième ou à la troisième veille, heureux ces serviteurs, s'il les trouve veillant!
> - Luc 12.35-38

Les passages qui suivent décrivent la raison pour laquelle il faut être prêt et comment l'être:

Prêts pour quoi et quand?

> [39]Sachez-le bien, si le maître de la maison savait à quelle heure le voleur doit venir, il veillerait et ne laisserait pas percer sa maison. [40]Vous aussi, tenez-vous prêts, car le Fils de l'homme viendra à l'heure où vous n'y penserez pas.
> - Luc 12.39-40

La venue du Christ aura lieu à un moment que personne ne connaît. Il vient nous chercher par la mort, comme l'homme riche, ou à la fin du monde pour le jugement. C'est là la raison pour laquelle il faut toujours être prêt.

Prêts pour qui ou pourquoi?

> [41]Pierre lui dit: Seigneur, est-ce à nous, ou à tous, que tu adresses cette parabole? [42]Et le Seigneur dit: Quel est donc l'économe fidèle et prudent que le maître établira sur ses gens, pour leur donner la nourriture au temps convenable? [43]Heureux ce serviteur, que son maître, à son arrivée, trouvera faisant ainsi! [44]Je vous le dis en vérité, il l'établira sur tous ses biens. [45]Mais, si ce serviteur dit en lui-même: Mon maître tarde à venir; s'il se met à battre les serviteurs et les servantes, à manger, à boire et à s'enivrer, [46]le maître de ce serviteur viendra le jour où il ne s'y attend pas et à l'heure qu'il ne connaît pas, il le mettra en pièces, et lui donnera sa part avec les infidèles. [47]Le serviteur qui, ayant connu la volonté de son maître, n'a rien préparé et n'a pas agi selon sa volonté, sera battu d'un grand nombre de coups. [48]Mais celui qui, ne l'ayant pas connue, a fait des choses dignes de châtiment, sera battu de peu de coups. On demandera beaucoup à qui l'on a beaucoup donné, et on exigera davantage de celui à qui l'on a beaucoup confié.
> - Luc 12.41-48

Tous devraient être prêts mais surtout ceux qui savent qu'Il peut revenir à tout moment. Les incroyants continuent leur routine quotidienne inconscients, mais les disciples savent que Jésus reviendra à tout moment pour le jugement et ils sont par conséquent sans excuse. Être prêt est important parce que le jugement amène récompense et punition. Il semble que Jésus fait ici référence aux disciples et spécialement aux enseignants, aux anciens, aux prédicateurs et aux diacres. Ils sont les esclaves qui ont reçu l'instruction et que le Maître a laissés comme intendants de la parole de Dieu et de Son Église. Ils ont reçu beaucoup (des dons spirituels, un appel, des occasions de croissance spirituelle et des bénédictions) et pour cette raison, beaucoup est exigé de leur part. Cette idée est aussi soutenue par Jacques :

> Mes frères, qu'il n'y ait pas parmi vous un grand nombre de personnes qui se mettent à enseigner, car vous savez que nous serons jugés plus sévèrement.
> - Jacques 3.1

Jésus affirme Lui-même qu'il y aura de différents degrés quant aux récompenses et au jugement plus ou moins sévère, (comme Paul l'écrit aussi).

> [13]car le jour la fera connaître, parce qu'elle se révèlera dans le feu, et le feu éprouvera ce qu'est l'œuvre de chacun. [14]Si l'œuvre bâtie par quelqu'un sur le fondement subsiste, il recevra une récompense. [15]Si l'œuvre de quelqu'un est consumée, il perdra sa récompense; pour lui, il sera sauvé, mais comme au travers du feu.
> - 1 Corinthiens 3.13-15

Nous n'avons toutefois aucune description de ce que sont ces différences.

> [49]Je suis venu jeter un feu sur la terre, et qu'ai-je à désirer, s'il est déjà allumé? [50]Il est un baptême dont je dois être baptisé, et combien il me tarde qu'il soit accompli! [51]Pensez-vous que je sois venu apporter la paix sur la terre? Non, vous dis-je, mais la division. [52]Car désormais cinq dans une maison seront divisés, trois contre deux, et deux contre trois; [53]le père contre le fils et le fils contre le père, la mère contre la fille et la fille contre la mère, la belle-mère contre la belle-fille et la belle-fille contre

la belle-mère.
- Luc 12.49-53

Ici Jésus révèle que la bataille deviendra extrêmement personnelle et, par conséquent, très douloureuse. Le ministère, la foi, l'état de préparation du disciple seront mis au défi par ceux de sa propre maisonnée et ceux qui lui sont les plus chers ici-bas.

> [54]Il dit encore aux foules: Quand vous voyez un nuage se lever à l'occident, vous dites aussitôt: La pluie vient. Et il arrive ainsi. [55]Et quand vous voyez souffler le vent du midi, vous dites: Il fera chaud. Et cela arrive. [56]Hypocrites! vous savez discerner l'aspect de la terre et du ciel; comment ne discernez-vous pas ce temps-ci? [57]Et pourquoi ne discernez-vous pas de vous-mêmes ce qui est juste? [58]Lorsque tu vas avec ton adversaire devant le magistrat, tâche en chemin de te dégager de lui, de peur qu'il ne te traîne devant le juge, que le juge ne te livre à l'officier de justice, et que celui-ci ne te mette en prison. [59]Je te le dis, tu ne sortiras pas de là que tu n'aies payé jusqu'à dernière pite.
> - Luc 12.54-59

Le Seigneur confirme Son avertissement en leur rappelant d'observer simplement les signes au sujet desquels Il les a déjà avertis à mesure qu'ils se produiront dans l'avenir (l'opposition, la persécution, la division dans les familles, etc.) et d'agir en conséquence en étant toujours prêts!

Prêts comment?

Le Seigneur mentionne deux manières de cultiver cet état de préparation en tout temps.

1. Repentez-vous

> [1]En ce même temps, quelques personnes qui se trouvaient là racontaient à Jésus ce qui était arrivé à des Galiléens dont Pilate avait mêlé le sang avec celui de leurs sacrifices. [2]Il leur répondit: Croyez-vous que ces Galiléens fussent de plus grands pécheurs que tous les autres Galiléens, parce qu'ils ont souffert de la sorte? [3]Non, je vous le dis. Mais si vous ne vous repentez, vous périrez tous également. [4]Ou bien, ces dix-huit personnes sur qui est tombée la tour de Siloé et qu'elle a tuées, croyez-vous qu'elles fussent plus coupables que tous les autres habitants de Jérusalem?
> - Luc 13.1-4

La repentance est la première étape nécessaire pour devenir un disciple et un exercice à répéter pour produire la croissance spirituelle qui mène à la maturité. Jésus, s'adressant surtout à la foule, accentue l'exercice spirituel primordial et le plus productif sans lequel il ne peut y avoir ni salut ni croissance spirituelle. Tous doivent se repentir, même les pharisiens.

2. Produisez du fruit

> [6]Il dit aussi cette parabole: Un homme avait un figuier planté dans sa vigne. Il vint pour y chercher du fruit, et il n'en trouva point. [7]Alors il dit au vigneron: Voilà trois ans que je viens chercher du fruit à ce figuier, et je n'en trouve point. Coupe-le: pourquoi occupe-t-il la terre inutilement? [8]Le vigneron lui répondit: Seigneur, laisse-le encore cette année; je creuserai tout autour, et j'y mettrai du fumier. [9]Peut-être à l'avenir donnera-t-il du fruit; sinon, tu le couperas.
> - Luc 13.6-9

Dans cette parabole, la vigne et l'arbre sont la nation juive, le vigneron est Jésus et le maître est le Père qui porte le jugement. La nation a reçu du soin pendant trois ans à travers la prédication de Jean-Baptiste suivie de celle de Jésus pour produire le fruit de la repentance parce que le royaume est proche.

Les Juifs (spécialement les chefs religieux) ont rejeté Jean et Jésus (tuant le premier et se préparant à tuer l'autre). Le jugement sur la nation est imminent mais Jésus demande plus de temps (Il n'est pas encore mort, ressuscité et n'a pas encore donné le pouvoir à Ses apôtres pour aller prêcher). Ces événements constituent l'année "supplémentaire" pour voir s'il y aura une récolte de repentance et de foi en résultat à ces efforts. Nous savons par l'histoire que la nation, en majorité, n'a pas reçu le Messie et que le jugement de Dieu s'est abattu sur la ville de Jérusalem en 70 après J.-C. quand l'armée romaine l'a assiégée, a tué ses habitants, brûlé la ville et mis le temple en ruines (c'est là ce que "couper l'arbre" représentait dans cette parabole).

Jésus complète donc une section d'enseignement à Ses disciples par l'utilisation de paraboles, les encourageant à être toujours prêts (en portant du bon fruit de repentance et de foi) parce qu'Il reviendra pour juger au moment où ils ne s'y attendront pas. Cet avertissement contient aussi une prophétie de jugement et de punition sur la nation juive pour son manque de foi (70 apr. J.-C.).

Guérison le jour du sabbat – Luc 13.10-14.6

La section suivante contient deux exemples de Jésus qui guérit le jour du sabbat avec plusieurs de Ses enseignements insérés entre les deux guérisons. Il est intéressant de noter que ces deux guérisons ne sont mentionnées que dans les écrits de Luc.

Guérison le jour du sabbat (13.10-17)

> [10]Jésus enseignait dans une des synagogues, le jour du sabbat. [11]Et voici, il y avait là une femme possédée d'un esprit qui la rendait infirme depuis dix-huit ans; elle était courbée, et ne pouvait pas du tout se redresser. [12]Lorsqu'il la vit, Jésus lui adressa la parole, et lui dit: Femme, tu es délivrée de ton infirmité. [13]Et il lui imposa les mains. A l'instant elle se redressa, et glorifia Dieu.
> - Luc 13.10-13

Cette femme était possédée par un démon. L'infirmité dont elle souffrait depuis 18 ans, sa courbature, était la manifestation de l'attaque du démon sur son corps. Jésus la libère du démon, ce qui soulage le symptôme physique de sa présence. Ayant la foi (elle allait à la synagogue en dépit de sa condition embarrassante), elle éclate en louange à Dieu.

> Mais le chef de la synagogue, indigné de ce que Jésus avait opéré cette guérison un jour de sabbat, dit à la foule: Il y a six jours pour travailler; venez donc vous faire guérir ces jours-là, et non pas le jour du sabbat.
> - Luc 13.14

Le chef de la synagogue ne pouvait nier le miracle (il avait peut-être même été témoin de la souffrance de cette femme au cours de toutes ces années) mais le miracle de Jésus risquait d'agiter la foule et de menacer sa position. Le mot "indigné" démontre la colère qui résulte d'une insulte ou d'un défi. Cette femme avait souffert pendant presque deux décennies et on avait peut-être offert beaucoup de prières en sa faveur. Jésus arrive et la guérit en un instant à la joie et à la surprise de la congrégation.

Le chef de la synagogue tente de camoufler sa colère et possiblement son envie en citant les règles concernant le travail médical. Les docteurs pouvaient adresser des urgences le jour du sabbat mais ne pouvaient pas traiter de condition chronique ce jour-là.

> [15]Hypocrites! lui répondit le Seigneur, est-ce que chacun de vous, le jour du sabbat, ne détache pas de la crèche son bœuf ou son âne, pour le mener boire? [16]Et cette femme, qui est une fille d'Abraham, et que Satan tenait liée depuis dix-huit ans, ne fallait-il pas la délivrer de cette chaîne le jour du sabbat?
> - Luc 13.15-16

Jésus dénonce l'hypocrisie de leur attitude. Ils pouvaient selon leurs coutumes nourrir leurs animaux le jour du sabbat et Jésus révèle leur double standard... On peut libérer un animal pour boire mais on ne peut libérer une femme de son esclavage!

> Tandis qu'il parlait ainsi, tous ses adversaires étaient confus, et la foule se réjouissait de toutes les choses glorieuses qu'il faisait.
> - Luc 13.17

Les gens ordinaires voyaient bien les règles hypocrites des pharisiens mais craignaient de les mettre au défi. Ils se réjouissaient parce que quelqu'un les dénonçait enfin, non seulement en paroles mais avec puissance! Luc mentionne l'humiliation des chefs religieux et, comme on le verra, cet incident ajoute à leur haine et les poussera éventuellement à comploter la mort de Jésus.

Enseignement – Luc 13.18-35

Paraboles du grain de sénevé et du levain (13.18-21)

Jésus avait déjà averti d'être prêts parce que le royaume était proche. Ici Il donne deux courtes paraboles montrant ce qu'est le royaume:

- Le grain de sénevé et l'arbre: il croît de manière dynamique et offre un abri énorme.

- Le levain: sa croissance n'est pas visible mais sa présence affecte tout son entourage.

La porte étroite (13.22-30)

Luc ajoute une autre portion d'enseignement aussi inclus dans les évangiles de Matthieu et de Marc: l'appel à entrer par la porte étroite, qui est Jésus Lui-même. C'est l'invitation continue de Jésus au peuple (la manière d'entrer par la porte étroite est de croire en Lui). Cet appel répété accomplit deux choses:

1. Il offre un choix clair à ceux qui voient Ses miracles et entendent Ses enseignements.

2. Il condamne ceux qui Le rejettent, les chefs religieux en particulier.

La complainte sur Jérusalem (13.31-35)

La tension augmente alors que Jésus approche de Jérusalem et que les chefs religieux tentent de L'en éloigner en L'avertissant qu'Hérode veut Le capturer et Le tuer. Le Seigneur Se contente d'envoyer un message au méchant roi, lui disant que le plan de Dieu pour Jésus doit être accompli. Il dit aussi à Hérode qu'Il ne craint pas d'être tué près de Jérusalem parce que Jérusalem est la ville où les prophètes vont pour mourir (c'était là une observation au sujet des nombreux prophètes qui y avaient été mis à mort).

> [34]Jérusalem, Jérusalem, qui tues les prophètes et qui lapides ceux qui te sont envoyés, combien de fois ai-je voulu rassembler tes enfants, comme une poule rassemble sa couvée sous ses ailes, et vous ne l'avez pas voulu! [35]Voici, votre maison vous sera laissée; mais, je vous le dis, vous ne me verrez plus, jusqu'à ce que vous disiez: Béni soit celui qui vient au nom du Seigneur!
> - Luc 13.34-35

Jésus finit avec une triste lamentation sur la souffrance que la ville et la nation subiront parce qu'elles ont rejeté leur Messie (et plus tard l'histoire le confirme: 70 apr. J.-C.).

Guérison le jour du sabbat

> [1]Jésus étant entré, un jour de sabbat, dans la maison de l'un des chefs des pharisiens, pour prendre un repas, les pharisiens l'observaient. [2]Et voici, un homme hydropique était devant lui. [3]Jésus prit la parole, et dit aux docteurs de la loi et aux pharisiens: Est-il permis, ou non, de faire une guérison le jour du sabbat? [4]Ils gardèrent le silence. Alors Jésus avança la main sur cet homme, le guérit, et le renvoya. [5]Puis il leur dit: Lequel de vous, si son fils ou son bœuf tombe dans un puits, ne l'en retirera pas aussitôt, le jour du sabbat?[6]Et ils ne purent rien répondre à cela.
> - Luc 14.1-6

C'est ici le seul endroit où le terme "hydropique" apparaît dans le Nouveau Testament tout entier. Il s'agissait d'une maladie que l'on appelle maintenant l'œdème, qui était une enflure des jambes, des pieds ou des mains due à une rétention excessive d'eau dans les tissus. C'est le même scénario que pour la première guérison le jour du sabbat sauf que celle-ci a lieu dans une maison privée, et cette fois personne ne Le défie.

Le fait qu'il s'agit ici de la maison d'un pharisien et que tous observent Jésus avec l'homme malade qui s'y trouve suggère qu'il s'agissait d'un piège pour obtenir des évidences contre le Seigneur pour plus tard (on note aussi que l'homme hydropique n'offre aucune louange ni gratitude après avoir été guéri miraculeusement).

Leçons

Jésus est de plus en plus direct dans Ses dénonciations des chefs religieux, et plus catégorique dans Sa demande de fidélité et de fruit chez Ses disciples.

Deux leçons ressortent de cette section:

1. Pas de fruit, pas de vie

Être et demeurer vivant en Christ nécessite du fruit dans la foi, les bonnes œuvres, une vie pure, le ministère, etc. Dans le christianisme, il n'existe pas de neutralité: le disciple s'éloigne ou se rapproche du Seigneur.

2. La vérité blesse

Les pharisiens se tenaient devant Jésus mais leur envie et leur colère, excitées par Ses enseignements et Ses miracles, les aveuglaient à la vérité qui aurait pu les sauver. Cette même vérité révélée par la parole de Dieu pour nos vies d'aujourd'hui est aussi souvent douloureuse et embarrassante. Toutefois, en la laissant nous diriger, nous guérir et nous informer, nous deviendrons plus forts et plairons en même temps à Dieu. La croissance spirituelle est parfois inconfortable mais elle en vaut toujours la peine.

Questions à discuter

1. Selon vous, quelles leçons un auditoire de gens pauvres pourrait-il tirer de la parabole de l'homme riche (bâtir de plus grands greniers)?

2. Expliquez comment se repentir et porter du fruit préparent un chrétien au retour de Jésus.

3. Décrivez dans vos propres mots le travail d'un ministre qui recevrait de nombreux coups au jugement, et le travail d'un ministre qui n'en recevrait que peu. Que serait la principale différence entre les deux?

8.
JÉSUS FACE À JÉRUSALEM
- 3ᵉ PARTIE

LUC 14.7-17.10

Nous voici dans la troisième de quatre sections qui examinent les événements prenant place alors que Jésus est en route vers Jérusalem. Jusqu'ici Son ministère a été surtout en Galilée, près de chez Lui à Capernaüm, mais le temps de Son rejet ultime et de Sa crucifixion sont proches et Il se rend à Jérusalem pour faire face à l'hostilité grandissante de la part des chefs religieux, visible dans leurs efforts de Le dénoncer pour avoir fait des guérisons le jour du sabbat.

On voit ici une série d'épisodes où Jésus utilise des paraboles et de l'enseignement traditionnel pour instruire le peuple au sujet du royaume et de différents sujets dont plusieurs ne se trouvent que dans le récit de Luc.

Paraboles du souper et des conviés – Luc 14.7-24

Comme beaucoup de socialisation de l'époque avait lieu autour d'un repas, Jésus donne trois paraboles: une qui concerne les invités, une qui concerne l'hôte du repas et une qui concerne le repas lui-même.

La parabole des conviés

Ces trois paraboles représentent différents aspects du royaume de Dieu. Ailleurs (par ex. la parabole des talents en Matthieu 25.14-30) le message principal est que le royaume est proche ou que le retour du roi aurait lieu à un temps inconnu et qu'il faut par conséquent être prêt (fidèle, productif, pur, etc.). Dans ces paraboles Jésus Se concentre sur l'attitude de l'hôte et des conviés.

> [7]Il adressa ensuite une parabole aux conviés, en voyant qu'ils choisissaient les premières places; et il leur dit: [8]Lorsque tu seras invité par quelqu'un à des noces, ne te mets pas à la première place, de peur qu'il n'y ait parmi les invités une personne plus considérable que toi, [9]et que celui qui vous a invités l'un et l'autre ne vienne te dire: Cède la place à cette personne-là. Tu aurais alors la honte d'aller occuper la dernière place. [10]Mais, lorsque tu seras invité, va te mettre à la dernière place, afin que, quand celui qui t'a invité viendra, il te dise: Mon ami, monte plus haut. Alors cela te fera honneur devant tous ceux qui seront à table avec toi. [11]Car quiconque s'élève sera abaissé, et quiconque s'abaisse sera élevé.
> - Luc 14.7-11

Cette parabole vient de ce que Jésus observe alors que les invités se disputent les places d'honneur au festin. L'histoire s'explique clairement et son message est familier: dans le royaume, les humbles sont élevés et les orgueilleux sont rabaissés (Matthieu 23.12). C'est aussi une dénonciation des chefs religieux qui à l'opposé des gens ordinaires, étaient trop fiers pour recevoir Jésus, même avec le témoignage de Ses miracles.

Cette parabole est unique à Luc.

Instructions à l'hôte (14.12-15)

En guise de suivi, Jésus s'adresse non seulement à son hôte, mais à tous ceux qui pratiquent l'hospitalité.

> [12]Il dit aussi à celui qui l'avait invité: Lorsque tu donnes à dîner ou à souper, n'invite pas tes amis, ni tes frères, ni tes parents, ni des voisins riches, de peur qu'ils ne t'invitent à leur tour et qu'on ne te rende la pareille. [13]Mais, lorsque tu donnes un festin, invite des pauvres, des estropiés, des boiteux, des aveugles. [14]Et tu seras heureux de ce qu'ils ne peuvent pas te rendre la pareille; car elle te sera rendue à la résurrection des justes.
> - Luc 14.12-14

La manière dont les conviés se bousculent pour avoir une position d'honneur suggère qu'ils ne faisaient pas partie des pauvres et désavantagés. L'hospitalité est une marque de quelqu'un qui fait partie du royaume, toutefois l'hospitalité du royaume est différente du fait qu'elle vise à servir les autres et non à se servir elle-même. Les différentes attitudes reflètent de différents buts.

1. Une attitude égocentrique utilise l'hospitalité de manière à avancer sa propre position sociale.

2. Celui qui sert les autres en étant hospitalier le fait pour avancer la croissance du royaume de Dieu ici-bas et recevra une bénédiction pour ses efforts.

> Un de ceux qui étaient à table, après avoir entendu ces paroles, dit à Jésus: Heureux celui qui prendra son repas dans le royaume de Dieu!
> - Luc 14.15

Ce commentaire sert d'"Amen" aux paroles de Jésus et transitionne à la troisième parabole du royaume qui utilise un repas. La question de qui sera digne de participer au festin y est sous-entendue.

La parabole du souper (14.16-24)

Cette parabole résume la situation alors que Jésus S'approche de Jérusalem et de ce qui L'y attend. Dans la parabole:

- L'hôte est Dieu.
- Le souper est le message de l'évangile qui mène au royaume.
- Le serviteur envoyé pour inviter est Jésus.
- Les conviés sont les Juifs, en particulier les chefs religieux.
- Les pauvres, les estropiés, les aveugles et les boiteux sont les gens ordinaires parmi le peuple juif.
- Ceux qui sont sur les chemins et le long des haies sont les païens.

Dans cette parabole Jésus résume Son ministère jusqu'à ce moment, la réponse initiale reçue et son résultat éventuel.

1. Son ministère jusqu'ici et la réponse qu'Il reçoit

Jésus a prêché et fait des miracles pour prouver qu'Il est le Messie et que le royaume de Dieu est arrivé. Les chefs religieux, qui auraient dû être les premiers à le comprendre et à l'accepter, ne l'ont pas fait. Leur réponse était semblable à celle des conviés qui trouvaient toutes sortes d'excuses pour éviter le repas. De la même manière, ces hommes ont trouvé toutes sortes de manières pour discréditer, attaquer et finalement faire arrêter et exécuter Jésus.

2. Le résultat

Ceux qui suivent Jésus font partie du peuple ordinaire et le repas (le message) aux Juifs est répandu avec succès parmi les non-Juifs.

Jésus avertit les gens qui refusent de croire (comme les premiers invités) qu'ils ne profiteront pas des récompenses du royaume. La foi sera toujours requise pour faire l'expérience (pour goûter) du royaume de Dieu.

Conditions à remplir pour être disciple de Jésus – Luc 14.25-35

Ces paraboles mènent à une discussion au sujet de ce qui est nécessaire pour être disciple (une discussion mentionnée aussi en Matthieu et en Marc). Jésus ne laisse aucun doute que les disciples doivent renoncer à tout ce qu'ils possèdent, non pas pour pratiquer l'humilité ou le perfectionnement spirituel, mais pour apprendre la leçon de confiance en Lui. Dans son commentaire, R.C.H. Lenski dit que Jésus exige de Ses disciples qu'ils abandonnent leur dépendance de leurs possessions pour leur salut ou pour faire l'œuvre de Dieu en établissant le royaume.

Ce passage est souvent utilisé pour dire qu'il faut "compter le coût" avant de s'engager à suivre Jésus. C'est là une leçon naturelle à tirer de ces mots mais ce n'est toutefois pas le point qu'Il fait ici. Avant de devenir un disciple, il faut considérer que tout ce que l'on possède n'est pas suffisant pour payer nos péchés; il faut dépendre complètement de Jésus. De plus, on ne peut devenir des disciples fidèles et porter du fruit par ce que l'on a (les talents, l'expérience, etc.). Il faut des dons spirituels et l'aide que seul Jésus peut fournir pour réussir et porter fruit dans le ministère.

> Ainsi donc, quiconque d'entre vous ne renonce pas à tout ce qu'il possède ne peut être mon disciple.
> - Luc 14.33

Il n'est pas nécessaire de devenir pauvre pour être un disciple, il faut abandonner son autonomie.

> [34]Le sel est une bonne chose; mais si le sel perd sa saveur, avec quoi l'assaisonnera-t-on? [35]Il n'est

bon ni pour la terre, ni pour le fumier; on le jette dehors. Que celui qui a des oreilles pour entendre entende.
- Luc 14.34-35

Jésus conclut en comparant les disciples au sel. Le sel est inutile s'il perd sa saveur. De la même manière, les disciples sont inutiles s'ils cessent d'agir en disciples. Le Seigneur avertit de considérer d'abord le coût (abandonner son autonomie), puis d'établir la durée du service en tant que disciple (pour la vie). La raison d'être du sel est sa saveur, et la raison d'être des disciples est la fidélité. Si le sel perd sa saveur, il perd sa valeur et de la même manière, un disciple infidèle perd sa valeur essentielle en Christ.

Paraboles de ce qui est perdu et retrouvé – Luc 15.1-32

La brebis égarée et la pièce de monnaie perdue (15.1-10)

[1]Tous les publicains et les gens de mauvaise vie s'approchaient de Jésus pour l'entendre. [2]Et les pharisiens et les scribes murmuraient, disant: Cet homme accueille des gens de mauvaise vie, et mange avec eux. [3]Mais il leur dit cette parabole:
- Luc 15.1-3

Luc change ici la scène et prépare la présentation de trois paraboles au sujet de choses perdues et retrouvées. Celles-ci sont données en réponse à la critique qu'Il recevait des chefs religieux parce qu'Il servait les pécheurs et les collecteurs d'impôts (des gens de mauvaise vie) par Ses enseignements (qu'ils recherchaient), mais Il mangeait aussi avec eux comme avec les pharisiens de temps en temps. Les chefs religieux considéraient ces gens comme perdus. Jésus, par contre, prêchait l'évangile à ces gens et les côtoyait.

Le deux premières paraboles (celle de la brebis égarée et celle de la monnaie perdue) sont des exemples du désir humain naturel de rechercher les choses précieuses égarées et de la joie qui résulte de les retrouver. Chaque parabole a une fin joyeuse. Chacune explique pourquoi Jésus prenait la peine de toucher ces "perdus" (qui sont ignorés comme sans valeur par les chefs religieux). Aux yeux de Dieu, ceux qui sont perdus sont encore précieux et l'effort de les retrouver est valable.

Jésus parle comme quelqu'un qui est témoin de ce qui prend place au ciel (ce qu'Il dit ici n'est pas une citation d'un prophète de l'Ancien Testament, c'est une révélation d'un témoin céleste).

> [7]De même, je vous le dis, il y aura plus de joie dans le ciel pour un seul pécheur qui se repent, que pour quatre-vingt-dix-neuf justes qui n'ont pas besoin de repentance. [8]Ou quelle femme, si elle a dix drachmes, et qu'elle en perde une, n'allume une lampe, ne balaie la maison, et ne cherche avec soin, jusqu'à ce qu'elle la retrouve? [9]Lorsqu'elle l'a retrouvée, elle appelle ses amies et ses voisines, et dit: Réjouissez-vous avec moi, car j'ai retrouvé la drachme que j'avais perdue. [10]De même, je vous le dis, il y a de la joie devant les anges de Dieu pour un seul pécheur qui se repent.
> - Luc 15.7-10

Jésus leur enseigne la raison pour laquelle Il les sert tous (y compris ceux qui sont perdus). Chaque âme est précieuse pour Dieu et vaut la peine d'être recherchée et sauvée! Les chefs religieux plaçaient une valeur différente sur chaque individu selon les critères terrestres tels la famille, l'éducation, la position, la richesse et la culture (c'est-à-dire que les Juifs avaient la plus grande valeur et les non-Juifs la moindre). La parabole de Jésus enseigne que chaque âme a la même valeur (parce que chaque âme est créée à l'image de Dieu et non de l'homme - Genèse 1.26).

Le fils perdu (15.11-32)

Après deux paraboles au sujet d'objets perdus, Jésus intensifie son imagerie sur les objets trouvés et raconte l'histoire du fils perdu. Dans cette parabole, Il inclut des personnages qui représentent chacun de ceux qui sont présents: Lui-même, ceux qui sont bannis, les chefs religieux et comment chacun joue un rôle dans ce scénario.

[11]Il dit encore: Un homme avait deux fils. [12]Le plus jeune dit à son père: Mon père, donne-moi la part de bien qui doit me revenir. Et le père leur partagea son bien. [13]Peu de jours après, le plus jeune fils, ayant tout ramassé, partit pour un pays éloigné, où il dissipa son bien en vivant dans la débauche. [14]Lorsqu'il eut tout dépensé, une grande famine survint dans ce pays, et il commença à se trouver dans le besoin. [15]Il alla se mettre au service d'un des habitants du pays, qui l'envoya dans ses champs garder les pourceaux. [16]Il aurait bien voulu se rassasier des carouges que mangeaient les pourceaux, mais personne ne lui en donnait. [17]Étant rentré en lui-même, il se dit: Combien de mercenaires chez mon père ont du pain en abondance, et moi, ici, je meurs de faim! [18]Je me lèverai, j'irai vers mon père, et je lui dirai: Mon père, j'ai péché contre le ciel et contre toi, [19]je ne suis plus digne d'être appelé ton fils; traite-moi comme l'un de tes mercenaires. [20]Et il se leva, et alla vers son père. Comme il était encore loin, son père le vit et fut ému de compassion, il courut se jeter à son cou et le baisa. [21]Le fils lui dit: Mon père, j'ai péché contre le ciel et contre toi, je ne suis plus digne d'être appelé ton fils. [22]Mais le père dit à ses serviteurs: Apportez vite la plus belle robe, et l'en revêtez; mettez-lui un anneau au doigt, et des souliers aux pieds. [23]Amenez le veau gras, et tuez-le. Mangeons et réjouissons-nous; [24]car mon fils que voici était mort, et il est revenu à la vie; il était perdu, et il est retrouvé. Et

ils commencèrent à se réjouir.
- Luc 15.11-24

La parabole de l'enfant prodigue n'apparaît que dans l'évangile de Luc et elle est probablement l'une des mieux connues. Dans cette histoire, ce qui est "perdu" est l'âme du jeune homme. Il passe d'acceptable et sécure chez son père à perdu par son péché et sa propre folie. Ici, on ne le cherche pas parce qu'à la différence des objets (la brebis et la pièce de monnaie), il a libre choix. Les choix qu'il fait le mènent à la perdition et ce sont aussi ses choix qui le ramèneront.

Le père représente le Père céleste, présent en Jésus. Tout comme Jésus servait et côtoyait les perdus, le père attend le retour de son fils et le reprend dans la famille quand il revient. Ce que le jeune fils avait perdu lui est redonné et le père s'en réjouit.

> [25]Or, le fils aîné était dans les champs. Lorsqu'il revint et approcha de la maison, il entendit la musique et les danses.[26]Il appela un des serviteurs, et lui demanda ce que c'était. [27]Ce serviteur lui dit: Ton frère est de retour, et, parce qu'il l'a retrouvé en bonne santé, ton père a tué le veau gras. [28]Il se mit en colère, et ne voulut pas entrer. Son père sortit, et le pria d'entrer. [29]Mais il répondit à son père: Voici, il y a tant d'années que je te sers, sans avoir jamais transgressé tes ordres, et jamais tu ne m'as donné un chevreau pour que je me réjouisse avec mes amis. [30]Et quand ton fils est arrivé, celui qui a mangé ton bien avec des prostituées, c'est pour lui que tu as tué le veau gras! [31]Mon enfant, lui dit le père, tu es toujours avec moi, et tout ce que j'ai est à toi; [32]mais il fallait bien s'égayer et se réjouir, parce que ton frère que voici était mort et qu'il est revenu à la vie, parce qu'il était perdu et qu'il est retrouvé.
> - Luc 15.25-32

Le fils aîné personnifie les chefs juifs. Comme le veut la tradition, ils sont légalistes, ils travaillent pour leur récompense, mais ils n'ont pas la foi intérieure ni l'amour pour Dieu qui produiraient une attitude bonne et gracieuse envers les autres.

La parabole décrit exactement les deux fils, les deux groupes devant Jésus: les perdus qui recherchent la réconciliation et les chefs religieux qui refusent de reconnaître leur besoin. Les deux fils étaient "perdus" pour différentes raisons:

- Un pour la dissipation et l'immoralité.

- L'autre pour son orgueil pharisaïque.

La triste réalité est que seulement l'un des fils a éventuellement été retrouvé.

La parabole de l'économe infidèle (16.1-18)

Bien que les paraboles présentent des histoires et des personnages différents, elles ont un dénominateur commun: la condamnation des attitudes et des actions des pharisiens et des autres chefs religieux juifs. La parabole de l'économe infidèle n'y fait pas exception. Elle décrit un économe (un gérant) qui doit rendre compte de son administration et qui perd son emploi pour avoir triché son maître. Avant de partir, il réduit les montants dus à son employeur pour retenir la faveur des clients après son congédiement. Jésus n'approuve pas de sa conduite mais Il remarque que les actions du gérant pour sauver sa peau sont astucieuses. Le Seigneur présente un parallèle pour les disciples.

> Et moi, je vous dis: Faites-vous des amis avec les richesses injustes, pour qu'ils vous reçoivent dans les tabernacles éternels, quand elles viendront à vous manquer.
> - Luc 16.9

De la même manière, les disciples devraient utiliser les biens matériels pour se faire "des amis" ou des convertis parmi les pauvres et ceux qui sont rejetés pour que quand les biens terrestres ne leur sont plus utiles (à la mort), ils soient accueillis au ciel à cause de la manière dont ils ont utilisé leurs richesses ici-bas pour gagner des âmes. Les convertis faits ici-bas par l'utilisation sage des ressources physiques les accueilleront au ciel et les remercieront de les avoir gagnés au Christ.

Cette parabole mène naturellement à une réprimande au sujet de l'utilisation des richesses terrestres. Elle montre un impie astucieux et égocentrique. Jésus instruit ici les disciples quant à la bonne attitude envers les biens matériels. Il ajoute aussi un avertissement quant à l'impossibilité d'essayer de poursuivre également Dieu et les richesses parce qu'ils sont opposés.

> Nul serviteur ne peut servir deux maîtres. Car, ou il haïra l'un et aimera l'autre; ou il s'attachera à l'un et méprisera l'autre. Vous ne pouvez servir Dieu et Mamon.
> - Luc 16.13

Les pharisiens rejettent alors Jésus et ce qu'Il a dit des richesses mondaines. Il a décrit parfaitement leur attitude envers l'argent. En réponse à leur moquerie, Il les réprimande:

> [15]Jésus leur dit: Vous, vous cherchez à paraître justes devant les hommes, mais Dieu connaît vos cœurs; car ce qui est élevé parmi les hommes est une abomination devant Dieu. [16]La loi et les prophètes ont subsisté jusqu'à Jean; depuis lors, le royaume de Dieu est annoncé, et chacun use de violence pour y entrer. [17]Il est plus facile que le ciel et la terre passent, qu'il ne l'est qu'un seul trait de lettre de la loi vienne à tomber. [18]Quiconque répudie sa femme et en épouse une autre commet

un adultère, et quiconque épouse une femme
répudiée par son mari commet un adultère.
- Luc 16.15-18

1. Il les traite d'hypocrites qui déguisent leur avarice
   derrière leur apparence religieuse.

2. Il leur rappelle que le temps du salut est arrivé et que
   bien qu'ils n'entreront pas dans le royaume, d'autres y
   entreront (les bannis).

3. Ils contournaient la Loi et la diluaient pour prétendre à
   une vertu personnelle basée sur l'obéissance. Par
   exemple, ils divorçaient leurs femmes sans raison
   valable et se prétendaient innocents de toute faute
   parce qu'ils remplissaient les critères établis par Moïse
   en leur donnant une lettre de divorce. Autrement dit, ils
   se disaient innocents parce qu'ils avaient suivi les
   bonnes procédures pour le divorce!

Jésus leur rappelle qu'ils n'ont ni le pouvoir ni l'autorité de
changer ou de diluer la loi parce que, contrairement au
monde matériel, elle n'est jamais erronée et elle ne change
jamais. Il applique alors la loi à leurs divorces illégitimes.
Ainsi, Il les condamne et démontre la puissance de la parole
de Dieu. Luc ne donne pas ici d'enseignement en profondeur
concernant le mariage et le divorce (comme en Matthieu
5.31-32; Matthieu 19.3-9; Marc 10.1-12). Il fait une simple et
rapide réprimande de ces chefs religieux pour leur mépris du
mariage (ils divorçaient sans raison et remariaient parfois les
femmes l'un de l'autre - Lenski, p. 843-845).

La parabole du mauvais riche et du pauvre Lazare (16.19-17.10)

Après une pause pendant laquelle Il s'adresse aux
pharisiens directement (v. 14-18), le Seigneur raconte une
deuxième parabole qui traite de la richesse et des dangers
qui s'y attachent. Cette fois il ne s'agit pas de l'utilisation
malhonnête des biens pour le gain personnel (comme le

serviteur infidèle) mais de l'amour et de la dépendance de la richesse qui mènent à l'avarice et à l'égoïsme.

Un homme riche ignore un homme pauvre et malade qui est à sa porte. Ils meurent tous les deux et le pauvre va au ciel alors que le riche va en enfer. S'ensuit un dialogue où l'homme riche supplie pour du soulagement et demande d'avertir ses frères quant à la souffrance dont il fait l'expérience. Ses demandes sont refusées. Cette parabole offre plusieurs leçons:

- L'homme riche n'est pas condamné pour ses biens mais pour son égoïsme et son manque de foi.

- Après la mort il y a soit de la vie et de la joie, ou de la souffrance. Certains pensent qu'il s'agit ici d'une leçon sur l'après-vie et d'autres n'y voient qu'une parabole; d'une manière ou d'une autre, les leçons sont les mêmes.

- La foi exprimée dans l'amour est ce qui sauve. L'homme riche voulait qu'un ange avertisse sa famille et on lui dit que s'ils ne croient pas en Moïse (le témoin envoyé par Dieu pour prêcher, diriger et prévenir les Juifs), ils ne croiront pas non plus en un témoin supplémentaire, même s'Il est ressuscité des morts. C'était vrai pour la plupart des Juifs quand les apôtres ont commencé à prêcher Jésus et Sa résurrection.

Le Seigneur finit Son enseignement par les paraboles avec un avertissement et des instructions à Ses disciples.

> [1]Jésus dit à ses disciples: Il est impossible qu'il n'arrive pas des scandales; mais malheur à celui par qui ils arrivent! [2]Il vaudrait mieux pour lui qu'on mît à son cou une pierre de moulin et qu'on le jetât dans la mer, que s'il scandalisait un de ces petits.
> - Luc 17:1-2

L'avertissement

La seule chose pire que de n'avoir pas de foi personnelle est d'empêcher les autres de venir à la foi. Les chefs religieux en étaient coupables.

Les instructions

Jésus termine Son enseignement avec des avertissements à Ses disciples de ce en quoi consiste leurs vies de disciples:

1. De l'amour: Leur amour sera démontré de la manière dont ils se traiteront les uns les autres (avec grâce et miséricorde).

2. De la foi: Si l'on a une foi profonde, on croit et vit avec la compréhension qu'avec Dieu, tout est possible.

3. De l'humilité: Un disciple reconnait que la position la plus vraie et la plus bénie dans la vie est celle de serviteur de Dieu.

Ces attitudes contrastaient fortement avec le caractère et la pratique des chefs religieux qui se moquaient de Jésus et Le rejetaient, et qui avaient ainsi gagné Sa condamnation.

Leçon

La vraie leçon à tirer de cette variété de paraboles et d'enseignements est la suivante: la clé au sens du texte est habituellement incluse dans le texte lui-même. Dans cette section, il n'y a que quatre groupes principaux: Jésus, les rejetés, les disciples et les chefs religieux. Toutes les conclusions, les leçons et les applications doivent d'abord être liées à l'un d'entre eux avant que toute autre leçon ne puisse être tirée avec exactitude et dans le bon contexte.

Questions à discuter

1. Dans la société d'aujourd'hui, qui pensez-vous sont les équivalents des personnages bibliques suivants? Pourquoi pensez-vous que ces gens correspondent à leur description?

   o Jésus

   o Les chefs religieux

   o Parias (personnes méprisées) / Pécheurs

   o Disciples

2. Dans la parabole du fils prodigue, pensez-vous que la colère du frère aîné est justifiée? Pourquoi? Pourquoi pas?

   o Si vous étiez le père, que diriez-vous au frère aîné pour qu'il vienne au festin?

9.
JÉSUS FACE À JÉRUSALEM
- 4ᵉ PARTIE

LUC 17.11-18.30

Il serait bon à ce point de réviser les grandes lignes de l'évangile de Luc pour situer le contenu de ce chapitre dans le contexte du livre tout entier.

1. Le commencement - 1.1-3.38
2. Jésus en Galilée - 4.1-9.50
3. **Jésus face à Jérusalem - 9.51-18.30**
4. Jésus entre à Jérusalem - 18.31-21.38
5. L'accomplissement - 22.1-24.53

Dans la section précédente, Jésus donnait des instructions à Ses disciples concernant une variété de sujets qui touchent la vie d'un disciple. Maintenant, l'auteur finit avec les événements qui prennent place alors que Jésus Se rapproche graduellement de Jérusalem et S'y trouve éventuellement. Luc mentionne différentes rencontres qui se produisent en cour de route et aussi la région où se trouvent Jésus et les apôtres.

> Jésus, se rendant à Jérusalem, passait entre la Samarie et la Galilée.
> - Luc 17.11

Les dix lépreux – Luc 17.12-19

> [12]Comme il entrait dans un village, dix lépreux vinrent à sa rencontre. Se tenant à distance, ils élevèrent la voix, et dirent: [13]Jésus, maître, aie pitié de nous!
> - Luc 17.12-13

La lèpre est une maladie ancienne mentionnée dans l'Ancien et dans le Nouveau Testament (du mot grec qui signifie une écaille de poisson ou peler), nommée "maladie de Hansen" en 1873 en l'honneur du docteur qui a découvert qu'elle était causée par une bactérie qui attaque le système nerveux. Les gens qui ont la lèpre souffrent d'infirmités sévères de la peau et des os, ainsi que de déformations des membres et des doigts qui causent souvent aux mains de prendre la forme de griffes. La plupart des difformités dont ces gens souffrent sont le résultat d'accidents dûs à la perte éventuelle de sensibilité à la douleur causée par le grave dommage aux nerfs (le malade qui ne porte pas attention peut se couper ou tenir une tasse d'eau bouillante sans en ressentir de douleur). La lèpre, comme la tuberculose qui en est proche parente, est contagieuse et se propage par le contact avec la peau ou par les sécrétions de quelqu'un qui en souffre.

Bien que tout cela n'ait pas été connu à l'époque du Nouveau Testament, les lépreux étaient isolés de la population générale et considérés comme déjà morts du point de vue religieux. Tout contact avec eux rendait un individu cérémoniellement impur (tout comme le contact avec un animal ou une personne morte), et cet individu devait accomplir un processus de purification avant de pouvoir retourner à l'interaction sociale normale ou à l'adoration au temple. Les lépreux devaient vivre en dehors des villes et des villages dans des abris de fortune. Cela explique pourquoi les dix hommes ont fait appel à Jésus quand Il entrait dans ce village. Il faut remarquer qu'ils ne demandaient pas d'argent mais plutôt Sa pitié. Ils étaient obligés de vivre à l'écart de la société mais ils savaient quand même bien ce qui s'y passait.

À la différence de ceux qui avaient accès à Jésus (les prêtres, les scribes, les Juifs ordinaires) et qui débattaient Ses enseignements et refusaient de croire Ses paroles, ces pauvres hommes désespérés savaient ce qu'Il avait fait pour d'autres et ils Lui ont fait appel pour Sa miséricorde et leur guérison.

> Dès qu'il les eut vus, il leur dit: Allez vous montrer aux sacrificateurs. Et, pendant qu'ils y allaient, il arriva qu'ils furent guéris.
> - Luc 17.14

Il était requis de tout individu guéri de sa maladie qu'il aille se montrer aux prêtres.

> Puis il lui ordonna de n'en parler à personne. Mais, dit-il, va te montrer au sacrificateur, et offre pour ta purification ce que Moïse a prescrit, afin que cela leur serve de témoignage.
> - Luc 5.14

Jésus décrit la procédure à laquelle ils doivent se soumettre pour confirmer que leur guérison est légitime (être examiné par un prêtre). Ils pourraient ensuite réintégrer la société normale et participer à l'adoration publique à la synagogue et au temple.

Le point important ici est qu'ils sont guéris seulement après s'être mis en chemin vers les prêtres, pas avant. Les lépreux en ont appelé à Jésus avec foi et Il les exauce en testant leur foi (qu'Il connaît déjà). Ce test a deux buts:

1. Confirmer dans l'esprit des lépreux que leur foi a été récompensée.

2. Démontrer que la foi vivante (pour guérir, pour sauver, pour servir, etc.) est vue par des actions et non pas seulement par l'assentiment. Celui qui croit exprime sa foi en actions.

> Mais quelqu'un dira: Toi, tu as la foi; et moi, j'ai les œuvres. Montre-moi ta foi sans les œuvres, et moi, je te montrerai la foi par mes œuvres.
> - Jacques 2.18

> [15]L'un deux, se voyant guéri, revint sur ses pas, glorifiant Dieu à haute voix. [16]Il tomba sur sa face aux pieds de Jésus, et lui rendit grâces. C'était un Samaritain. [17]Jésus, prenant la parole, dit: Les dix n'ont-ils pas été guéris? Et les neuf autres, où sont-ils? [18]Ne s'est-il trouvé que cet étranger pour revenir et donner gloire à Dieu? [19]Puis il lui dit: Lève-toi, va; ta foi t'a sauvé.
> - Luc 17.15-19

L'un des dix lépreux était Samaritain (il semble que la division entre Juifs et Samaritains avait ici été oubliée du fait de leur maladie commune). Des dix, seul le Samaritain revient remercier Jésus avant d'aller voir le prêtre pour être restauré. Son action indique sa gratitude et aussi sa révérence et sa dévotion envers Jésus. On voit cette âme en souffrance retarder sa rédemption sociale pour remercier et rendre hommage à Celui qui l'a guérie.

Jésus mentionne ce qui est déjà évident: Où sont les neuf autres? Ce Samaritain est-il le seul à remercier? En répondant à l'expression de gratitude et d'honneur du lépreux samaritain, le Seigneur commente sur les différents résultats dont ces hommes feraient l'expérience:

1. Les neufs avaient demandé et reçu la guérison et ils étaient en voie de restauration sociale et de vies normales.

2. Le Samaritain avait demandé et reçu la guérison lui aussi mais à cause de sa réponse au Christ, il allait retrouver une vie normale et la vie éternelle en sus.

Cette scène sert aussi de prophétie vivante concernant l'évangile et comment il sera accepté par les Juifs et les non-Juifs. La guérison des neuf Juifs représente les bénédictions et les occasions offertes à la nation juive en Jésus comme leur Messie. Et pourtant, en dépit de la Loi, des prophètes, du temple, des miracles et du fait que Jésus était l'un deux, les Juifs L'ont rejeté. Des neuf lépreux guéris, aucun n'est revenu remercier ou reconnaître le Seigneur. Le Samaritain seul représente les païens qui, malgré les difficultés de croire au Sauveur étranger d'un peuple qui les méprisait, ont néanmoins embrassé le christianisme en plus grands nombres.

Cette parabole vivante, donc, pointe non seulement vers le rejet auquel Jésus fera bientôt face à Jérusalem, mais au rejet éventuel de l'évangile par les Juifs et à son acceptation par les païens dans les décennies et les siècles à venir.

Prédiction du retour de Jésus – Luc 17.20-37

Matthieu et Marc enregistrent tous les deux l'enseignement de Jésus sur l'arrivée du royaume, une question soulevée ici en Luc par les pharisiens:

> [20]Les pharisiens demandèrent à Jésus quand viendrait le royaume de Dieu. Il leur répondit: Le royaume de Dieu ne vient pas de manière à frapper les regards. [21]On ne dira point: Il est ici, ou: Il est là. Car voici, le royaume de Dieu est au milieu de vous.
> - Luc 17.20-21

Ils étaient témoins des œuvres de Jésus et ils savaient que le Messie serait révélé par de grands pouvoirs et miracles, mais ils ne voyaient pas les signes du royaume auxquels ils s'attendaient quand le Messie viendrait:

- Le pouvoir politique renouvelé,

- La liberté de la domination romaine,

- La prospérité.

Ils disent en fait à Jésus: Si tu es le Messie, où et quand ton royaume arrivera-t-il?

Jésus leur dit que le royaume ne peut être vu selon leurs critères physiques et qu'il est déjà parmi eux, incarné en Lui et en Ses disciples.

Aux versets 22-37, Jésus donne une autre preuve de Sa divinité et légitimité en tant que Messie. Il le fait en prophétisant concernant la manière de Sa mort et la destruction subséquente de la nation quelque 40 ans dans le futur. Il répond aussi à leur question sur l'arrivée du royaume. Ils demandaient des signes concrets du royaume (pensant que le royaume serait un événement local, culturel et politique). Jésus répond que personne ne manquera le retour du royaume quand il prendra place (Il parle ici de l'accomplissement du royaume à la fin du monde quand Il reviendra, et non pas de l'arrivée du royaume qui avait déjà pris place lors de Sa première apparition sur la scène). Il le compare à un éclair qui resplendit et brille d'une extrémité du ciel à l'autre, à un phénomène naturel visible à tous.

> Mais il faut auparavant qu'il souffre beaucoup, et qu'il soit rejeté par cette génération.
> - Luc 17.25

Au verset 25 Il prophétise non seulement au sujet de Sa propre mort, Il donne même la raison pour laquelle ces Juifs ont manqué l'arrivée du royaume parmi eux... ils en ont rejeté le roi!

Dans le reste de ce passage (v. 26-37), Il contraste les croyants et les incroyants, et ce qui arrive quand le royaume est accompli au jugement (un est pris au ciel avec Jésus et l'autre laissé pour faire face au jugement). Il n'y a pas d'événement mystérieux où les gens disparaissent laissant des chaudrons d'eau sur le feu ou des voitures vides sur l'autoroute parce que les fidèles ont été miraculeusement emportés alors que les autres sont laissés pour continuer à vivre ici-bas (des images rendues populaires par des livres et des films basés sur "l'enlèvement" ou le ravissement). Ces versets sont simplement un avertissement qu'avec le royaume viendra le jugement qui séparera ceux qui seront dans ce royaume de ceux qui n'y seront pas.

Les apôtres, toujours incertains à ce sujet, demandent au Seigneur quand cela se produira et Jésus répond:

> Où sera le corps, là s'assembleront les aigles.
> - Luc 17.37

Le jugement, dit-Il, n'est pas une question de lieu mais de fait: les morts (les incrédules) sont détruits (les aigles signifient l'enfer, comme des vautours).

Les paraboles sur la prière – 18.1-17

> Jésus leur adressa une parabole, pour montrer qu'il faut toujours prier, et ne point se relâcher.
> - Luc 18.1

Après l'enseignement sur le royaume et les avertissements désastreux avec un langage qu'ils ne saisissent pas vraiment, sans mentionner que Jésus prédit aussi Sa mort imminente, les disciples ont besoin d'encouragement et le Seigneur le leur donne sous forme d'enseignements sur la prière. Ces paraboles ne donnent pas d'instruction ou de mots spécifiques à utiliser mais plutôt les attitudes nécessaires pour réussir en prière. Le succès est de recevoir une réponse quelconque.

Ces deux paraboles décrivent trois attitudes nécessaires pour réussir en prière:

1. La persévérance

> ²Il dit: Il y avait dans une ville un juge qui ne craignait point Dieu et qui n'avait d'égard pour personne. ³Il y avait aussi dans cette ville une veuve qui venait lui dire: Fais-moi justice de ma partie adverse. ⁴Pendant longtemps il refusa. Mais ensuite il dit en lui-même: Quoique je ne craigne point Dieu et que je n'aie d'égard pour personne, ⁵néanmoins, parce que cette veuve m'importune, je lui ferai justice, afin qu'elle ne vienne pas sans cesse me rompre la tête. ⁶Le Seigneur ajouta: Entendez ce que dit le juge inique. ⁷Et Dieu ne fera-t-il pas justice à ses élus, qui crient à lui jour et nuit, et tardera-t-il à leur égard? ⁸Je vous le dis, il leur fera promptement justice. Mais, quand le Fils de l'homme viendra, trouvera-t-il la foi sur la terre?
> - Luc 18.2-8

Il ne s'agit pas ici des qualifications des juges ou de comment ils devraient aider ceux qui sont dans le besoin mais plutôt d'une seule leçon: la persistance est payante. La question de Jésus à la fin est une admonition pour l'avenir. Est-ce que les croyants continueront à prier jusqu'à la fin quand Jésus reviendra? Il n'y répond pas, la laissant en suspend pour chaque génération qui la lit.

2. L'humilité

> ⁹Il dit encore cette parabole, en vue de certaines personnes se persuadant qu'elles étaient justes, et ne faisant aucun cas des autres: ¹⁰Deux hommes

montèrent au temple pour prier; l'un était pharisien, et l'autre publicain. [11] Le pharisien, debout, priait ainsi en lui-même: O Dieu, je te rends grâces de ce que je ne suis pas comme le reste des hommes, qui sont ravisseurs, injustes, adultères, ou même comme ce publicain; [12]je jeûne deux fois la semaine, je donne la dîme de tous mes revenus. [13]Le publicain, se tenant à distance, n'osait même pas lever les yeux au ciel; mais il se frappait la poitrine, en disant: O Dieu, sois apaisé envers moi, qui suis un pécheur. [14]Je vous le dis, celui-ci descendit dans sa maison justifié, plutôt que l'autre. Car quiconque s'élève sera abaissé, et celui qui s'abaisse sera élevé.
- Luc 18.9-14

Cette parabole est unique à l'évangile de Luc. L'histoire est facile à comprendre parce que les personnages sont bien définis. L'un est orgueilleux, indépendant et arrogant. L'autre pénitent, sincère et humble.

L'homme humble (comme la pauvre veuve dans la parabole précédente) est récompensé pour son attitude en prière et non pour la longueur ou le style de sa prière. Ceux qui persistent en prière avec humilité (l'action et l'attitude) réussiront.

3. L'innocence

La troisième leçon sur la prière n'est pas présentée comme une parabole mais un détail du ministère public rempli de Jésus.

[15]On lui amena aussi les petits enfants, afin qu'il les touchât. Mais les disciples, voyant cela, reprenaient ceux qui les amenaient. [16]Et Jésus les appela, et dit: Laissez venir à moi les petits enfants, et ne les en empêchez pas; car le royaume de Dieu est pour ceux qui leur ressemblent. [17]Je vous le dis en vérité, quiconque

> ne recevra pas le royaume de Dieu comme un petit
> enfant n'y entrera point.
> - Luc 18.15-17

On voit dans cette scène une autre attitude qui contribue au succès de la prière: l'innocence. Non pas dans le sens de quelqu'un sans péché mais l'innocence du cœur et de l'esprit exempt de justification personnelle, de blâme, d'arguments prétentieux. Jésus dit que de telles prières sont entendues parce ce sont-là les prières de ceux qui peuplent le royaume.

Le jeune homme riche – Luc 18.18-30

> [18]Un chef interrogea Jésus, et dit: Bon maître, que dois-je faire pour hériter la vie éternelle? [19]Jésus lui répondit: Pourquoi m'appelles-tu bon? Il n'y a de bon que Dieu seul.[20]Tu connais les commandements: Tu ne commettras point d'adultère; tu ne tueras point; tu ne déroberas point; tu ne diras point de faux témoignage; honore ton père et ta mère. [21]J'ai, dit-il, observé toutes ces choses dès ma jeunesse. [22]Jésus, ayant entendu cela, lui dit: Il te manque encore une chose: vends tout ce que tu as, distribue-le aux pauvres, et tu auras un trésor dans les cieux. Puis, viens, et suis-moi. [23]Lorsqu'il entendit ces paroles, il devint tout triste; car il était très riche. [24]Jésus, voyant qu'il était devenu tout triste, dit: Qu'il est difficile à ceux qui ont des richesses d'entrer dans le royaume de Dieu! [25]Car il est plus facile à un chameau de passer par le trou d'une aiguille qu'à un riche d'entrer dans le royaume de Dieu. [26]Ceux qui l'écoutaient dirent: Et qui peut être sauvé? [27]Jésus répondit: Ce qui est impossible aux hommes est possible à Dieu.
> - Luc 18.18-27

Marc et Matthieu citent aussi cet échange non seulement pour l'importance de devenir un disciple mais aussi à cause du haut prix qu'il en coûte. On note que Jésus n'ajoute pas d'exigence pour devenir disciple (comme de donner tout bien personnel et toute richesse). On le sait parce que dans toute autre occasion où des âmes ont obéi à l'évangile, cela n'est jamais mentionné (par ex. les 3000 baptisés le jour de la Pentecôte, Actes 2.38). Toutefois, pour cet homme en particulier, donner ses biens était nécessaire parce que cela interférait avec ce qu'il désirait: l'assurance qu'il était "parfait" et acceptable devant Dieu.

> Jésus lui dit: Si tu veux être parfait, (...)
> - Matthieu 19.21

Il se fiait à ses biens et à sa position comme assurance qu'il était acceptable devant Dieu (beaucoup de Juifs croyaient que la richesse personnelle était un signe définitif que Dieu favorisait quelqu'un par rapport aux autres). Malgré tout cela, il ne se "sent" toujours pas acceptable, parfait ou sécure dans son esprit; alors il vient à Jésus pour demander ce qu'il doit ajouter (une règle, une compréhension supplémentaire, une pratique, un rituel) pour être certain. Jésus le surprend en lui disant que s'il désire être complet, parfait ou certain, il doit se défaire de quelque chose et non ajouter à ce qu'il a déjà. Il lui fallait se défaire de la richesse qui l'empêchait de devenir complètement dépendant de Jésus pour son salut, sa vertu et son assurance. Le fait qu'il refuse montre à quel point il était prisonnier de ses biens. Ses biens le possédaient plutôt que l'inverse.

Jésus utilise cette scène pour prévenir Ses disciples de l'aveuglement spirituel et de la vie causés par la poursuite des richesses terrestres. Il est difficile pour un homme riche d'aller au ciel parce qu'amasser des biens:

1. Requiert la majorité du temps et de l'attention de quelqu'un.

2. Tente souvent à compromettre ce qui est bien pour ce qui est profitable.

3. Attire vers ceux qui aiment et recherchent aussi la richesse.

Il est évident qu'aucune de ces choses n'encourage la vision et la pratique spirituelles parce qu'elles présentent continuellement un nouveau modèle ou une nouvelle chose dispendieuse ici-bas, et non pas les choses de la lumière qui vient d'en-haut. Malheureusement il vient un temps où comme le jeune homme qui est venu à Jésus, il faut choisir: Dieu ou la richesse; et pour ceux qui aiment l'argent, le choix est bien souvent l'argent.

> [28]Pierre dit alors: Voici, nous avons tout quitté, et nous t'avons suivi. [29]Et Jésus leur dit: Je vous le dis en vérité, il n'est personne qui, ayant quitté, à cause du royaume de Dieu, sa maison, ou sa femme, ou ses frères, ou ses parents, ou ses enfants, [30]ne reçoive beaucoup plus dans ce siècle-ci, et, dans le siècle à venir, la vie éternelle.
> - Luc 18.28-30

La question de Pierre permet à Jésus de rassurer Ses disciples que peu importe ce qu'ils ont abandonné pour Le suivre, cela leur sera remis en abondance, avec la vie éternelle recherchée par le jeune homme riche.

Il ne donne ici aucun détail mais il semble que tous ceux qui sont venus au Christ à l'âge adulte ou d'une autre foi peuvent témoigner de ce fait. Ma parenté, encore maintenant, ne se mêle pas beaucoup à ma famille depuis que nous sommes devenus chrétiens. Toutefois, le nombre de frères et de sœurs en Christ, de foyers ici ou dans d'autres pays où nous sommes accueillis chaleureusement à cause de notre foi est innombrable.

Les riches ont ici-bas beaucoup de plaisir et d'anticipation en observant leur fortune grandir et ils contemplent les choses qu'elle leur permet d'acquérir. Jésus, par contre, offre toutes les récompenses de la communion fraternelle chrétienne et du ministère chrétien en ce monde et la vie éternelle dans le monde à venir, quelque chose que l'argent ne peut acheter.

Passage à lire : Luc 18.31-19.48

Questions à discuter

1. Si les lépreux dans cette histoire avaient eu le SIDA plutôt que la lèpre, comment Jésus les aurait-il traités? Pourquoi?

2. Si Dieu sait que notre foi est sincère (puisqu'Il voit nos cœurs), pourquoi exige-t-Il une expression visible de notre foi?

3. Nous voyons dans la parabole du jeune homme riche comment la richesse peut être un obstacle à la foi ; peut-il en être de même pour la pauvreté? Expliquez comment et donnez des manières de surmonter ces obstacles à la foi.

10.
JÉSUS ENTRE À JÉRUSALEM
- 1re PARTIE

LUC 18.31-19.48

Nous voici à la quatrième partie de notre plan de l'évangile de Luc:

1. Le commencement – 1.1-3.38
2. Jésus en Galilée – 4.1-9.50
3. Jésus face à Jérusalem – 9.51-18.30
4. **Jésus entre à Jérusalem – 18.31-21.38**
5. L'accomplissement – 22.1-24.53

Jusqu'ici, les enseignements, les miracles et les confrontations se sont produits hors de Jérusalem. Dans cette section, Luc décrit les événements qui prennent place alors que Jésus et les apôtres se trouvent dans les environs de Jérusalem et se préparent à y entrer.

Jésus entre à Jérusalem – Luc 18.31-19.48

Jésus et les apôtres sont maintenant tout près de la ville et le Seigneur les prépare à ce qui s'y passera.

Jésus prophétise Sa mort et Sa résurrection

[31]Jésus prit les douze auprès de lui, et leur dit: Voici, nous montons à Jérusalem, et tout ce qui a été écrit par les prophètes au sujet du Fils de l'homme s'accomplira. [32]Car il sera livré aux païens; on se moquera de lui, on l'outragera, on crachera sur lui, [33]et, après l'avoir battu de verges, on le fera mourir; et le troisième jour il ressuscitera. [34]Mais ils ne comprirent rien à cela; c'était pour eux un langage caché, des paroles dont ils ne saisissaient pas le sens.
- Luc 18.31-34

Jésus donne aux apôtres plus de détails sur ce qui se passera une fois qu'ils entreront dans la ville car toutes les prophéties au sujet du Messie seront accomplies.

L'entrée triomphale de Jésus

Sois transportée d'allégresse, fille de Sion! Pousse des cris de joie, fille de Jérusalem! Voici, ton roi vient à toi; Il est juste et victorieux, Il est humble et monté sur un âne, Sur un âne, le petit d'une ânesse.
- Zacharie 9.9

Le rejet par les chefs religieux

[22]La pierre qu'ont rejetée ceux qui bâtissaient est devenue la principale de l'angle. [23]C'est de l'Éternel que cela est venu: C'est un prodige à nos yeux.
- Psaumes 118.22-23

La trahison par Judas

(41.10) Celui-là même avec qui j'étais en paix, qui avait ma confiance et qui mangeait mon pain, lève le talon contre moi.
- Psaumes 41.9

Souffrance et humiliation

[7](22.8) Tous ceux qui me voient se moquent de moi, Ils ouvrent la bouche, secouent la tête: [8](22.9) Recommande-toi à l'Éternel! L'Éternel le sauvera, Il le délivrera, puisqu'il l'aime!
- Psaumes 22.7-8

La résurrection

[9]Aussi mon cœur est dans la joie, mon esprit dans l'allégresse, et mon corps repose en sécurité. [10]Car tu ne livreras pas mon âme au séjour des morts, Tu ne permettras pas que ton bien-aimé voie la corruption.
- Psaumes 16.9-10

La raison pour la croix

Mais il était blessé pour nos péchés, brisé pour nos iniquités; le châtiment qui nous donne la paix est tombé sur lui, et c'est par ses meurtrissures que nous sommes guéris.
- Ésaïe 53.5

Il y a bien d'autres prophéties mais celles-ci démontrent ce dont Jésus parle: que tout ce qu'Il leur dit au sujet de son traitement aux mains des Juifs se produira, et toutes les prophéties au sujet de Sa mort et de Sa résurrection seront accomplies.

Au verset 34, Luc dit que les apôtres ne comprennent pas ce que Jésus leur dit, que cela leur est caché. Peut-être que comme dans le cas de Jean-Baptiste, ils assumaient qu'en entrant à Jérusalem, Jésus serait accueilli par tous, grands et petits; ou que s'il était rejeté, le jugement tomberait immédiatement sur Ses ennemis. Jésus les prépare au temps où rien de tout cela ne se produira. Ce qui allait se produire était ce qui avait été prophétisé par les prophètes et les psalmistes: le Messie serait rejeté, torturé et exécuté, mais Il ressusciterait le troisième jour.

Guérison d'un aveugle à Jéricho

> [35]Comme Jésus approchait de Jéricho, un aveugle était assis au bord du chemin, et mendiait. [36]Entendant la foule passer, il demanda ce que c'était. [37]On lui dit: C'est Jésus de Nazareth qui passe. [38]Et il cria: Jésus, Fils de David, aie pitié de moi! [39]Ceux qui marchaient devant le reprenaient, pour le faire taire; mais il criait beaucoup plus fort: Fils de David, aie pitié de moi! [40]Jésus, s'étant arrêté, ordonna qu'on le lui amène; et, quand il se fut approché, [41]il lui demanda: Que veux-tu que je te fasse? Il répondit: Seigneur, que je recouvre la vue. [42]Et Jésus lui dit: Recouvre la vue; ta foi t'a sauvé. [43]A l'instant il recouvra la vue, et suivit Jésus, en glorifiant Dieu. Tout le peuple, voyant cela, loua Dieu.
> - Luc 18.35-43

Encore une fois, Luc situe l'action en décrivant le lieu (Jéricho, quelque 25 km au nord de Jérusalem) où Jésus et les apôtres se trouvent dans leur marche vers la grande ville.

Ce miracle est aussi décrit en Matthieu et en Marc. Matthieu dit que deux aveugles ont été guéris mais Marc et Luc se concentrent seulement sur la réaction de Bartimée. Ils décrivent un homme qui ne peut pas voir Jésus ni Ses œuvres, mais qui Lui fait appel avec foi et qui, par conséquent, regagne sa vue.

La foi de Bartimée entrera plus tard en contraste avec celle des chefs religieux à Jérusalem qui seront témoins de plusieurs des miracles de Jésus mais refuseront quand même de croire et demeureront par conséquent aveugles spirituellement.

Le publicain Zachée (19.1-10)

Une fois à Jéricho, Jésus aperçoit Zachée (un collecteur d'impôts comme Matthieu) qui, parce qu'il était trop petit, a dû grimper dans un sycomore pour voir passer le Seigneur.

Jésus l'appelle par son nom et lui dit qu'Il visitera sa maison le jour-même. Les chefs religieux murmurent parce que Jésus fréquente un pécheur et visite même la maison d'un publicain. Zachée est si reconnaissant pour la bonté de Jésus qu'il confesse et se repend de sa conduite inadéquate en tant que collecteur de taxes pour son profit personnel. Jésus confirme que Zachée est sauvé mais pointe que ce sont là les gens qu'Il est venu sauver: les pécheurs qui croient et qui se repentent.

Cet événement présente un autre contraste entre ceux qui croient et ceux qui ne croient pas (l'aveugle Bartimée vs. les chefs religieux) et ceux qui se repentent et ceux qui ne se repentent pas (Zachée vs. les chefs religieux juifs hypocrites).

La parabole des mines

Luc enregistre une autre parabole de Jésus qui est contenue en Matthieu et en Marc. Celle-ci est encore une fois une référence aux chefs religieux à Jérusalem mais elle traite cette fois de la qualité de leur intendance et non de leur foi ou de leur repentance.

> [11]Ils écoutaient ces choses, et Jésus ajouta une parabole, parce qu'il était près de Jérusalem, et qu'on croyait qu'à l'instant le royaume de Dieu allait paraître. [12]Il dit donc: Un homme de haute naissance s'en alla dans un pays lointain, pour se

faire investir de l'autorité royale, et revenir ensuite. [13]Il appela dix de ses serviteurs, leur donna dix mines, et leur dit: Faites-les valoir jusqu'à ce que je revienne. [14]Mais ses concitoyens le haïssaient, et ils envoyèrent une ambassade après lui, pour dire: Nous ne voulons pas que cet homme règne sur nous. [15]Lorsqu'il fut de retour, après avoir été investi de l'autorité royale, il fit appeler auprès de lui les serviteurs auxquels il avait donné l'argent, afin de connaître comment chacun l'avait fait valoir. [16]Le premier vint, et dit: Seigneur, ta mine a rapporté dix mines. [17]Il lui dit: C'est bien, bon serviteur; parce que tu as été fidèle en peu de chose, reçois le gouvernement de dix villes. [18]Le second vint, et dit: Seigneur, ta mine a produit cinq mines. [19]Il lui dit: Toi aussi, sois établi sur cinq villes. [20]Un autre vint, et dit: Seigneur, voici ta mine, que j'ai gardée dans un linge; [21]car j'avais peur de toi, parce que tu es un homme sévère; tu prends ce que tu n'as pas déposé, et tu moissonnes ce que tu n'as pas semé. [22]Il lui dit: Je te juge sur tes paroles, méchant serviteur; tu savais que je suis un homme sévère, prenant ce que je n'ai pas déposé, et moissonnant ce que je n'ai pas semé;[23]pourquoi donc n'as-tu pas mis mon argent dans une banque, afin qu'à mon retour je le retirasse avec un intérêt? [24]Puis il dit à ceux qui étaient là: Ôtez-lui la mine, et donnez-la à celui qui a les dix mines. [25]Ils lui dirent: Seigneur, il a dix mines. - [26]Je vous le dis, on donnera à celui qui a, mais à celui qui n'a pas on ôtera même ce qu'il a. [27]Au reste, amenez ici mes ennemis, qui n'ont pas voulu que je régnasse sur eux, et tuez-les en ma présence.
- Luc 19.11-27

On note les parallèles supplémentaires que Jésus ajoute dans cette parabole pour refléter Sa situation présente et à venir: l'action s'étend sur une longue période, clarifiant l'enseignement à ce sujet pour ceux qui, comme Jean-

Baptiste, pensaient que le royaume et le jugement se produiraient simultanément. Jésus décrit toutefois quatre périodes de temps:

1. Le point où l'homme noble assigne les responsabilités.

2. La période de temps non-révélée pendant laquelle il est absent et où l'on voit les véritables attitudes des serviteurs.

3. Le temps où l'homme revient et punit ou récompense.

4. La destruction des ennemis du noble.

L'ordre des différents événements de la parabole est parallèle à l'ordre du ministère de Jésus et à son résultat éventuel:

1. Jésus assigne la grande commission à Ses disciples (Matthieu 28.18-20, Marc 16.16).

2. L'Église continue son ministère jusqu'au retour de Jésus (Actes 2.37-47).

3. Jésus reviendra pour récompenser et punir (1 Thessaloniciens 4.13-18, 2 Thessaloniciens 1.6-10).

4. La fin des temps et l'apparition des nouveaux cieux et d'une nouvelle terre accompagneront Son retour (2 Pierre 3.11-13).

Cette parabole ne signifiait peut-être pas beaucoup plus pour les apôtres que Sa leçon primordiale sur la bonne intendance, mais après que le ministère de Jésus a été complété ils comprendraient et pourraient se rappeler et saisir pleinement cet enseignement à la lumière de la prophétie accomplie.

L'entrée triomphale (19.28-44)

Voici un autre événement décrit par Matthieu et par Marc. Luc, toutefois, ajoute le passage qui décrit la réaction personnelle de Jésus quand Il atteint la ville. Luc écrit que Jésus envoie les disciples au-devant pour aller chercher un âne sur lequel il s'assoira: Matthieu écrit qu'ils ont ramené deux ânes, un ânon sur lequel personne n'était jamais monté et sa mère (probablement pour stabiliser le jeune animal qui allait porter quelqu'un pour la première fois parmi une foule bruyante, Matthieu 21.1-3).

Jésus est arrivé de Béthanie à Jérusalem où Marie, Marthe et Lazare vivaient et où Il demeurait souvent lorsqu'Il faisait l'aller-retour entre chez-Lui à Capernaüm et la capitale Jérusalem. Béthanie était à environ 2.5 km de Jérusalem avec le mont des Oliviers et le jardin de Gethsémané comme le dernier arrêt avant de descendre du jardin dans la vallée puis de remonter dans la ville de Jérusalem du côté opposé.

Du jardin de Gethsémané sur la crête de la vallée, on pouvait voir la ville de Jérusalem toute entière. C'est là le chemin que Jésus a utilisé dans ce récit. De nos jours, on peut voir un cimetière devant la Porte de l'Est et un mur de briques sur la Porte qui y ont été mis en 1530 après J.-C. par les musulmans dans un effort de prévenir le retour du Messie.

> [36]Quand il fut en marche, les gens étendirent leurs vêtements sur le chemin. [37]Et lorsque déjà il approchait de Jérusalem, vers la descente de la montagne des Oliviers, toute la multitude des disciples, saisie de joie, se mit à louer Dieu à haute voix pour tous les miracles qu'ils avaient vus. [38]Ils disaient: Béni soit le roi qui vient au nom du Seigneur! Paix dans le ciel, et gloire dans les lieux très hauts! [39]Quelques pharisiens, du milieu de la foule, dirent à Jésus: Maître, reprends tes disciples. [40]Et il répondit: Je vous le dis, s'ils se taisent, les pierres crieront!
> - Luc 19.28-40

Matthieu cite la prophétie de l'Ancien Testament qui décrit la manière selon laquelle le Messie entrerait dans la ville, humblement, à dos d'âne, plutôt que sur un cheval ou un charriot comme les rois le faisaient à l'époque (Matthieu 21.5).

Luc continue à contraster l'attitude des gens ordinaires qui croyaient et donc se réjouissaient, avec celle des chefs religieux qui ne croyaient pas et étaient offensés par la démonstration de foi et de louanges qui venait de la foule.

> [41]Comme il approchait de la ville, Jésus, en la voyant, pleura sur elle, et dit: [42]Si toi aussi, au moins en ce jour qui t'est donné, tu connaissais les choses qui appartiennent à ta paix! Mais maintenant elles sont cachées à tes yeux. [43]Il viendra sur toi des jours où tes ennemis t'environneront de tranchées, t'enfermeront, et te serreront de toutes parts; [44]ils te détruiront, toi et tes enfants au milieu de toi, et ils ne laisseront pas en toi pierre sur pierre, parce que tu n'as pas connu le temps où tu as été visitée.
> - Luc 19.41-44

Cette section est unique à Luc et il y décrit Jésus qui pleure sur Jérusalem pour deux raisons:

1. **Ce que les Juifs manqueraient de voir** à cause de leur aveuglement spirituel causé par leur incrédulité. Il pleure parce que la joie et le bonheur exprimés par Ses disciples auraient pu être partagés par chacun dans la ville s'ils avaient su (accepté) ce que Dieu exigeait d'eux pour leur donner la paix avec Lui (la foi dans le Fils). Les bénédictions et la joie que la foi aurait pu leur donner allaient plutôt leur être refusées.

2. **Ce que les Juifs allaient souffrir** en conséquence de leur incrédulité. Jésus rend la raison de leur punition future très claire, *"...parce que tu n'as pas connu le temps où tu as été visitée"* (v. 44c).

Jusqu'à ce point Jésus utilisait des paraboles pour décrire l'attitude d'incrédulité et d'hostilité exprimées par les chefs religieux juifs. Ici, Il affirme par contre de manière certaine et ouverte le sens du péché des Juifs (leur rejet de Lui comme leur Messie) et leur punition (la destruction de leur ville et la mort de son peuple).

Les vendeurs chassés du temple

[45]Il entra dans le temple, et il se mit à chasser ceux qui vendaient, [46]leur disant: Il est écrit: Ma maison sera une maison de prière. Mais vous, vous en avez fait une caverne de voleurs. [47]Il enseignait tous les jours dans le temple. Et les principaux sacrificateurs, les scribes, et les principaux du peuple cherchaient à le faire périr; [48]mais ils ne savaient comment s'y prendre, car tout le peuple l'écoutait avec admiration.
- Luc 19.45-48

Matthieu et Marc font de cette action le point principal de l'entrée de Jésus à Jérusalem. Celui de Luc, cependant, est la déclaration de Jésus sur la nation juive qui sera pour son auditoire (Théophile), une excellente explication de l'hostilité des Juifs envers le christianisme et l'offre subséquente de l'évangile aux païens par les apôtres juifs et les enseignants. Il ne donne qu'un court récit de la raison pour laquelle Jésus chasse les vendeurs du temple (une action qui aurait eu peu d'intérêt pour un lecteur non-juif).

Luc finit cette section en décrivant les lignes de batailles en ce qui concerne Jésus: les principaux sacrificateurs, les scribes et les principaux du peuple (les personnes âgées, les riches, la classe politique, les enseignants) en opposition au peuple.

Sommaire / Leçons

Luc décrit les dernières interactions, les miracles et les enseignements de Jésus alors qu'Il arrive à Jérusalem. Ceux-ci décrivent la situation et la division parmi le peuple.

Luc contraste l'incrédulité et le rejet de l'élite religieuse et politique avec la foi, l'enthousiasme et la joie des gens ordinaires et de ceux qui étaient rejetés par la société. La seule chose qui retient ici les dirigeants juifs d'arrêter Jésus est la crainte de la réaction du peuple.

Par contre, dans la section suivante nous verrons de près des luttes quand Jésus est confronté par différents chefs religieux qui ont maintenant accès à Lui alors qu'Il sert le peuple près du temple à Jérusalem. Voici quelques leçons que nous pouvons tirer du texte que nous venons d'examiner.

1. Croire la Bible

Le grand péché des Juifs était de refuser de croire leurs propres prophètes. Le problème n'était pas que Jésus ne remplissait pas parfaitement ce qui avait été dit au sujet du Messie dans les écrits des prophètes, leur problème avec Lui était qu'Il ne représentait pas l'image qu'ils avaient créée dans leur propre esprit de ce que le Messie serait (un chef militaire et politique puissant). Ils ne L'ont pas reconnu parce qu'ils ne croyaient pas leurs propres Écritures! Nous courons le même risque si notre Jésus est le Jésus des films, des idées et des mouvements populaires. Notre Seigneur, Sa volonté, Sa parole et Son Église sont présentés et expliqués clairement dans Son livre: la Bible. Soyons certains que nos vies et nos pratiques religieuses sont basées sur Son livre et non sur nos opinions ou nos sentiments.

2. Nous serons tous "visités"

Luc écrit que les Juifs n'ont pas reconnu leur visite et qu'ils en ont été perdus. Nous sommes tous visités par le Christ à un moment donné. Sa visite peut venir sous différentes formes, mais elle vient toujours. Elle prend parfois la forme d'une invitation à étudier la Bible ou à assister à une assemblée, ou encore celle d'une tentation qui est permise dans nos vies pour mesurer notre obéissance. Pour plusieurs, elle se matérialise sous forme d'une maladie, d'un accident, d'une offense ou d'un défi qui teste notre foi ou notre amour. En fin de compte, pour chacun, elle vient par la mort qui signale qu'il n'y a plus de temps pour choisir de croire ou non parce que la mort scelle notre situation pour l'éternité, bonne ou mauvaise.

Les visites ne sont pas toutes de la même nature ni de la même durée mais le dénominateur commun est que chacun reçoit une visite et qu'elle concerne toujours notre foi ou notre incrédulité en Christ.

Passage à lire : Luc 20.1-21.38

Questions à discuter

1. Identifiez certaines fausses idées au sujet de Jésus aujourd'hui. Selon vous, pourquoi les gens croient-ils ces fausses idées à Son sujet?

2. Décrivez un de vos talents qui n'est pas utilisé à son maximum. Expliquez pourquoi il n'est pas développé et comment il pourrait être utilisé au service de l'Église.

3. Choisissez un individu ci-dessous et expliquez comment vous vous y prendriez pour le convertir au christianisme. Fournissez trois passages bibliques.

   o Juif, Hindou, Vaudou, Musulman, Bouddhiste, Athée

11.
JÉSUS ENTRE À JÉRUSALEM
- 2ᵉ PARTIE

LUC 20.1-21.38

Au chapitre précédent, nous nous sommes arrêtés à la scène où Jésus chasse les vendeurs du temple. Dans la section qui suit, Luc décrit plusieurs rencontres avec des chefs juifs qui essaient de discréditer Jésus et de Le prendre au piège avec leurs questions.

Des rencontres – Luc 20.1-47

Une confrontation (20.1-8)

¹Un de ces jours-là, comme Jésus enseignait le peuple dans le temple et qu'il annonçait la bonne nouvelle, les principaux sacrificateurs et les scribes, avec les anciens, survinrent, ²et lui dirent: Dis-nous, par quelle autorité fais-tu ces choses, ou qui est celui qui t'a donné cette autorité? ³Il leur répondit: Je vous adresserai aussi une question. ⁴Dites-moi, le baptême de Jean venait-il du ciel, ou des hommes? ⁵Mais ils raisonnèrent ainsi entre eux: Si nous répondons: Du ciel, il dira: Pourquoi n'avez-vous pas cru en lui? ⁶Et si nous répondons: Des hommes, tout le peuple nous lapidera, car il est persuadé que Jean était un prophète. ⁷Alors ils répondirent qu'ils ne savaient d'où il venait. ⁸Et

> Jésus leur dit: Moi non plus, je ne vous dirai pas par quelle autorité je fais ces choses.

Les principaux sacrificateurs, les scribes et les anciens représentent les plus hauts niveaux de la société. Plusieurs sont membres du sanhédrin, qui reçoit du gouvernement romain la charge de superviser les affaires du peuple juif. Ils se réunissent ici pour démontrer leur force et confronter Jésus.

Jésus avait décidé de condamner ouvertement l'activité commerciale au temple (dont ces hommes tiraient profit) et d'administrer une justice soudaine et sévère sur ces commerçants. La réponse des chefs religieux aurait dû être d'approuver avec satisfaction et même avec soulagement cette situation ignorée jusque-là. Ils sont au contraire ennuyés et insultés que quelqu'un sans statut social et qui vient de Nazareth, une petite ville loin du siège de pouvoir, présume de faire une telle chose là où ils ont le contrôle.

Il a de toute évidence du courage mais qui Lui donne le droit de défier leur autorité? Bien sûr, en tant que Fils de Dieu (et Seigneur du temple), Dieu Lui donne cette autorité mais le mentionner à ce moment les provoquerait à agir avant le temps appointé.

Jésus trouve donc une autre manière de les désarmer. Il leur demande d'identifier l'autorité derrière le ministère de Jean-Baptiste et accomplit ainsi deux choses:

1. Il maintient la discussion importante quant à l'autorité spirituelle mais détourne l'attention et le point de la question vers Jean-Baptiste.

2. Il les force à reconnaître leur manque de foi. S'ils disent que le baptême de Jean venait de Dieu, ils devraient aussi reconnaître Jésus comme venant de Dieu puisque c'était là le témoignage de Jean. S'ils disent qu'ils ne le savent pas, ils confessent leur incertitude mais ils évitent ainsi le déplaisir de la foule qui y croit.

Dans leurs cœurs, ils ne croient pas et Jésus l'expose à ces chefs religieux et à tous ceux qui suivent et observent Son ministère.

La position de Jésus au sujet de Jean et de sa mission avait été affirmée plus tôt (Luc 7), alors en ne Lui répondant pas les dirigeants perdent l'autorité d'exiger une réponse quant à la conduite de Jésus dans le temple. Le Seigneur suit cet échange avec une parabole qui décrit leur attitude et la fin éventuelle de ceux qui Le rejettent.

La parabole des vignerons (20:9-18)

Celle-ci est une parabole à peine voilée qui réprime l'incrédulité et la violence qu'Il allait finalement subir de la part de ces chefs religieux.

Dans la parabole, les vignerons sont mis en charge d'une vigne par son propriétaire qui quitte ensuite le pays. Les serviteurs qu'il envoie pour en vérifier le progrès sont harassés et tués, et même le fils du propriétaire est tué par les vignerons qui tentent ainsi de s'approprier la vigne. Le propriétaire revient éventuellement pour exécuter ces hommes et il donne leur position à d'autres.

Le parallèle entre la conduite des vignerons et celle des chefs religieux est évident.

Il est intéressant que Jésus cite de différents passages de l'Ancien Testament (Psaumes 118.22, Ésaïe 8.14) pour soutenir Son enseignement que le rejet et la violence contre le Messie avaient été prédits par le psalmiste et par les prophètes.

> La pierre qu'ont rejetée ceux qui bâtissaient est devenue la principale de l'angle.
> - Psaumes 118.22

Dans la parabole des bâtisseurs se trouvent les chefs religieux parfois mentionnés comme les "bâtisseurs d'Israël."

La pierre était le Messie, qui aurait due être mise en place comme la fondation du royaume par ces bâtisseurs mais qui a été rejetée (parce qu'ils voulaient régner eux-mêmes sur le royaume). La pierre allait provoquer la chute de plusieurs (ceux qui s'y opposent directement), mais elle détruit ceux sur qui elle tombe (le jugement).

Il est peu commun pour Jésus de mêler un passage d'Écritures avec une parabole (qui constituait habituellement un enseignement par elle-même).

Le tribut à César (20.19-26)

> [19]Les principaux sacrificateurs et les scribes cherchèrent à mettre la main sur lui à l'heure même, mais ils craignirent le peuple. Ils avaient compris que c'était pour eux que Jésus avait dit cette parabole. [20]Ils se mirent à observer Jésus; et ils envoyèrent des gens qui feignaient d'être justes, pour lui tendre des pièges et saisir de lui quelque parole, afin de le livrer au magistrat et à l'autorité du gouverneur.
> - Luc 20.19-20

On voit ici une description de la réaction de ces chefs religieux à la parabole de Jésus et celle-ci sert de pont vers la scène suivante de confrontation et de piège.

> [21]Ces gens lui posèrent cette question: Maître, nous savons que tu parles et enseignes droitement, et que tu ne regardes pas à l'apparence, mais que tu enseignes la voie de Dieu selon la vérité. [22]Nous est-il permis, ou non, de payer le tribut à César? [23]Jésus, apercevant leur ruse, leur répondit: Montrez-moi un denier. [24]De qui porte-t-il l'effigie et l'inscription? De César, répondirent-ils. [25]Alors il leur dit: Rendez donc à César ce qui est à César, et à Dieu ce qui est à Dieu. [26]Ils ne purent rien reprendre dans ses

> paroles devant le peuple; mais, étonnés de sa
> réponse, ils gardèrent le silence.
> - Luc 20.21-26

Si la confrontation ne fonctionnait pas, peut-être que la tricherie réussirait. On note au verset 23 que Jésus reconnaît leur ruse et l'attitude derrière leur question.

S'Il répondait qu'ils devaient payer la taxe, ils l'accuseraient d'être sympathique aux Romains pour Le discréditer devant le peuple. S'Il approuvait le non-paiement de la taxe, ils Le signaleraient aux autorités romaines comme agitateur et Le feraient arrêter. Jésus résout plutôt le dilemme auquel de nombreux Juifs sincères faisaient face parce qu'ils étaient forcés de payer des taxes à un roi étranger en utilisant de la monnaie qui était pour eux blasphématoire (les pièces de monnaie étaient gravées de l'image d'un roi païen). Jésus va directement au cœur de la question en faisant une distinction entre le matériel et le spirituel.

Certaines choses, comme les taxes, appartiennent strictement au monde matériel et doivent être traitées ici-bas en conséquence. D'autres choses sont spirituelles et il faut suivre les commandements de Dieu à leur sujet (l'adoration, la moralité, etc.). Le problème survient quand on mélange les deux, l'argent devient notre dieu ou on adore Dieu en se conduisant selon les règles ou les idées des hommes.

Dieu a créé le monde spirituel et le monde matériel et donné des instructions quant à la manière d'y fonctionner.

Question sur la résurrection (20.27-44)

Les dirigeants ont essayé la confrontation et la ruse et ils ont échoué des deux manières; ils tentent donc de discréditer Jésus par le ridicule.

Les sadducéens présentent à Jésus une situation hypothétique pour se moquer de Lui et Le ridiculiser. Ces prêtres ne considéraient que la Pentateuque (c'est-à-dire les livres de la Genèse jusqu'à Deutéronome) comme textes inspirés et autoritaires en vue du reste des Écritures. Ils étaient un petit groupe de chefs religieux riches et conservateurs. Leur support politique venait de la classe privilégiée alors que les pharisiens (enseignants et experts de la loi) dominaient sur le peuple ordinaire.

Les sadducéens croyaient qu'il y avait une grande distance entre Dieu et l'homme (à la manière des déistes d'aujourd'hui). Ils croyaient que la tâche de l'homme était de maintenir sa vie quotidienne ici-bas parce qu'il n'y avait pas d'après-vie. Ils enseignaient que le bien et la position étaient des bénédictions de Dieu, données pour montrer Son approbation. C'est la raison pour laquelle plusieurs pensaient que la pauvreté était une condamnation et un signe du déplaisir de Dieu.

> [27]Quelques-uns des sadducéens, qui disent qu'il n'y a point de résurrection, s'approchèrent, et posèrent à Jésus cette question: [28]Maître, voici ce que Moïse nous a prescrit: Si le frère de quelqu'un meurt, ayant une femme sans avoir d'enfants, son frère épousera la femme, et suscitera une postérité à son frère. [29]Or, il y avait sept frères. Le premier se maria, et mourut sans enfants. [30]Le second et le troisième épousèrent la veuve; [31]il en fut de même des sept, qui moururent sans laisser d'enfants. [32]Enfin, la femme mourut aussi. [33]A la résurrection, duquel d'entre eux sera-t-elle donc la femme? Car les sept l'ont eue pour femme.
> - Luc 20.27-33

Leur question est impertinente et moqueuse. Ils se considèrent sages et sont prêts à faire trébucher ce rabbin de campagne avec une question piège.

> [34]Jésus leur répondit: Les enfants de ce siècle prennent des femmes et des maris; [35]mais ceux qui seront trouvés dignes d'avoir part au siècle à venir et à la résurrection des morts ne prendront ni

femmes ni maris. [36]Car ils ne pourront plus mourir, parce qu'ils seront semblables aux anges, et qu'ils seront fils de Dieu, étant fils de la résurrection.[37]Que les morts ressuscitent, c'est ce que Moïse a fait connaître quand, à propos du buisson, il appelle le Seigneur le Dieu d'Abraham, le Dieu d'Isaac, et le Dieu de Jacob.[38]Or, Dieu n'est pas Dieu des morts, mais des vivants; car pour lui tous sont vivants.
- Luc 20.34-38

Jésus répond à leur impertinence avec une connaissance qui révèle immédiatement Sa compréhension supérieure et divine, et leur ignorance quant aux choses qu'ils croient connaître. Le Seigneur Se sert de l'habileté même dont ils sont si fiers (examen et commentaire éduqué des Écritures) pour prouver que leur enseignement au sujet de la résurrection est erroné.

1. Jésus interprète correctement le sens d'un passage clé pour prouver que la résurrection corporelle prend place après la mort. Il le fait en tirant la conclusion logique basée sur l'usage grammatical du verbe dans la phrase en question.

[5]Dieu dit: N'approche pas d'ici, ôte tes souliers de tes pieds, car le lieu sur lequel tu te tiens est une terre sainte. [6]Et il ajouta: Je suis le Dieu de ton père, le Dieu d'Abraham, le Dieu d'Isaac et le Dieu de Jacob. Moïse se cacha le visage, car il craignait de regarder Dieu.
- Exode 3.5-6

L'utilisation du verbe "suis" au temps présent (Je suis le Dieu de ton père...) supporte grammaticalement la conclusion qu'Abraham, Isaac et Jacob sont aussi présents et vivants devant Dieu. La bonne compréhension du verbe et de comment il mène à la bonne interprétation du passage détruit la position des sadducéens sur l'impossibilité de la résurrection. Ils n'acceptaient que les enseignements de la loi comme ayant autorité et Jésus prouve Son point en se servant de leur méthode et de leur texte pour démontrer leur erreur.

2. Il démontre aussi Sa connaissance divine (et donc Sa nature divine aussi) en révélant des choses concernant la résurrection que seul quelqu'un du ciel peut savoir. Il leur révèle que les êtres ressuscités sont comme les anges (de purs esprits avec des pouvoirs semblables). Ils ne se marient pas ni ne se reproduisent parce qu'ils sont éternels (aucun besoin de reproduction quand il n'y a pas de mort).

> [39]Quelques-uns des scribes, prenant la parole, dirent: Maître, tu as bien parlé. [40]Et ils n'osaient plus lui faire aucune question.
> - Luc 20.39-40

Certains scribes, qui étaient des étudiants sérieux des Écritures (les sadducéens servaient de prêtres) sont d'accord avec Jésus mais les autres demeurent silencieux, ne souhaitant pas ajouter à leur humiliation.

3. Jésus pose alors une question aux chefs religieux.

> [41]Jésus leur dit: Comment dit-on que le Christ est fils de David? [42]David lui-même dit dans le livre des Psaumes: Le Seigneur a dit à mon Seigneur: Assieds-toi à ma droite, [43]Jusqu'à ce que je fasse de tes ennemis ton marchepied. [44]David donc l'appelle Seigneur; comment est-il son fils?
> - Luc 20.41-44

Jésus a fait face à l'intimidation, à la ruse et à la moquerie. Il a répondu à leurs questions et corrigé leur compréhension erronée de la résurrection. Il va maintenant plus loin en leur demandant une question au sujet des Écritures. Sa question précédente au sujet de Jean-Baptiste était une tactique. Il les trappe maintenant de manière à ce qu'ils perdent l'argument, peu importe leur réponse.

Cette question leur demande d'interpréter un passage d'Écriture concernant la double nature du Messie. La réponse à Sa question (au verset 44) est la suivante:

- Le Seigneur (Dieu le Père) a dit à mon Seigneur (Jésus, le Fils) "Assieds-toi à ma droite, jusqu'à ce que je fasse de tes ennemis ton marchepied (une victoire complète y compris la victoire sur la mort) (Psaumes 110.1).

- David a parlé de cette prophétie (à travers le pouvoir du Saint Esprit).

- Question: Si David L'appelle Seigneur, comment est-Il donc son fils (le fils de David)?

- Réponse: David appelle le Fils de Dieu Seigneur avant qu'Il ne vienne dans le monde comme un homme du nom de Jésus (Matthieu 1.6-16).

- Au temps où David a prononcé ces paroles, Jésus n'était pas encore venu. Environ 1,000 ans plus tard Jésus est devenu un homme par la puissance du Saint Esprit et est entré dans le monde à travers la famille dont le chef (Joseph) était un descendant de David.

Les scribes et les prêtres connaissaient cette Écriture et reconnaissaient que le Messie serait un descendant de David mais ils ne reconnaissaient pas ou ils refusaient d'admettre (comme Jésus venait de le démontrer) que le Messie serait aussi divin. Ce qui les dérangeait véritablement était que ce Jésus qui Se tenait devant eux prétendait être le Messie divin!

Avertissement contre les scribes

[45]Tandis que tout le peuple l'écoutait, il dit à ses disciples: [46]Gardez-vous des scribes, qui aiment à se promener en robes longues, et à être salués dans les places publiques; qui recherchent les

premiers sièges dans les synagogues, et les
premières places dans les festins; [47]qui dévorent
les maisons des veuves, et qui font pour
l'apparence de longues prières. Ils seront jugés
plus sévèrement.
- Luc 20.45-47

L'épilogue à cette section est l'avertissement de Jésus
concernant l'hypocrisie des scribes (cela incluait aussi les
pharisiens). L'avertissement est double:

1. Faites attention de ne pas tomber victimes de leurs
   plans, indûment impressionnés par leur prétention de
   sainteté et d'importance.

2. Veillez à ne pas être comme eux en attitude et en
   actions.

Jésus révèle encore un autre fait que Dieu Seul peut
connaître concernant le jugement: il y aura des degrés de
culpabilité et de condamnation.

Les signes de la fin – Luc 21.1-38

Jésus vient de condamner les scribes pour leur hypocrisie et
Il continue cette veine d'enseignement en décrivant les
événements qui mèneront au jugement final.

[1]Jésus, ayant levé les yeux, vit les riches qui
mettaient leurs offrandes dans le tronc. [2]Il vit aussi
une pauvre veuve, qui y mettait deux petites
pièces. [3]Et il dit: Je vous le dis en vérité, cette
pauvre veuve a mis plus que tous les autres; [4]car
c'est de leur superflu que tous ceux-là ont mis des
offrandes dans le tronc, mais elle a mis de son
nécessaire, tout ce qu'elle avait pour vivre.
- Luc 21.1-4

Comme une manière de balancer Ses avertissements contre
l'hypocrisie des scribes, Jésus commente sur la foi sincère et

sur l'esprit généreux de l'offrande sacrificielle de la veuve en comparaison aux offrandes des autres qui ont des ressources matérielles plus abondantes. Ceux-ci peuvent donner de plus larges sommes mais ne sacrifient pas autant que la pauvre veuve.

Cet événement prend place au temple et amène naturellement une question au sujet du temple-même que Jésus utilise pour élaborer sur la question du jugement, quelque chose à quoi les Juifs devront bientôt faire face à cause de leur rejet de Jésus en tant que Messie.

> [5]Comme quelques-uns parlaient des belles pierres et des offrandes qui faisaient l'ornement du temple, Jésus dit: [6]Les jours viendront où, de ce que vous voyez, il ne restera pas pierre sur pierre qui ne soit renversée. [7]Ils lui demandèrent: Maître, quand donc cela arrivera-t-il, et à quel signe connaîtra-t-on que ces choses vont arriver?
> - Luc 21:5-7

Leurs questions conduisent Jésus dans un long enseignement concernant la fin des temps. Matthieu (Matthieu 24) et Marc (Marc 13) incluent tous les deux cette section dans leurs évangiles. Ensemble, ces passages contiennent trois questions des apôtres:

1. Quand cela prendra-t-il place (la destruction du temple) et quels en seront les signes?

2. Que sera le signe de Ta venue (de Ton retour)?

3. Que dire de la fin des temps?

Luc n'écrit que la première question demandée par les apôtres mais il inclut les réponses aux deux autres.

Aux versets 8-24 Il répond à la première question en décrivant la situation politique et sociale dans le monde ainsi que la persécution de l'Église qui précédera la fin de la ville de Jérusalem (70 après J.-C.). Il décrit aussi la souffrance et la destruction qui prendront place.

Aux versets 25-36 Il leur donne de l'information concernant Son retour qui coïncidera avec la fin du monde. Le Seigneur finit avec un encouragement à demeurer alerte pour la destruction de Jérusalem et pour Son retour.

Aux versets 37-38 Luc ajoute que ceux qui suivaient Jésus avec dévotion L'écoutaient enseigner dans le temple pendant le jour et que Jésus passait la nuit à prier. Cet appel à se préparer pour le jugement prépare la scène pour les derniers événements du ministère de Jésus: Sa crucifixion, Sa mort et Sa résurrection.

Leçons

1. Il faut s'efforcer de donner de manière sacrificielle, et non seulement de manière régulière

Il est facile de devenir complaisants dans nos dons (et par conséquent de n'en recevoir aucune bénédiction) s'il ne s'y trouve pas l'élément de sacrifice.

2. Le jugement est certain

Les Juifs ont ignoré l'avertissement de Jésus quant au jugement à venir (et on sait historiquement qu'il est venu en 70 apr. J.-C. quand l'armée romaine a détruit la ville de Jérusalem et le temple avec la majorité de ses citoyens. Ne faisons pas la même erreur.

Questions à discuter

1. Quelle sorte d'attaque ou de confrontation de votre foi personnelle trouvez-vous la plus difficile?

   o Pourquoi?

   o Comment pouvez-vous améliorer votre réponse?

2. Résumez dans vos propres mots la réponse à cette question : « Qu'est-ce qui arrivera à la fin du monde, au retour de Jésus? »

   o Pouvez-vous donner un passage d'Écritures pour supporter votre réponse?

12.
L'ACCOMPLISSEMENT
- 1re PARTIE

LUC 22.1-23.25

Nous voici à la dernière section de notre plan de l'évangile de Luc.

1. Le commencement – 1.1-3.38
2. Jésus en Galilée – 4.1-9.50
3. Jésus face à Jérusalem – 9.51-18.30
4. Jésus entre à Jérusalem – 18.31-21.38
5. **L'accomplissement – 22.1-24.53**

Examinons la description que Luc donne des événements qui commencent avec la préparation de la Pâque jusqu'à la seconde parution de Jésus devant Pilate.

Les dernières heures de Jésus avec les apôtres – Luc 22.1-62

L'évangile de Luc contient peu d'information qui lui soit exclusive: sauf la courte parution de Jésus devant Hérode. Tout le reste de Luc 22.1 - 24.53 se trouve aussi en Matthieu, en Marc et aussi quelque peu en Jean (ayant été un témoin oculaire de ces événements, Jean a peut-être écrit à partir de sa propre mémoire des événements ou il peut avoir utilisé quelques événements-clé de Matthieu, de Marc ou même de Luc étant donné qu'il a été le dernier des quatre à écrire son évangile).

La préparation de la Pâque (22.1-13)

> [1] La fête des pains sans levain, appelée la Pâque,
> approchait. [2] Les principaux sacrificateurs et les
> scribes cherchaient les moyens de faire mourir
> Jésus; car ils craignaient le peuple.
> - Luc 22.1-2

En deux simples versets Luc établit le temps de l'année et la trajectoire du ministère de Jésus.

1. Le temps de l'année: la fête des pains sans levain, la Pâque

C'était le temps de l'année de la fête des pains sans levain et de la Pâque qui sont mentionnées ensemble mais qui sont en réalité deux choses séparées. L'observation de la Pâque était limitée à une période de 24 heures et commémorait la nuit où l'ange de la mort avait frappé tous les premiers-nés, depuis les hommes jusqu'aux animaux, en Égypte mais avait épargné les Juifs qui y vivaient en esclavage à l'époque (Exode 12.1-14). Dieu avait averti les Juifs de cet événement et promis que chaque famille qui mettrait du sang de l'agneau sacrificiel sur les linteaux de leur porte seraient épargnés. En voyant le sang de l'agneau, l'ange de la mort "passerait par-dessus" cette maison et n'infligerait pas de jugement.

Après que les Juifs ont été libérés de l'esclavage, Dieu a commandé à Moïse d'instruire le peuple de commémorer cet événement en partageant le repas de la Pâque qui consistait des mêmes éléments qu'ils avaient mangés cette nuit-là: l'agneau sacrificiel, le pain sans levain (parce que dans la hâte de quitter l'Égypte, il n'y avait pas de temps pour laisser lever le pain), les herbes amères (chicorée, laitue sauvage, coriandre, pissenlit), celles-ci étaient mangées en rappel du dur traitement dont les Juifs avaient fait l'expérience pendant leur captivité en Égypte .

Plus tard, quand les Juifs sont arrivés et se sont installés dans la Terre Promise, plusieurs coupes de vin ont été ajoutées au repas pour symboliser le bonheur et la prospérité de la Terre Promise.

Le repas avait lieu comme une cérémonie avec le père ou le chef dirigeant les gens autour de la table (il était le premier à manger de la viande et les autres suivaient; il trempait le pain sans levain dans les herbes amères et ils faisaient de même; il prenait la coupe de vin et offrait une bénédiction et les autres acquiesçaient avec l'Amen et buvaient aussi). Dans une situation familiale, à un moment quelconque un plus jeune demandait au père d'expliquer le sens du repas et cela lui donnait l'occasion d'enseigner l'histoire et la signification de cet événement commémoratif.

La fête des pains sans levain faisait partie de la Pâque commandée par Dieu et avait lieu le jour suivant. La journée précédant la Pâque était connue comme "le jour de Préparation" où les Juifs préparaient les deux festins en nettoyant leurs maisons, en préparant l'agneau et le repas, et en enlevant toute forme de levain de leurs maisons. Le levain signifiait la corruption et le péché, et cet exercice reflétait le désir du participant d'éliminer le péché de sa vie.

> [14]Vous conserverez le souvenir de ce jour, et vous le célébrerez par une fête en l'honneur de l'Éternel; vous le célébrerez comme une loi perpétuelle pour vos descendants. [15]Pendant sept jours, vous mangerez des pains sans levain. Dès le premier jour, il n'y aura plus de levain dans vos maisons; car toute personne qui mangera du pain levé, du premier jour au septième jour, sera retranchée d'Israël.
> - Exode 12.14-15

Pendant sept jours après la Pâque le peuple célébrait le festin des pains sans levain avec des convocations au temple et s'abstenait de manger du pain contenant du levain. C'étaient là les premiers festins qui leur étaient donnés à célébrer pendant le premier mois de leur calendrier religieux (Nissan = mars-avril).

Luc situe le temps de l'année (le printemps) et la signification religieuse en contexte des événements qui suivent : la Pâque juive et la fête des pains sans levain (un temps où les Juifs se rappelaient leur délivrance par Dieu et leur dévotion à la pureté et à l'obéissance à la volonté de Dieu).

2. La trajectoire du ministère de Jésus

Luc décrit l'intention des chefs religieux juifs et leur motivation. Ils planifiaient de faire mourir Jésus puisque leurs efforts de débattre avec Lui, de L'humilier ou de Le piéger dans quelque contradiction avaient tous échoué. Ils craignaient que l'agitation continue du peuple ne mène à leur rejet en faveur de Jésus, ou à une solution militaire imposée par leurs supérieurs romains. D'une manière ou de l'autre, Jésus et ceux qui Le suivaient mettaient leurs positions en danger. Leur ferme intention de le faire mourir signifiait que Son enseignement et Ses miracles allaient prendre fin et que la scène finale de Son ministère qui comprenait Sa mort, Son ensevelissement et Sa résurrection allait bientôt commencer.

Aux versets 3-6, Luc montre que le complot pour Le tuer gagne de l'élan alors que Judas, qui succombe à ses doutes et à son avidité, s'unit aux chefs juifs dans leur plan de L'arrêter.

> Ils furent dans la joie, et ils convinrent de lui donner de l'argent.
> - Luc 22.5

Au verset 5, Luc rapporte deux choses:

1. Les comploteurs sont contents. Ils se réjouissent dans leur plan.

2. Les chefs religieux sont d'accord de donner de l'argent à Judas. C'était son idée et Matthieu mentionne qu'il a été payé immédiatement.

Judas a assisté au repas de la Pâque avec l'argent en poche, cherchant alors comment trahir le Seigneur.

Aux versets 7-13, Jésus n'envoie que deux disciples pour préparer l'agneau parce que les règles du temple limitaient à deux personnes le nombre de ceux qui présentaient les agneaux de la Pâque. Pierre et Jean se sentent peut-être plus importants parce que Jésus les a choisis pour accomplir cette tâche, aussi bien que celle de préparer la salle pour le repas. On le perçoit un peu plus tard quand une dispute s'élève parmi les apôtres au sujet de leurs rangs et positions.

La sainte cène (Luc 22.14-23)

> [14]L'heure étant venue, il se mit à table, et les apôtres avec lui. [15]Il leur dit: J'ai désiré vivement manger cette Pâque avec vous, avant de souffrir; [16]car, je vous le dis, je ne la mangerai plus, jusqu'à ce qu'elle soit accomplie dans le royaume de Dieu. [17]Et, ayant pris une coupe et rendu grâces, il dit: Prenez cette coupe, et distribuez-la entre vous; [18]car, je vous le dis, je ne boirai plus désormais du fruit de la vigne, jusqu'à ce que le royaume de Dieu soit venu.
> - Luc 22.14-18

Encore une fois, Jésus leur rappelle Sa mort imminente liée si intimement au symbolisme du repas de la Pâque. Il était le véritable agneau sacrificiel dont le sang protégerait tous les croyants de la mort éternelle finale; donc Il était désireux de partager avec eux ce dernier repas symbolique qui préparait le peuple pour le véritable agneau sacrifié pour le péché.

Le Seigneur prend une coupe de vin et rend grâce. C'est là l'une des quatre ou cinq coupes qui étaient partagées où le père ou l'hôte offrait une bénédiction, ce que Jésus fait ici.

> ¹⁹Ensuite il prit du pain; et, après avoir rendu grâces, il le rompit, et le leur donna, en disant: Ceci est mon corps, qui est donné pour vous; faites ceci en mémoire de moi. ²⁰Il prit de même la coupe, après le souper, et la leur donna, en disant: Cette coupe est la nouvelle alliance en mon sang, qui est répandu pour vous.
> - Luc 22.19-20

Il y a trois enseignements principaux au sujet des paroles de Jésus qui ont trait au repas du Seigneur (la communion ou la sainte cène):

A. La transsubstantiation

Un enseignement catholique dit que le pain et le vin sont miraculeusement transformés et deviennent réellement le corps et le sang du Christ sous l'apparence du pain et du vin. Cet enseignement découle des paroles du verset 19 où Jésus dit "Ceci est mon corps" et en Matthieu 26.28, "Ceci est mon sang." Les catholiques interprètent ces expressions littéralement.

B. La consubstantiation

Un enseignement luthérien qui dit que le pain et le vin demeurent des éléments physiques mais que le corps et le sang de Jésus coexistent avec le pain et le vin à la communion. Basé sur la même prémisse (ceci est mon corps, mon sang) avec une conclusion différente, originalement développée par Martin Luther.

C. La commémoration

Un simple rituel avec du pain représentant le corps de Jésus, et du vin Son sang, pris en souvenir de Son sacrifice pour les croyants. Cet enseignement est basé sur le verset 19, "Faites cela en mémoire de moi." Dans ce verset se trouvent à la fois le commandement (faites cela) et la raison (en mémoire). On rejette les deux autres raisons parce qu'elles sont basées sur une compréhension erronée de l'utilisation de métaphores par Jésus dans Sa méthode d'enseignement. En Jean 10.7, Il a dit "Je suis la porte" et en Jean 15.5, "Je suis la vigne." Est-ce que cela signifiait qu'Il était littéralement une porte ou une plante? De la même manière, le Seigneur utilise le pain et le vin comme métaphores pour Son corps et Son sang offerts sur la croix, un sacrifice que, comme chrétiens, nous commémorons chaque jour du Seigneur (dimanche) en partageant le pain sans levain et le fruit de la vigne.

Aux versets 21-23, Luc résume la réaction des apôtres quand Jésus déclare qu'il se trouve un traître parmi eux. Il passe peu de temps à considérer la réponse des apôtres et le départ de Judas, préférant plutôt dévouer un long passage à une dispute parmi les onze (Judas étant sorti avant le repas du Seigneur, Jean 13.30).

Qui est le plus grand? (22.24-38)

Cette section commence avec une dispute à savoir qui est le plus grand parmi les apôtres, un argument qui résulte peut-être de la manière dont Pierre et Jean ont assigné les places (vu qu'ils avaient fait les préparatifs). Ils avaient peut-être pris les meilleures places pour eux-mêmes, à la droite et à la gauche de Jésus.

Luc résume encore les enseignements répétés de Jésus à ce sujet: que dans le royaume les premiers sont les derniers, c'est à dire ceux qui servent les autres. Aux versets 28-38, Il les rassure qu'ils sont destinés à être grands dans le royaume des cieux mais qu'avant cela, Pierre sera testé par Satan et reniera le Christ. Il leur dit aussi qu'ils n'auront pas Sa protection et qu'Il sera mis à mort.

La passion, 1re partie – Luc 22.39-23.25

Après que Jésus et les onze quittent la chambre haute et se dirigent vers le jardin de Gethsémané, la "passion" du Seigneur commence.

Le terme "passion" vient du latin *passionem* (souffrir, endurer) et est utilisé pour faire référence à Sa souffrance et à Sa mort sur la croix. Dix événements majeurs prennent place durant la passion de Jésus:

1. Jésus prie à Gethsémané

2. L'arrestation de Jésus

3. Le reniement de Pierre

4. Jésus devant le sanhédrin présidé par Caïphe

5. Jésus devant Pilate, gouverneur romain - 1re comparution

6. Jésus devant Hérode

7. Jésus renvoyé par Hérode à Pilate - 2e comparution

8. La sentence de mort confirmée

9. Jésus crucifié

10. Le corps de Jésus mis dans un sépulcre

Examinons brièvement les événements du "jardin" à la dernière comparution de Jésus devant Pilate qui mène ultimement à Sa condamnation et à Sa mort. Nous conclurons notre étude de l'évangile de Luc au prochain chapitre.

1. Gethsémané (22.39-46)

Luc donne une version abréviée de cet événement qui ne mentionne qu'une réprimande aux apôtres pour s'être endormis et non pas les trois réprimandes décrites par Matthieu (Matthieu 26:36-46). Luc est le seul à enregistrer que Sa sueur est devenue comme du sang (l'hématidrose) et qu'un ange Lui est apparu pour Le réconforter dans cette épreuve. On doit noter ici que c'était là un test de foi et d'obéissance pour la nature humaine de Jésus, et non pas pour Sa nature divine. La partie humaine de Jésus devait accepter la volonté du Père.

2. L'arrestation de Jésus (22.47-53)

Judas, accompagné d'un grand nombre de soldats ainsi que d'une foule de curieux, se rend à l'endroit du jardin où se trouvent Jésus et Ses apôtres. Le traître va vers Jésus et l'embrasse (un signe convenu d'avance pour indiquer Celui qui devait être arrêté). Lenski, le commentateur du grec, écrit que les verbes utilisés par Matthieu et Marc pour décrire le baiser suggère que Judas a répété le baiser. Luc note que Jésus S'offre Lui-même à Ses ravisseurs (pour protéger les apôtres) alors même qu'ils tentent de Le défendre. Jean dit que Pierre a frappé Malchus, le serviteur du souverain sacrificateur et lui a coupé l'oreille. Luc rapporte que Jésus a immédiatement guéri la blessure de cet homme (v. 51).

La seule réponse de Jésus à Judas est de questionner la méthode et la gravité de sa trahison; tu livres le Fils de l'homme (le Messie divin) par une fausse démonstration d'amour et d'amitié, par un baiser? C'était là un commentaire et un jugement pour Judas.

3. Le reniement de Pierre (22.54-62)

Pierre et un autre disciple (dont l'identité n'est pas donnée) suivent les soldats et la foule, et se rendent chez Caïphe pour observer l'interrogation de Jésus par le souverain sacrificateur avec les autres dirigeants. Pierre est en danger parce qu'il est reconnu comme l'un des apôtres et qu'il a blessé le serviteur du souverain sacrificateur. Il est aussi vulnérable parce que son accent galiléen révèle qu'il est de la même région que Jésus. Tout comme le Seigneur l'avait prédit, Pierre nie connaître et être associé à Jésus quand on met de la pression sur lui dans la cour. Cette nuit, deux des apôtres de Jésus L'ont renié et les dix autres se sont enfuis avec peur. Toutefois seulement un des renieurs sera éventuellement restauré comme on le verra à la fin de ce chapitre.

4. Jésus devant le sanhédrin présidé par Caïphe

[63]Les hommes qui tenaient Jésus se moquaient de lui, et le frappaient. [64]Ils lui voilèrent le visage, et ils l'interrogeaient, en disant: Devine qui t'a frappé. [65]Et ils proféraient contre lui beaucoup d'autres injures. [66]Quand le jour fut venu, le collège des anciens du peuple, les principaux sacrificateurs et les scribes, s'assemblèrent, et firent amener Jésus dans leur sanhédrin. [67]Ils dirent: Si tu es le Christ, dis-le nous. Jésus leur répondit: Si je vous le dis, vous ne le croirez pas; [68]et, si je vous interroge, vous ne répondrez pas. [69]Désormais le Fils de l'homme sera assis à la droite de la puissance de Dieu. [70]Tous dirent: Tu es donc le Fils de Dieu? Et il leur répondit: Vous le dites, je le suis. [71]Alors ils dirent: Qu'avons-nous encore besoin de témoignage? Nous l'avons entendu nous-mêmes de sa bouche.
- Luc 22.63-71

Deux sessions du sanhédrin et du Conseil (71 anciens, juges et prêtres) étaient requises pour décider des cas majeurs (qui impliquaient la peine de mort) et elles devaient être séparées d'une journée.

Jean 18.13 dit que Jésus a été d'abord questionné par Anne, le beau-père de Caïphe qui avait été souverain sacrificateur. Luc ne mentionne que les deux sessions illégales où Jésus a été chargé et aussi moqué et torturé par des membres du sanhédrin. C'est comme si un juge permettait au jury de ridiculiser et de torturer un accusé en pleine cour.

Les deux sessions étaient illégales pour bien des raisons mais en voici deux:

1. Elles ont eu lieu au milieu de la nuit, ce qui n'était pas permis par la loi.

2. La peine de mort a été prononcée sans la pause de 24 heures exigée par la loi entre les deux sessions.

Matthieu et Marc enregistrent tous les deux que de nombreux faux témoins et accusateurs ont été amenés pour témoigner contre Jésus mais qu'Il est demeuré silencieux pendant les deux comparutions et tout l'abus qu'Il a subi.

5. Jésus devant Pilate, 1re comparution

Après avoir obtenu l'évidence nécessaire pour une exécution selon la loi juive (le fait que Jésus Se disait le divin Messie), les chefs juifs L'amènent à Pilate (parce que seuls les Romains pouvaient exécuter quelqu'un).

> [1]Ils se levèrent tous, et ils conduisirent Jésus devant Pilate. [2]Ils se mirent à l'accuser, disant: Nous avons trouvé cet homme excitant notre nation à la révolte, empêchant de payer le tribut à César, et se disant lui-même Christ, roi. [3]Pilate l'interrogea, en ces termes: Es-tu le roi des Juifs? Jésus lui répondit: Tu le dis. [4]Pilate dit aux principaux sacrificateurs et à la foule: Je ne trouve rien de coupable en cet homme. [5]Mais ils insistèrent, et dirent: Il soulève le peuple, en enseignant par toute la Judée, depuis la Galilée, où il a commencé, jusqu'ici. [6]Quand Pilate entendit parler de la Galilée, il demanda si cet homme était Galiléen; [7]et, ayant appris qu'il était de la juridiction d'Hérode, il le renvoya à Hérode, qui se trouvait aussi à Jérusalem en ces jours-là.
> - Luc 23.1-7

Les accusations et les mensonges pratiqués pendant les comparutions devant le sanhédrin se répètent devant Ponce Pilate, le gouverneur romain de la province de Judée.

- **Ponce** - son nom de famille qui vient d'une tribue du centre-sud de l'Italie.

- **Pilate** - son titre, procurateur: quelqu'un employé par l'empereur romain pour gérer les finances et les taxes.

Pilate ne trouve pas de raison pour la peine de mort mais il reconnaît que toute décision, en faveur de Jésus ou contre Lui, amènera du trouble; il envoie donc Jésus à Hérode, un dirigeant subalterne (un tétrarque = le dirigeant d'un quartier) qui était responsable de la région du nord de la Galilée d'où Jésus était originaire.

6. Jésus devant Hérode (23.8-12)

Hérode ne s'intéressait ni à juger ni à exécuter Jésus, pour des raisons semblables à celles de Pilate. Après tout, Jésus venait du nord et Sa base de support s'y trouvait aussi. Hérode était curieux de voir un miracle mais quand Jésus refuse même de répondre à ses questions, Hérode se moque de Lui et le traite avec mépris puis le renvoie à Pilate.

7. Jésus renvoyé par Hérode à Pilate - 2e comparution

> [13]Pilate, ayant assemblé les principaux sacrificateurs, les magistrats, et le peuple, leur dit: [14]Vous m'avez amené cet homme comme excitant le peuple à la révolte. Et voici, je l'ai interrogé devant vous, et je ne l'ai trouvé coupable d'aucune des choses dont vous l'accusez; [15]Hérode non plus, car il nous l'a renvoyé, et voici, cet homme n'a rien fait qui soit digne de mort. [16]Je le relâcherai donc, après l'avoir fait battre de verges. [17]A chaque fête, il était obligé de leur relâcher un prisonnier. [18]Ils s'écrièrent tous ensemble: Fais mourir celui-ci, et relâche-nous Barabbas. [19]Cet homme avait été mis en prison pour une sédition qui avait eu lieu dans la ville, et pour un meurtre. [20]Pilate leur parla de nouveau, dans l'intention de relâcher Jésus. [21]Et ils crièrent:

> Crucifie, crucifie-le! [22]Pilate leur dit pour la
> troisième fois: Quel mal a-t-il fait? Je n'ai rien
> trouvé en lui qui mérite la mort. Je le relâcherai
> donc, après l'avoir fait battre de verges. [23]Mais ils
> insistèrent à grands cris, demandant qu'il fût
> crucifié. Et leurs cris l'emportèrent: [24]Pilate
> prononça que ce qu'ils demandaient serait fait.
> - Luc 23.13-24

Luc décrit sans émotion, un peu comme un journaliste le ferait peut-être, les trois efforts de Pilate de relâcher Jésus, chacun rejeté par les dirigeants juifs et la populace qu'ils avaient assemblée. Il présente les événements du procès mais ne fait aucune mention de motifs autres que le fait que par la loi, Jésus n'était pas un candidat pour l'exécution. Il laisse à Matthieu l'observation que Pilate savait bien que les Juifs essayaient de faire exécuter Jésus par envie. Il décrit un fonctionnaire romain qui cède aux exigences de la foule par désir de gagner la faveur du peuple (Marc 15.14) et qui craint que les dirigeants juifs ne lui causent des ennuis avec ses supérieurs à Rome (Jean 19.12).

Continuant avec son style factuel, Luc résume le résultat de cet événement mémorable avec quelques mots simples.

> Il relâcha celui qui avait été mis en prison pour
> sédition et pour meurtre, et qu'ils réclamaient; et il
> livra Jésus à leur volonté.
> - Luc 23.25

Nous examinerons les trois derniers événements de la passion au chapitre suivant.

Coda: La différence entre Judas et Pierre.

1. **Judas:** La trahison de cet apôtre était motivée par l'incrédulité (il ne croyait pas que Jésus était le divin Messie) et par l'avidité (il voulait être compensé pour sa mauvaise action). Parce qu'il ne croyait pas, ses

remords l'ont mené au désespoir et à sa fin naturelle, le suicide.

2. **Pierre**: Le reniement de Pierre était causé par la peur (la menace d'arrestation ou de mort) et de l'orgueil (il se pensait fort). Son chagrin et sa repentance l'ont mené à la restauration parce que malgré ses faiblesses humaines, il croyait.

C'est la foi qui a déterminé le résultat pour chacun d'eux, Judas et Pierre, et qui déterminera aussi le résultat de nos vies.

Passage à lire : Luc 23.26-24.43

Questions à discuter

1. Préparez un message de 5 minutes pour la communion qui est centré sur l'un des 7 événements de la Passion du Seigneur.

   ○ Présentez votre dévotion à la classe.

2. Évaluation de chaque message par les étudiants :

	TRÈS BON	BON	BESOIN D'AMÉLIORATION
A. Présentation			
B. Efficacité			
C. Authenticité			

13.
L'ACCOMPLISSEMENT
- 2ᵉ PARTIE

LUC 23.26-24.53

Révisons notre plan une dernière fois:

1. Le commencement – 1.1-3.38
2. Jésus en Galilée – 4.1-9.50
3. Jésus face à Jérusalem – 9.51-18.30
4. Jésus entre à Jérusalem – 18.31-21.38
5. **L'accomplissement – 22.1-24.53**

Nous avons suivi un plan géographique du ministère de Jésus parce que Luc, pour établir une narration historique de la vie de Jésus et de Son ministère pour Théophile, se sert de deux facteurs pour encadrer les événements qu'il décrit:

1. Le **temps** de l'année ou un festival ou l'histoire connectée à des dirigeants politiques ou religieux (c'est-à-dire des gouverneurs, des souverains sacrificateurs, etc.). Ces informations peuvent être vérifiées historiquement.

2. Le **lieu** où les différents événements ont pris place, regroupés là où Jésus Se trouvait.

À la différence de Matthieu et de Marc, et plus tard de Jean, qui ont chacun un thème théologique pour leurs récits (par ex. Matthieu: Jésus est le Messie juif; Marc: Jésus est divin;

Jean: Jésus est à la fois homme et Dieu), le but de Luc est d'établir Jésus, le Fils de Dieu, dans un contexte historique; et pour cela il lui faut mentionner les temps et les lieux où les événements de la vie de Jésus ont pris place.

Voici les dix événements de la passion tels que Luc les présente:

1. Jésus prie à Gethsémané

2. L'arrestation de Jésus

3. Le reniement de Pierre

4. Jésus devant le sanhédrin présidé par Caïphe

5. Jésus devant Pilate, gouverneur romain - 1re comparution

6. Jésus devant Hérode

7. Jésus renvoyé par Hérode à Pilate - 2e comparution

8. La torture et la sentence de mort confirmée

9. Jésus crucifié

10. Le corps de Jésus mis dans un sépulcre

Au chapitre précédent, nous avons révisé les échecs de Pilate dans ses efforts de sauver Jésus, un homme dont il reconnaissait l'innocence, et son acquiescement lâche aux dirigeants juifs et à la foule qui voulait Le faire exécuter. Examinons maintenant les trois derniers événements de Sa passion (ou souffrance) et la conclusion glorieuse du récit de Luc.

La passion, 2e partie – Luc 23.26-56

8. La torture et la sentence de mort confirmée

> [26]Comme ils l'emmenaient, ils prirent un certain Simon de Cyrène, qui revenait des champs, et ils le chargèrent de la croix, pour qu'il la porte derrière

Jésus. [27]Il était suivi d'une grande multitude des gens du peuple, et de femmes qui se frappaient la poitrine et se lamentaient sur lui. [28]Jésus se tourna vers elles, et dit: Filles de Jérusalem, ne pleurez pas sur moi; mais pleurez sur vous et sur vos enfants. [29]Car voici, des jours viendront où l'on dira: Heureuses les stériles, heureuses les entrailles qui n'ont point enfanté, et les mamelles qui n'ont point allaité! [30]Alors ils se mettront à dire aux montagnes: Tombez sur nous! Et aux collines: Couvrez-nous! [31]Car, si l'on fait ces choses au bois vert, qu'arrivera-t-il au bois sec? [32]On conduisait en même temps deux malfaiteurs, qui devaient être mis à mort avec Jésus.

- Luc 23.26-32

Luc ignore toute description de la flagellation et de l'abus psychologique auxquels les soldats soumettent Jésus avant Son exécution. Cette torture épuise toutefois Jésus et les Romains chargent Simon, un spectateur innocent, de porter la croix de Jésus. Marc nomme deux fils de Simon qui deviendront plus tard des membres importants de l'Église (Marc 15.21).

Les femmes "qui se frappaient la poitrine et se lamentaient" exprimaient les gémissements traditionnels pour une personne qui était pratiquement morte. À en juger de la réponse de Jésus à leurs pleurs, ces femmes n'étaient pas Ses disciples: Il leur dit de ne pas pleurer sur Lui mais sur elles-mêmes, une référence prophétique aux souffrances terribles et à la destruction qui prendront place en 70 après J.-C. quand l'armée romaine détruira la cité et ses habitants. Le bois vert représente Sa vie sans péché et le bois sec est la nation juive et sa culpabilité. Ses mots impliquent que si ces troubles arrivent à l'innocent, imaginez ce qui arrivera aux coupables.

Luc mentionne les deux criminels que Pilate fait exécuter avec Jésus en signe de mépris pour les Juifs (qui signifie en fait: voilà ce que je pense de votre roi!).

9. Jésus crucifié (23.33-49)

Luc décrit la crucifixion uniquement par des réactions plutôt que par des actions.

> Lorsqu'ils furent arrivés au lieu appelé Crâne, ils le crucifièrent là, ainsi que les deux malfaiteurs, l'un à droite, l'autre à gauche.
> - Luc 23.33

Ce verset décrit la scène de la manière la plus courte possible: Jésus est crucifié avec les brigands à Sa droite et à Sa gauche. Luc savait peut-être que Théophile était familier avec le style d'exécution des Romains et n'avait pas besoin d'explications.

La réaction de Jésus

> Jésus dit: Père, pardonne-leur, car ils ne savent ce qu'ils font. Ils se partagèrent ses vêtements, en tirant au sort.
> - Luc 23.34

Jésus parlera plusieurs fois, mais Sa première réaction est de plaider en faveur de ceux qui L'ont mis sur la croix. Dieu a exaucé cette prière: quelques semaines plus tard Pierre offrira le pardon de Dieu à ces gens-même quand il prêchera l'évangile à la porte du temple dite "des pèlerins" à Jérusalem (Actes 2.14-42). Qui sait combien de ceux-ci étaient parmi les 3000 baptisés le dimanche de la Pentecôte?

Les vêtements et les effets des condamnés étaient la propriété des soldats chargés de l'exécution.

Le peuple

> Le peuple se tenait là, et regardait.
> - Luc 23.35a

Luc mentionnera la foule plus tard mais pour le moment il dit qu'elle observe ce qui se passe. Maintenant qu'ils font face à la terrible réalité de ce qu'ils ont demandé, ils sont réduits au silence. Après tout, Celui qui est crucifié et qui meurt lentement devant eux n'est pas un meurtrier ni un voleur mais le maître qui venait de Galilée, un Juif comme eux, mis à mort devant eux par des soldats païens.

Les dirigeants juifs

> Les magistrats se moquaient de Jésus, disant: Il a sauvé les autres; qu'il se sauve lui-même, s'il est le Christ, l'élu de Dieu!
> - Luc 23.35b

Ceux qui parlent le font avec cruauté, se moquant d'un homme mourant. Ils se servent de Sa crucifixion comme preuve finale de leur accusation qu'Il est un imposteur. "S'Il est le Messie (l'élu de Dieu), qu'Il Se sauve Lui-même de cette exécution. L'insinuation étant qu'Il en est incapable et qu'Il ne peut donc pas sauver les autres comme Il le prétend. Le blasphème est non seulement contre le Fils mais aussi contre le Père qui L'a envoyé pour chercher et sauver ceux qui sont perdus (Luc 19.10; Jean 20.21).

Les soldats romains

> [36]Les soldats aussi se moquaient de lui; s'approchant et lui présentant du vinaigre, [37]ils disaient: Si tu es le roi des Juifs, sauve-toi toi-même! [38]Il y avait au-dessus de lui cette inscription: Celui-ci est le roi des Juifs.
> - Luc 23.36-38

Les insultes des soldats sont dirigées vers Jésus mais visent le peuple juif tout entier. Avoir un poste en Judée n'était pas la meilleure affectation. Ces hommes étaient loin de Rome et de la société romaine, parmi un peuple rebelle avec une dévotion fanatique à leur religion étrange. L'inscription sur la croix disait "Celui-ci est le roi des Juifs," mais elle exprimait l'idée "Voici ce que nous pensons et ce que nous faisons à quiconque déclare qu'il est le roi des Juifs ou roi de n'importe quoi d'autre." C'était une démonstration de force brutale et un avertissement par l'armée impériale romaine à tout autres fauteurs de troubles.

Les deux malfaiteurs

> [39]L'un des malfaiteurs crucifiés l'injuriait, disant: N'es-tu pas le Christ? Sauve-toi toi-même, et sauve-nous! [40]Mais l'autre le reprenait, et disait: Ne crains-tu pas Dieu, toi qui subis la même condamnation? [41]Pour nous, c'est justice, car nous recevons ce qu'ont mérité nos crimes; mais celui-ci n'a rien fait de mal. [42]Et il dit à Jésus: Souviens-toi de moi, quand tu viendras dans ton règne. [43]Jésus lui répondit: Je te le dis en vérité, aujourd'hui tu seras avec moi dans le paradis.
> - Luc 23.39-43

Luc prend le temps de décrire la réaction des deux malfaiteurs condamnés, crucifiés d'un côté et de l'autre de Jésus. Matthieu et Marc disent qu'ils insultaient d'abord Jésus. Luc donne une idée de ce qu'ils disaient en préservant une partie du dialogue. Un brigand incorpore ce que les dirigeants juifs disent en incitant Jésus à Se sauver, ainsi qu'eux deux, s'Il est vraiment le Messie. On pense souvent que l'autre brigand n'a rien fait de spécial en venant au Christ, qu'il a simplement demandé et a été sauvé. Toutefois, son changement de coeur en défendant Jésus l'a forcé à réprimander l'autre criminel et à contredire aussi les soldats et les dirigeants juifs pour demander la miséricorde du Seigneur. Il était un voleur mais il savait que le royaume allait venir (en tant que Juif il faisait probablement allusion au royaume à la fin du monde) et il voulait en faire partie.

Jésus lui promet qu'il sera au paradis (au ciel) avec Lui (Jésus) ce jour même. En disant cela, Jésus pardonne les péchés de cet homme et prophétise aussi. Normalement, mourir d'une crucifixion prenait trois ou quatre jours, toutefois les Juifs ont demandé à Pilate de faire briser les jambes des hommes crucifiés pour hâter leur mort étant donné qu'il était inacceptable d'avoir une exécution publique le jour du sabbat. Une fois les jambes brisées, les hommes crucifiés ne pouvaient plus se supporter pour respirer et ils mouraient rapidement de suffocation. Le malfaiteur n'avait aucune manière de savoir qu'il mourrait si vite et qu'il serait ainsi avec Jésus le jour même, faisant des paroles de Jésus à la fois une absolution des péchés et une prophétie.

Voici la réponse à l'argument qui dit que le voleur sur la croix a été sauvé sans être baptisé, et qui rend nul le besoin du baptême pour le salut:

Dans l'évangile de Marc, on lit que Jésus a guéri un paralytique et aussi pardonné ses péchés.

> [10]Or, afin que vous sachiez que le Fils de l'homme a sur la terre le pouvoir de pardonner les péchés: [11]Je te l'ordonne, dit-il au paralytique, lève-toi, prends ton lit, et va dans ta maison.
> - Marc 2.10-11

Pendant qu'Il vivait ici-bas, Jésus a souvent pardonné les péchés par Sa propre volonté. Étant le Fils de Dieu, Il avait l'autorité divine d'accorder le pardon et on Le voit faire pour le malfaiteur sur la croix ce qu'Il avait fait pour le paralytique (pardonner simplement sans référence au baptême). Après Sa résurrection, toutefois, et avant Son ascension au ciel Il a laissé Ses instructions finales à Ses apôtres concernant le salut maintenant qu'Il n'était plus humainement sur terre avec eux. Ces instructions incluent le baptême (l'immersion) dans l'eau des croyants repentants.

> [18]Jésus, s'étant approché, leur parla ainsi: Tout pouvoir m'a été donné dans le ciel et sur la terre. [19]Allez, faites de toutes les nations des disciples, les baptisant au nom du Père, du Fils et du Saint Esprit,
> - Matthieu 28.18-19

> [15]Puis il leur dit: Allez par tout le monde, et prêchez la bonne nouvelle à toute la création. [16]Celui qui croira et qui sera baptisé sera sauvé, mais celui qui ne croira pas sera condamné.
> - Marc 16.15-16

(Pierre suit ces instructions quand il prêche son premier sermon le dimanche de la Pentecôte)

> Pierre leur dit: Repentez-vous, et que chacun de vous soit baptisé au nom de Jésus Christ, pour le pardon de vos péchés; et vous recevrez le don du Saint Esprit.
> - Actes 2.38

Il est approprié que le dernier acte de ministère de Jésus avant Sa mort soit le transfert d'un croyant repentant de plus du royaume des ténèbres au royaume de la lumière (le ciel, le paradis - Colossiens 1.13).

Le centenier

> [44]Il était déjà environ la sixième heure, et il y eut des ténèbres sur toute la terre, jusqu'à la neuvième heure. [45]Le soleil s'obscurcit, et le voile du temple se déchira par le milieu. [46]Jésus s'écria d'une voix forte: Père, je remets mon esprit entre tes mains. Et, en disant ces paroles, il expira. [47]Le centenier, voyant ce qui était arrivé, glorifia Dieu, et dit: Certainement, cet homme était juste.
> - Luc 23.44-47

Luc ne décrit que deux des signes qui se sont produits à la mort de Jésus:

1. Les ténèbres: de midi jusqu'à trois heures de l'après-midi, en signe de jugement divin pour ce qui avait pris place, l'exécution du Fils de Dieu, la lumière du monde.

2. Le voile du temple déchiré: à l'intérieur du temple se trouvait un voile lourd qui séparait la pièce intérieure (le lieu très saint) de la pièce extérieure (le lieu saint). L'arche du témoignage couverte du "propitiatoire" se trouvait à l'intérieur du lieu très saint où le souverain sacrificateur entrait une fois l'an pour offrir les sacrifices d'expiation pour ses péchés et ceux du peuple. Le voile déchiré signifie qu'il n'y a désormais plus de restriction (symbolisée par le voile) au trône de grâce de Dieu (représenté par le lieu très saint où Dieu rencontrait le souverain sacrificateur une fois l'an). La voie était désormais ouverte et accessible à tous par la foi en Jésus Christ (Hébreux 10:19-20).

Matthieu (Matthieu 27.50-53) mentionne qu'il y a eu aussi un tremblement de terre à ce moment, et après Sa résurrection plusieurs autres croyants sont ressuscités des morts et sont apparus au peuple à Jérusalem. Luc rapporte qu'après avoir témoigné de la mort de Jésus sur la croix, le centenier en charge s'est lui-même converti. Marc le cite disant: "Certainement cet homme était le Fils de Dieu (Marc 15.39). Les Juifs étaient silencieux et les chefs juifs étaient cruels et moqueurs, mais la crucifixion elle-même a amené deux âmes pécheresses au salut: le malfaiteur qui est mort avec Jésus et le centenier qui les a exécutés tous les deux.

La foule des Juifs

> Et tous ceux qui assistaient en foule à ce spectacle, après avoir vu ce qui était arrivé, s'en retournèrent, se frappant la poitrine.
> - Luc 23.48

Ceux qui avaient rejeté Jésus pleuraient maintenant Sa mort. Luc écrit qu'ils sont venus pour voir un spectacle mais qu'ils avaient perdu leur enthousiasme après avoir été témoins de la cruauté et de la brutalité de l'exécution de Jésus.

Les croyants et les disciples

> Tous ceux de la connaissance de Jésus, et les femmes qui l'avaient accompagné depuis la Galilée, se tenaient dans l'éloignement et regardaient ce qui se passait.
> - Luc 23.49

Il n'y a pas de commentaire au sujet de leurs émotions ni des pensées qu'ils peuvent avoir exprimées, seulement qu'ils étaient témoins de la mort de Jésus. Luc ne mentionne aucun nom ni ne fait référence à aucun des apôtres qui ont pu être présents.

L'ensevelissement (23.50-56)

Luc ne mentionne que Joseph d'Arimathée, un membre du sanhédrin qui n'avait pas supporté la condamnation de Jésus, comme celui qui a enseveli le Seigneur. Il fait aussi référence aux femmes qui ont pris note de la place du sépulcre dans le but d'y revenir après le sabbat pour préparer proprement le corps du Seigneur pour l'ensevelissement. Luc a peut-être limité cette information pensant que Théophile, un païen, prendrait peu d'intérêt aux détails des coutumes d'ensevelissement juif.

La résurrection

> [1]Le premier jour de la semaine, elles se rendirent au sépulcre de grand matin, portant les aromates qu'elles avaient préparés. [2]Elles trouvèrent que la pierre avait été roulée de devant le sépulcre; [3]et, étant entrées, elles ne trouvèrent pas le corps du

Seigneur Jésus. [4]Comme elles ne savaient que penser de cela, voici, deux hommes leur apparurent, en habits resplendissants. [5]Saisies de frayeur, elles baissèrent le visage contre terre; mais ils leur dirent: Pourquoi cherchez-vous parmi les morts celui qui est vivant? [6]Il n'est point ici, mais il est ressuscité. Souvenez-vous de quelle manière il vous a parlé, lorsqu'il était encore en Galilée, [7]et qu'il disait: Il faut que le Fils de l'homme soit livré entre les mains des pécheurs, qu'il soit crucifié, et qu'il ressuscite le troisième jour. [8]Et elles se ressouvinrent des paroles de Jésus. [9]A leur retour du sépulcre, elles annoncèrent toutes ces choses aux onze, et à tous les autres. [10]Celles qui dirent ces choses aux apôtres étaient Marie de Magdala, Jeanne, Marie, mère de Jacques, et les autres qui étaient avec elles. [11]Ils tinrent ces discours pour des rêveries, et ils ne crurent pas ces femmes. [12]Mais Pierre se leva, et courut au sépulcre. S'étant baissé, il ne vit que les linges qui étaient à terre; puis il s'en alla chez lui, dans l'étonnement de ce qui était arrivé.
- Luc 24.1-12

Il y a beaucoup de représentations artistiques de la résurrection de Jésus montrant des soldats effrayés fuyant ou un ange roulant la pierre afin de libérer le Seigneur du tombeau. La séquence biblique, cependant, est la suivante:

1. Tôt dimanche matin Jésus ressuscite et quitte le sépulcre. Personne n'en est au courant. Aucun des évangiles ne décrit l'événement, seulement ce qui s'est passé par la suite pour prouver que la résurrection avait vraiment pris place.

2. Il y a eu un tremblement de terre qui a coïncidé avec la descente d'un ange qui a roulé la pierre à l'entrée du tombeau pour montrer qu'il était déjà vide (et non pas pour permettre à Jésus d'en sortir), et l'ange s'est assis sur cette pierre.

3. Les soldats qui gardaient le sépulcre se sont évanouis.

4. Les femmes arrivent au sépulcre et le trouvent vide, et c'est là que Luc reprend son récit.

5. L'ange parle aux femmes (Luc ajoute qu'il y avait deux anges) et confirme que Jésus avait déjà parlé de Sa résurrection pendant qu'Il était vivant. Les femmes quittent le lieu pour trouver les apôtres et leur dire ce qu'elles ont vu.

6. Luc rapporte qu'il y a de l'incrédulité parmi les apôtres mais que Pierre et Jean courent tout de même au sépulcre pour voir pour eux-mêmes.

Après ces événements, les auteurs des évangiles (et Paul aussi) mentionneront d'autres apparitions à différentes personnes par Jésus ressuscité:

1. Marie de Magdala - Marc 16.9, Jean 20.11-18

2. D'autres femmes - Matthieu 28.8-10

3. Pierre - Luc 24.34

4. Deux disciples sur la route d'Emmaüs - Marc 16.12-13, Luc 24.13-35

On ne sait plus où se trouve Emmaüs mais on estime que c'était à environ huit à dix kilomètres de Jérusalem. Luc écrit que deux disciples sont en chemin et discutent ce dont ils avaient récemment été témoins à Jérusalem. Jésus Se joint à eux mais les empêche de Le reconnaître. Ils Lui disent qu'ils avaient espoir que Jésus était le Messie mais qu'ils n'en sont plus trop certains maintenant qu'Il a été torturé et tué. Ils espéraient que le Messie serait comme David, un grand roi, un guerrier. Dans l'Ancien Testament toutefois, Ésaïe (Ésaïe 53.1-12) présentait le Messie comme un homme de douleur habitué à la souffrance (beaucoup de Juifs considèrent cette image comme une personnification de leur nation entière, même de nos jours).

Jésus explique à ces disciples que le Messie aurait deux profiles:

1. **Un serviteur, un homme de douleur:** La souffrance de Jésus n'était pas un échec ni une erreur mais, selon Ésaïe, l'accomplissement de la mission du Messie.

2. **Un sauveur glorieux:** Tout comme David a vaincu les ennemis d'Israël, Jésus vaincra par Sa mort et Sa résurrection le plus grand ennemi de l'humanité: la mort.

Quand le soir approche, Jésus va dans leur maison pour partager un repas. Quand Il rompt le pain et Il rend grâces, Luc décrit le moment où "leurs yeux s'ouvrirent," et ils Le reconnaissent mais Il disparaît de devant eux. Les disciples sont remplis de joie et retournent immédiatement à Jérusalem pour raconter leur expérience aux apôtres.

Les apôtres, les disciples d'Emmaüs et d'autres disciples - Luc 24.36-49

Luc associe l'apparition de Jésus aux disciples d'Emmaüs à Son apparition suivante à ces mêmes disciples maintenant qu'ils sont retournés à Jérusalem pour trouver les apôtres.

> [36]Tandis qu'ils parlaient de la sorte, lui-même se présenta au milieu d'eux, et leur dit: La paix soit avec vous! [37]Saisis de frayeur et d'épouvante, ils croyaient voir un esprit. [38]Mais il leur dit: Pourquoi êtes-vous troublés, et pourquoi pareilles pensées s'élèvent-elles dans vos cœurs? [39]Voyez mes mains et mes pieds, c'est bien moi; touchez-moi et voyez: un esprit n'a ni chair ni os, comme vous voyez que j'ai. [40]Et en disant cela, il leur montra ses mains et ses pieds. [41]Comme, dans leur joie, ils ne croyaient point encore, et qu'ils étaient dans l'étonnement, il leur dit: Avez-vous ici quelque chose à manger? [42]Ils lui présentèrent du poisson rôti et un rayon de miel. [43]Il en prit, et il mangea devant eux.
> - Luc 24.36-43

Le Seigneur confirme le témoignage de ces deux disciples ainsi que celui des femmes, apparaissant maintenant aux apôtres pendant qu'ils sont ensemble et on apprend en Marc et en Jean (Marc 16.14, Jean 20.24-31) que seul Thomas n'est pas là.

Aux versets 44-49, Jésus donne aux apôtres l'enseignement et l'information qu'Il a déjà donnés aux deux disciples d'Emmaüs. Luc donne aussi un court résumé de la grande commission qui est mieux exprimée en Matthieu 28.18-20 et en Marc 16.16-18. Luc établit alors un pont vers sa prochaine lettre à Théophile appelée *les Actes des apôtres*. Il le fait en mentionnant l'instruction de Jésus aux apôtres de demeurer à Jérusalem jusqu'à ce qu'ils reçoivent la puissance d'en haut. Luc n'inclut pas d'information supplémentaire et laisse son lecteur anxieux de voir ce que cela signifie. D'autres apparitions de Jésus non enregistrées par Luc:

1. À Thomas (Jean 20.24-31)
2. Aux apôtres ensemble en Galilée (Matthieu 28.18-20, Marc 16.16-20)
3. Aux apôtres sur le bord de la mer de Tibériade (Jean 21.1-25)
4. Des apparitions non mentionnées dans les évangiles (1 Corinthiens 15.6-8)
5. Aux 500 disciples
6. À Jacques, Son frère terrestre
7. À Paul, après Son ascension

Les apôtres à Son ascension

> [50]Il les conduisit jusque vers Béthanie, et, ayant levé les mains, il les bénit. [51]Pendant qu'il les bénissait, il se sépara d'eux, et fut enlevé au ciel. [52]Pour eux, après l'avoir adoré, ils retournèrent à Jérusalem avec une grande

joie; [53]et ils étaient continuellement dans le temple, louant et bénissant Dieu.

- Luc 24.50-53

Comme il l'a fait tout au long de son évangile, Luc mentionne la place de l'ascension de Jésus, Béthanie, à peine à quelques kilomètres de Jérusalem. L'inclinaison naturelle des apôtres après le départ du Seigneur la première fois était de retourner chez eux, à leurs familles, à leurs amis et à leur travail (la pêche). Toutefois Luc note qu'après l'ascension de Jésus, ils retournent à Jérusalem, où Il les avait précédemment instruits de demeurer jusqu'à ce qu'ils aient reçu la puissance du Saint Esprit, pour remplir la grande commission de prêcher l'évangile à chaque tribu et à chaque langue. De cette façon, Luc clôt soigneusement son récit de la vie, de la mort, de la résurrection et de l'ascension de Jésus, et prépare le terrain pour l'histoire de la façon dont les apôtres (notamment Pierre et Paul) établissent l'Église par le Saint-Esprit dont, 2000 ans plus tard, nous sommes membres aujourd'hui.

Questions à discuter

1. Laquelle des 8 différentes réactions à la mort de Jésus est la plus proche de ce que vous ressentez personnellement en tant que pécheur? Pourquoi ?

2. Résumez de la manière la plus courte possible la réponse à l'argument du "brigand sur la croix" qui dit que le baptême n'est pas nécessaire.

3. Selon vous, pourquoi Jésus n'a-t-Il pas donné à des femmes le rôle de leader dans l'Église considérant que les femmes lui sont beaucoup plus fidèles que les hommes et qu'Il a apparu à des femmes en premier après sa résurrection.

   o Discuter

LES ACTES DES APÔTRES

14.
LE MINISTÈRE DE PIERRE
SON PREMIER DISCOURS

ACTES 1.1-2.47

La première lettre de Luc à Théophile fait partie de la section des évangiles dans le Nouveau Testament avec celles de Matthieu, de Marc et de Jean; comme les autres évangiles, elle décrit la naissance, la vie, la mort et la résurrection de Jésus. Le livre des *Actes des apôtres* (la deuxième lettre de Luc à ce haut fonctionnaire non-juif, écrite entre 60-68 après J.-C.), est un livre d'histoire; il se trouve à la suite des quatre évangiles et est suivi du reste du Nouveau Testament qui comprend des lettres (des épîtres) des apôtres Paul, Pierre et d'autres contributeurs au canon. Dans cette seconde lettre à Théophile, Luc décrit les gens et les événements qui ont contribué à l'établissement et au développement de l'Église qui a commencé le dimanche de la Pentecôte (Pentecôte est une traduction du mot hébreux "semaines").

Voici comment la date de la Pentecôte est établie:

Immédiatement après la Pâque (un vendredi) il y avait une période de sept jours où aucun levain ne devait être gardé dans les maisons. Cette fête finissait le jour du Sabbat après les sept jours (un samedi). Le jour suivant (un dimanche) les Juifs célébraient la fête des moissons où ils amenaient la première partie de leur récolte du printemps (habituellement l'orge) et faisaient une offrande au Seigneur avant d'en manger eux-mêmes (Lévitique 23.10-11).

La fête suivante au calendrier religieux juif était la fête des semaines (Pentecôte en grec) où le peuple comptait sept semaines (sept sabbats) plus une journée (au total 50 jours) et remerciaient pour une plus grande récolte à ce temps de l'année (plus tard dans l'été).

CHRONOLOGIE JUIVE

LA PÂQUE PAIN SANS LEVAIN		JOUR DU SABBAT	FÊTE DES MOISSONS		FÊTE DES SEMAINES (HÉBREUX) PENTECÔTE (GREC)
	7 JOURS	SAMEDI	DIMANCHE	50 JOURS (7 SEMAINES + 1 JOUR)	DIMANCHE

CHRONOLOGIE CHRÉTIENNE

LA SAINTE CÈNE GETHSÉMANÉ	CRUCIFIXION ENSEVELISSEMENT	SABBAT	RÉSURRECTION	APPARITIONS DE JÉSUS ASCENSION	APÔTRES ATTENDENT À JÉRUSALEM	PENTECÔTE SAINT ESPRIT
JEUDI	VENDREDI	SAMEDI	DIMANCHE	40 JOURS	10 JOURS	DIMANCHE

C'est avec cet arrière-plan d'une célébration juive qui prenait place à Jérusalem (comme toujours, Luc fournit des points de repères historiques et culturels) que l'auteur d'Actes commence à instruire son auditoire d'une personne au sujet de l'établissement, de la croissance et de la propagation de l'Église chrétienne à travers l'empire romain.

Le plan des Actes

I. Le ministère de Pierre – Actes 1.1-12.25

    a. Le 1er discours de Pierre – Actes 1.1-2.47
    b. Son ministère après la Pentecôte – Actes 3.1-4.37
    c. La persécution de Pierre et des apôtres – Actes 5.1-42
    d. La persécution de l'Église - 1 – Actes 6.1-7.60
    e. La persécution de l'Église - 2 – Actes 8.1-9.43
    f. Pierre prêche aux gentils – Actes 10.1-12.25

II. Le ministère de Paul – Actes 13.1-28.31

    g. 1er voyage missionnaire – Actes 13.1-15.35
    h. 2e voyage missionnaire – Actes 15.36-18.22
    i. 3e voyage missionnaire – Actes 18.23-21.14
    j. L'arrestation de Paul - 1 – Actes 21.15-23.11
    k. L'arrestation de Paul - 2 – Actes 23.12-25.22
    l. L'arrestation de Paul - 3 – Actes 25.23-26.32
    m. Le voyage de Paul à Rome – Actes 27.1-28.31

Le livre des Actes est facile à décrire parce qu'il détaille les ministères de Pierre et de Paul dans un style narratif simple. C'est pourquoi on l'appelle les "Actes" des apôtres, et non les pensées ou la théologie des apôtres. Luc enregistre de nombreux enseignements de Pierre, de Paul et d'autres (par exemple, Étienne) dans sa lettre, mais ces sections sont subordonnées et au service des "actions" des apôtres et d'autres personnages de l'Église primitive qui, contre toute attente, ont répandu l'évangile et ont planté l'Église dans le monde païen du premier siècle.

Luc commence avec le ministère de Pierre alors qu'il est le premier à prêcher l'évangile par la puissance du Saint Esprit. On le voit proclamer le Christ ressuscité aux Juifs et aux convertis au judaïsme qui étaient venus à Jérusalem pour célébrer la fête de la Pentecôte. Plus tard, Pierre est dirigé par Dieu à apporter l'évangile aussi aux non-juifs. Luc décrit ensuite la conversion dynamique de l'apôtre le plus improbable, Saul de Tarse. Cet homme était un pharisien juif déterminé à détruire ce qu'il considérait une secte hérétique du judaïsme qui adorait Jésus comme le divin Messie. Luc complète sa lettre en détaillant le ministère incroyable de Saul, maintenant Paul l'apôtre, alors qu'il répand l'évangile au-delà de la Judée et de la Samarie aux quatre coins de l'empire romain et au-delà.

Le ministère de Pierre – Actes 1.1-12.25

Le 1ᵉʳ sermon de Pierre (Actes 1.1-2.27)

Révision et ascension

> Théophile, j'ai parlé, dans mon premier livre,
> - Actes 1.1ᵃ

Le fait que Luc s'adresse à Théophile par son nom, sans titre (Excellent Théophile) suggère que depuis la première lettre de Luc cet homme a été converti. Dans la société de l'époque, il aurait été incorrect d'omettre son titre sauf si leur relation avait changé de quelque façon. De la même manière, il aurait été insolite pour Luc d'utiliser un titre formel en parlant à un frère dans le Seigneur parce que ceux-ci sont mis de côté quand les croyants s'adressent l'un à l'autre dans l'Église.

> ¹ᵇde tout ce que Jésus a commencé de faire et d'enseigner dès le commencement ²jusqu'au jour où il fut enlevé au ciel, après avoir donné ses ordres, par le Saint Esprit, aux apôtres qu'il avait choisis. ³Après qu'il eut souffert, il leur apparut vivant, et leur en donna plusieurs preuves, se montrant à eux pendant quarante jours, et parlant des choses qui concernent le royaume de Dieu. ⁴Comme il se trouvait avec eux, il leur recommanda de ne pas s'éloigner de Jérusalem, mais d'attendre ce que le Père avait promis, ce

que je vous ai annoncé, leur dit-il; [5]car Jean a baptisé d'eau, mais vous, dans peu de jours, vous serez baptisés du Saint Esprit.
- Actes 1.1[b]-5

Luc résume en quelques mots la vie et le ministère de Jésus et se concentre sur les événements qui ont pris place entre Sa résurrection et Son ascension:

- Ses apparitions dynamiques pendant une période de 40 jours.

- Ses enseignements au sujet du royaume.

- Ses instructions aux apôtres de demeurer à Jérusalem et de ne pas retourner chez eux en Galilée comme ils l'avaient d'abord fait après Sa crucifixion.

- Sa promesse qu'ils seraient bientôt baptisés de l'Esprit Saint.

La confusion règne souvent quant à la nature de ce dont Jésus parlait ici; examinons brièvement le sujet du baptême du Saint Esprit en établissant et en révisant deux idées en particulier:

Le pouvoir: quand le Saint Esprit accorde des capacités surnaturelles.

Par exemple: le Saint Esprit rend quelqu'un capable d'exécuter des tâches grandes ou complexes.

[1]L'Éternel parla à Moïse, et dit: [2]Sache que j'ai choisi Betsaleel, fils d'Uri, fils de Hur, de la tribu de Juda. [3]**Je l'ai rempli de l'Esprit de Dieu**, de sagesse, d'intelligence, et de savoir pour toutes sortes d'ouvrages, [4]je l'ai rendu capable de faire des inventions, de travailler l'or, l'argent et l'airain, [5]de graver les pierres à enchâsser, de travailler le bois, et d'exécuter toutes sortes d'ouvrages.
- Exode 31.1-5

> L'Éternel dit à Moïse: En partant pour retourner en Égypte, **vois tous les prodiges que je mets en ta main**: tu les feras devant Pharaon. Et moi, j'endurcirai son cœur, et il ne laissera point aller le peuple.
> - Exode 4.21

Ou, le Saint Esprit donne le pouvoir de faire des miracles (par ex. Moïse) ou de voir des visions ou de parler de la part de Dieu.

> [1]**L'esprit de Dieu fut sur Azaria**, fils d'Obed, [2]et Azaria alla au-devant d'Asa et lui dit: Écoutez-moi, Asa, et tout Juda et Benjamin! L'Éternel est avec vous quand vous êtes avec lui; si vous le cherchez, vous le trouverez; mais si vous l'abandonnez, il vous abandonnera.
> - 2 Chroniques 15:1-2

> L'année de la mort du roi Ozias, **je vis le Seigneur assis sur un trône** très élevé, et les pans de sa robe remplissaient le temple.
> - Ésaïe 6.1

Ou encore, le Saint Esprit équipe quelqu'un pour le leadership (par ex. David).

> Samuel prit la corne d'huile, et l'oignit au milieu de ses frères. **L'esprit de l'Éternel saisit David**, à partir de ce jour et dans la suite. Samuel se leva, et s'en alla à Rama.
> - 1 Samuel 16.13

La Bible fait référence à cette "puissance" du Saint Esprit de différentes manières. Par exemple, "rempli de l'Esprit de Dieu" fait référence aux ouvriers qui bâtissent le tabernacle (Exode 31.5) ; Moïse rempli de l'Esprit de Dieu peut accomplir "tous les prodiges que je mets en ta main" (Exode

4.21); "L'esprit de Dieu fut sur Azaria" (2 Chroniques 15.1); "L'Esprit de l'Éternel saisit David" (1 Samuel 16.13).

Cette puissance n'était donnée qu'à certains individus et pour un certain temps; elle les rendait capables d'accomplir une tâche ou une mission particulière pour Dieu. Par exemple, David demande à Dieu de ne par retirer l'Esprit de lui (Psaumes 51.11), et Samson avait reçu une grande force de Dieu mais l'a perdue à cause du péché (Juges 16). L'Esprit donnait temporairement une puissance spéciale à certains individus. La promesse importante de l'Ancien Testament était que quand le Messie viendrait, Il amènerait un temps où tout le peuple de Dieu recevrait une portion du Saint Esprit, et non pas seulement quelques-uns comme les prophètes ou les rois dans l'Ancien Testament. Pierre cite le prophète Joël qui a parlé quelque huit cents ans avant la venue du Christ.

> [28]Après cela, **je répandrai mon esprit sur toute chair**; Vos fils et vos filles prophétiseront, Vos vieillards auront des songes, Et vos jeunes gens des visions. [29]Même sur les serviteurs et sur les servantes, Dans ces jours-là, je répandrai mon esprit.
> - Joël 2.28-29

Cette promesse de l'Esprit était différente. Homme ou femme, jeune ou vieux, chacun l'aurait, connaîtrait Dieu, exprimerait Ses paroles et aurait la vision des cieux qui est décrite dans les Écritures, et non seulement les prophètes. Encore plus important, l'Esprit serait toujours avec vous. Cette mesure d'Esprit ne serait alors pas la puissance mais plutôt l'Esprit **qui habite en** quelqu'un.

L'Esprit qui habite en chaque croyant.

L'Esprit qui vit dans le croyant, non pas seulement en le rendant capable de faire, de voir ou de dire quelque chose au service de Dieu, mais qui existe à l'intérieur d'une personne et la transforme en l'image du Christ. **Le pouvoir**

de l'Esprit donnait à certaines personnes la capacité de faire des choses extraordinaires et l'Ancien Testament est rempli d'histoires de ce que ces personnes ont fait en service à Dieu (Moïse, Josué, David, les prophètes, ainsi que les apôtres et certains individus dans l'Église primitive pour une courte période de temps). **L'Esprit qui habite en quelqu'un** rend cette personne capable de devenir comme le Christ, un sacrifice vivant, un être éternel. Dans l'épître aux Romains, chapitre 8, Paul décrit en détail ce que l'Esprit en quelqu'un fait pour le chrétien. Cette habitation de l'Esprit en quelqu'un est aussi mentionnée de différentes manières:

> Après ces paroles, il souffla sur eux, et leur
> dit: **Recevez le Saint Esprit**.
> - Jean 20.22

Cet événement ne fait pas référence à la puissance de l'Esprit : il ne cause pas les apôtres de parler en langues. L'habileté miraculeuse de parler en langues ne s'est produite que le dimanche de la Pentecôte quand le Saint Esprit leur a donné le pouvoir de le faire. Ce que Jean décrit ici est le moment où les apôtres ont reçu l'Esprit **en eux**.

> Pierre leur dit: Repentez-vous, et que chacun de
> vous soit baptisé au nom de Jésus Christ, pour le
> pardon de vos péchés; et **vous recevrez le don
> du Saint Esprit**.
> - Actes 2.38

Dans ce passage Luc décrit quand on reçoit l'Esprit en nous (quand les croyants repentants sont baptisés au nom de Jésus). Pierre ne promettait pas la "puissance" pour ceux qui répondaient à l'évangile puisqu'aucun des 3000 baptisés ce jour-là n'a démontré de puissance miraculeuse.

La confusion entre les deux choses vient du fait que la Bible utilise le même terme quand elle réfère à l'une et à l'autre. Il faut examiner attentivement le contexte dans lequel le terme est utilisé pour comprendre s'il s'agit de la puissance ou de l'habitation de l'Esprit. Voici quelques exemples qui en montrent la différence:

> Moi, je vous baptise d'eau, pour vous amener à la repentance; mais celui qui vient après moi est plus puissant que moi, et je ne suis pas digne de porter ses souliers. Lui, **il vous baptisera du Saint Esprit** ...
> -Matthieu 3.11

Quand Jean-Baptiste a utilisé le terme "baptisé du Saint Esprit" il faisait référence à l'habitation de l'Esprit dans le croyant que Jésus, en tant que Messie, apporterait.

> car Jean a baptisé d'eau, mais vous, dans peu de jours, **vous serez baptisés du Saint Esprit**.
> - Actes 1.5

Toutefois quand Jésus utilise ce terme in Actes 1.5 en référence à ce qui arrivera à Ses apôtres, Il parle de la puissance qu'ils recevront de prêcher, de parler en langues, de faire de grands miracles (par ex. Pierre qui ressuscite un mort), de planter et de faire croître l'Église alors qu'ils endurent une grande persécution. Ici le Seigneur ne promet pas l'habitation de l'Esprit puisqu'Il la leur a déjà donnée en Jean 20.22.

Il faut donc retenir ces deux définitions parce qu'elles nous aideront à comprendre les différents passages qui traitent du Saint Esprit dans le livre des Actes.

> [6]Alors les apôtres réunis lui demandèrent: Seigneur, est-ce en ce temps que tu rétabliras le royaume d'Israël? [7]Il leur répondit: Ce n'est pas à vous de connaître les temps ou les moments que le Père a fixés de sa propre autorité. [8]Mais vous recevrez une puissance, le Saint Esprit survenant sur vous, et vous serez mes témoins à Jérusalem,

> dans toute la Judée, dans la Samarie, et jusqu'aux extrémités de la terre. [9]Après avoir dit cela, il fut élevé pendant qu'ils le regardaient, et une nuée le déroba à leurs yeux. [10]Et comme ils avaient les regards fixés vers le ciel pendant qu'il s'en allait, voici, deux hommes vêtus de blanc leur apparurent, [11]et dirent: Hommes Galiléens, pourquoi vous arrêtez-vous à regarder au ciel? Ce Jésus, qui a été enlevé au ciel du milieu de vous, viendra de la même manière que vous l'avez vu allant au ciel.
> - Actes 1.6-11

Leur question quant à la restauration du royaume montre qu'ils ont encore la fausse notion d'une restauration glorieuse de l'État juif (et de leur place dans ce royaume). Jésus ne pointe pas leur erreur mais Il leur donne plutôt deux autres explications:

1. Il affirme que de connaître le temps de la fin du royaume juif, ou en fait de la fin du monde, est au-delà de la portée de l'homme. Dieu Seul sait quand ces choses arriveront et ils devaient cesser de spéculer et de L'interroger à ce sujet.

2. Il définit et révise leur mission. Ils recevront la puissance ("le Saint Esprit descendra sur vous") et ils devront témoigner au monde de ce qu'ils ont vu, en commençant à Jérusalem.

Luc répète la description de l'ascension de Jésus, ajoutant cette fois l'information au sujet des anges qui prophétisent concernant Son retour.

La chambre haute (Actes 1.12-26)

Le livre des Actes donne une image intime de l'activité qui a pris place parmi les apôtres et les disciples entre le l'ascension et le moment où ils ont reçu le Saint Esprit le dimanche de la Pentecôte.

1. Les onze apôtres sont réunis avec les femmes qui ont soutenu et suivi Jésus, Marie Sa mère, Ses frères et d'autres disciples. Luc note qu'ils persévèrent dans la prière et qu'ils attendent.

2. Pierre prend la direction en mettant les actions et la mort de Judas dans le contexte des Écritures, ce qui autrement aurait pu devenir une raison de douter et de se décourager. Le commentaire de Pierre explique que ce que Judas a fait et comment sa vie s'est terminée servait le dessein de Dieu et avait été annoncé par les prophètes. Il ne s'agissait pas d'un échec de leur part ni une marque sur la mission de Jésus.

3. Par la prière, ils présentent deux hommes qualifiés qui avaient été des disciples fidèles depuis le baptême de Jésus jusqu'à Son ascension. Après avoir tiré au sort, Matthias est choisi pour remplacer Judas.

Le jour de la Pentecôte (Actes 2.1-12)

[1]Le jour de la Pentecôte, ils étaient tous ensemble dans le même lieu. [2]Tout à coup il vint du ciel un bruit comme celui d'un vent impétueux, et il remplit toute la maison où ils étaient assis. [3]Des langues, semblables à des langues de feu, leur apparurent, séparées les unes des autres, et se posèrent sur chacun d'eux. **[4]Et ils furent tous remplis du Saint Esprit, et se mirent à parler en d'autres langues**, selon que l'Esprit leur donnait de s'exprimer.
[5]Or, il y avait en séjour à Jérusalem des Juifs, hommes pieux, de toutes les nations qui sont sous le ciel. [6]Au bruit qui eut lieu, la multitude accourut, et elle fut confondue parce que chacun les entendait parler dans sa propre langue. [7]Ils étaient tous dans l'étonnement et la surprise, et ils se disaient les uns aux autres: Voici, ces gens qui parlent ne sont-ils pas tous Galiléens? [8]Et comment les entendons-nous dans notre propre

langue à chacun, dans notre langue maternelle?
- Actes 2.1-8

Ces hommes venaient de la Galilée et parlaient l'araméen dans le quotidien, et l'hébreu pour leurs pratiques religieuses. Le jour de la Pentecôte, ils sont "remplis du Saint Esprit" c'est à dire qu'ils ont reçu la puissance dont les signes visibles étaient "des langues de feu" qui sont apparues au-dessus de leurs têtes et la capacité miraculeuse et soudaine de parler des langues qui leur étaient auparavant inconnues.

La Pentecôte était une fête importante pour laquelle des Juifs de partout dans le monde venaient à Jérusalem. Luc enregistre que la foule comptait des gens d'une douzaine de langues différentes et que chacun entendait parler les apôtres dans sa langue respective. Certains groupes charismatiques prétendent avoir reproduit ce miracle dans l'ère moderne, toutefois les sons qu'ils émettent (qu'ils affirment être des "langues") sont inintelligibles et ne font aucun sens. Leur explication habituelle est que Seul Dieu comprend ce qu'ils disent ou qu'ils parlent dans des langues d'anges. Cela est, bien entendu, contraire à la grammaire et au contexte du passage cité.

1. Grammaire: Langue ("*glossa*" en grec) fait référence à une langue physique et, par extension, à une langue connue.

2. Contexte: Au verset 8, la foule affirme avoir entendu parler les apôtres dans leurs propres langues, et Luc nomme une douzaine de langues différentes qui étaient utilisées.

En résumé, les apôtres reçoivent la puissance et celle-ci est vue (langues de feu) et entendue (des hommes juifs prêchant miraculeusement dans des langues qu'ils ne connaissaient pas). Ce phénomène est l'accomplissement d'une prophétie concernant le temps où le Messie viendrait.

Il est écrit dans la loi: C'est par des hommes d'une autre langue Et par des lèvres d'étrangers Que je parlerai à ce peuple, Et ils ne m'écouteront pas même ainsi, dit le Seigneur.
- 1 Corinthiens 14.21

Le sermon de Pierre (Actes 2.13-42)

Mais d'autres se moquaient, et disaient: Ils sont pleins de vin doux.
- Actes 2.13

Luc prépare la scène pour le premier discours de Pierre en décrivant la réaction de certaines personnes dans la foule face au miracle dont ils venaient d'être témoins: "Les apôtres sont ivres." Pierre capte l'attention de ceux qui sont présents en répondant à cette accusation avec son sermon puissant de la Pentecôte. Ce sermon peut être divisé en trois sections:

Le témoignage de l'Esprit (Actes 2.14-21)

Pierre commence son sermon en donnant crédit à l'Esprit de Dieu pour le miracle des langues dont ils venaient d'être témoins. Il déclare que ce qu'ils ont vu et entendu est le phénomène qui devait accompagner la venue du Messie selon les prophètes, à quoi il cite le prophète Joël 2.28-32.

Le témoignage de l'évangile (Actes 2.22-41)

[22]Hommes Israélites, écoutez ces paroles! Jésus de Nazareth, cet homme à qui Dieu a rendu témoignage devant vous par les miracles, les prodiges et les signes qu'il a opérés par lui au milieu de vous, comme vous le savez vous-mêmes; [23]cet homme, livré selon le dessein arrêté et selon la prescience de Dieu, vous l'avez crucifié, vous l'avez fait mourir par la main des impies. [24]Dieu l'a ressuscité, en le délivrant des liens de la

mort, parce qu'il n'était pas possible qu'il fût retenu par elle.
- Actes 2:22-24

Pierre proclame les simples faits du message de l'évangile: Jésus, prouvé oint de Dieu à travers les miracles, les prodiges et les signes; Jésus, crucifié injustement par des pécheurs, selon la prescience et le plan de Dieu; Jésus, ressuscité par Dieu selon la prophétie (Pierre cite encore une fois David pour affirmer que tout cela s'est passé selon le dessein de Dieu et avait été prédit par les prophètes, Psaumes 16.8-11).

[29]Hommes frères, qu'il me soit permis de vous dire librement, au sujet du patriarche David, qu'il est mort, qu'il a été enseveli, et que son sépulcre existe encore aujourd'hui parmi nous. [30]Comme il était prophète, et qu'il savait que Dieu lui avait promis avec serment de faire asseoir un de ses descendants sur son trône, [31]c'est la résurrection du Christ qu'il a prévue et annoncée, en disant qu'il ne serait pas abandonné dans le séjour des morts et que sa chair ne verrait pas la corruption. [32]C'est ce Jésus que Dieu a ressuscité; nous en sommes tous témoins. [33]Élevé par la droite de Dieu, il a reçu du Père le Saint Esprit qui avait été promis, et il l'a répandu, comme vous le voyez et l'entendez. [34]Car David n'est point monté au ciel, mais il dit lui-même: Le Seigneur a dit à mon Seigneur: Assieds-toi à ma droite, [35]Jusqu'à ce que je fasse de tes ennemis ton marchepied. [36]Que toute la maison d'Israël sache donc avec certitude que Dieu a fait Seigneur et Christ ce Jésus que vous avez crucifié.
- Actes 2.29-36

Pierre amplifie son message de l'évangile avec une explication plus en profondeur de la résurrection, car il s'agissait-là d'un nouvel élément (ils comprenaient l'idée de la mort en substitution pour l'expiation du péché), toutefois l'idée, la possibilité même, de la résurrection était nouvelle pour eux. Aucun des animaux sacrifiés à travers les siècles n'était jamais revenu à la vie.

Pierre explique que David a prophétisé (prédit) cet événement même et il corrige leur compréhension de deux passages où les Juifs pensaient que David faisait référence à lui-même mais faisait en réalité référence à Jésus:

1. Psaumes 16.8-11, où David parle de la promesse de sa résurrection. Pierre dit qu'il pointe en fait au Christ qui rendra la résurrection de David possible par la Sienne.

2. Psaumes 110.1, que les Juifs voyaient comme une promesse de Dieu à David concernant son règne et son pouvoir sur ses ennemis. Jésus Lui-même avait corrigé cette idée quand Il avait demandé aux pharisiens une question au sujet de ce passage, question à laquelle ils n'avaient pas su répondre, "Si David L'appelle Seigneur, comment est-Il son fils? (Matthieu 22.45). Pierre donne la réponse en expliquant que dans ce passage, le Père parle au Fils (Jésus), et non à David. Dieu a dit à Jésus, assieds-toi à ma droite (qui signifie la puissance), jusqu'à ce que je fasse de tes ennemis ton marchepied (tu vaincras le diable, la mort et les Juifs incrédules par la résurrection).

Il résume son argument avec une conclusion accablante: Ce Jésus, oint par Dieu, dont les prophètes ont parlé, dont les miracles s'étaient vus, dont nous avons témoigné de la résurrection, Lui qui est monté aux cieux et qui nous a envoyé le Saint Esprit pour faire ce dont vous avez été témoins aujourd'hui, et qui a maintenant été déclaré Seigneur et Sauveur par Dieu: **Vous L'avez tué!**

> [37]Après avoir entendu ce discours, ils eurent le cœur vivement touché, et ils dirent à Pierre et aux autres apôtres: Hommes frères, que ferons-nous? [38]Pierre leur dit: Repentez-vous, et que chacun de vous soit baptisé au nom de Jésus

Christ, pour le pardon de vos péchés; et vous recevrez le don du Saint Esprit. [39]Car la promesse est pour vous, pour vos enfants, et pour tous ceux qui sont au loin, en aussi grand nombre que le Seigneur notre Dieu les appellera. [40]Et, par plusieurs autres paroles, il les conjurait et les exhortait, disant: Sauvez-vous de cette génération perverse. [41]Ceux qui acceptèrent sa parole furent baptisés; et, en ce jour-là, le nombre des disciples s'augmenta d'environ trois mille âmes.
-Actes 2.37-41

Ceux qui reçoivent et croient le témoignage de l'Esprit et le message de l'évangile y répondent. Pierre, selon les instructions qui lui ont été données, à lui et aux autres apôtres en Matthieu 28.18-19 et en Marc 16.15-16, leur dit comment ils doivent obéir à l'évangile.

[18]Jésus, s'étant approché, leur parla ainsi: Tout pouvoir m'a été donné dans le ciel et sur la terre. [19]Allez, faites de toutes les nations des disciples, les baptisant au nom du Père, du Fils et du Saint Esprit,
- Matthieu 28.18-19

[15]Puis il leur dit: Allez par tout le monde, et prêchez la bonne nouvelle à toute la création. [16]Celui qui croira et qui sera baptisé sera sauvé, mais celui qui ne croira pas sera condamné.
- Marc 16.15-16

Ils expriment leur foi en Jésus, Seigneur et Christ, en se repentant de leurs péchés et en étant baptisés (immergés dans l'eau de la piscine de Siloé tout près de là et aussi dans l'eau du bassin près de la Porte des pèlerins où les pèlerins se purifiaient avant d'entrer dans la ville sainte de Jérusalem). Pierre enseigne qu'au baptême les croyants reçoivent le pardon de leurs péchés et le don du Saint Esprit (l'habitation de l'Esprit en eux). Luc ne donne pas de détails quant à la manière dont l'habitation de l'Esprit affecte le croyant. La majeure partie de cette information est contenue dans les épîtres de Paul aux Romains (chapitre 8) et aux Galates (chapitre 5).

Trois mille personnes sont baptisées par les douze ce jour-là (Actes 2.41) et depuis ce temps, le message de l'évangile demeure le même ainsi que les instructions à ceux qui croient (repentez-vous et soyez baptisés au nom de Jésus pour le pardon de vos péchés et vous recevrez le don du Saint Esprit).

Le témoignage de l'Église

> [42]Ils persévéraient dans l'enseignement des apôtres, dans la communion fraternelle, dans la fraction du pain, et dans les prières. [43]La crainte s'emparait de chacun, et il se faisait beaucoup de prodiges et de miracles par les apôtres. [44]Tous ceux qui croyaient étaient dans le même lieu, et ils avaient tout en commun. [45]Ils vendaient leurs propriétés et leurs biens, et ils en partageaient le produit entre tous, selon les besoins de chacun. [46]Ils étaient chaque jour tous ensemble assidus au temple, ils rompaient le pain dans les maisons, et prenaient leur nourriture avec joie et simplicité de cœur, [47a]louant Dieu, et trouvant grâce auprès de tout le peuple.
> - Actes 2:42-47[a]

Luc résume l'activité du début, l'organisation et l'enthousiasme de la première église chrétienne. Observez attentivement le plan et le patron bibliques inspirés pour le ministère dans l'Église, l'organisation et la croissance données dans ces quelques lignes d'Écritures. On y note le commencement et le développement de cinq ministères différents ainsi qu'un sommaire compact de la relation entre le ministère et la croissance de l'Église.

1. **L'évangélisation** (Actes 2.12-41): Ils prêchent l'évangile du Christ à ceux qui sont perdus et ils baptisent les croyants repentants.

2. **L'éducation** (Actes 2.42[a]): Ils enseignent aux nouveaux convertis à connaître et à obéir aux paroles du Christ.

3. **La communion fraternelle** (Actes 2.42[b]): Ils intègrent ces nouveaux chrétiens dans le corps du Christ.

4. **L'adoration** (Actes2.42[c]): Ils organisent l'Église pour l'adoration chrétienne (le repas du Seigneur, etc.).

5. **Le service** (Actes 2:43-47[a]): L'Église commence à mettre en commun ses ressources pour prendre soin des besoins des frères et de la communauté au nom du Christ.

Luc ne fournit pas de détails de comment tout cela était fait, seulement un bref aperçu général des cinq domaines du ministère de l'Église primitive. Au verset final de cette section, l'auteur inspiré révèle l'approche biblique à la croissance de l'Église.

> Et le Seigneur ajoutait chaque jour à l'Église ceux qui étaient sauvés.
> - Actes 2.47[b]

En prenant cette section entière comme un tout, on voit que quand l'Église est active à prêcher à ceux qui sont perdus, à enseigner à ceux qui sont sauvés, à pratiquer la communion fraternelle, l'adoration et le service, Jésus ajoute à Son Église. Autrement dit, quand l'Église sert, le Seigneur y ajoute.

Leçons

1. Prier dans l'attente

Les apôtres sont demeurés en prière pendant qu'ils attendaient le Saint Esprit, et ils sont demeurés concentrés et prêts quand ils ont reçu la puissance de l'Esprit. Espérer en l'Éternel n'est pas quelque chose de passif. L'attente positive et productive est accomplie à travers la prière, l'adoration et le service pour garder son focus spirituel et éviter les plaintes insensées ou l'abondon prématuré.

2. Certaines personnes ont besoin de plus d'encouragement que d'autres.

Trois mille personnes ont été baptisées le dimanche de la Pentecôte mais il y avait plus que 3000 personnes présentes. Face à l'incrédulité et au rejet de certains qui comprennent peut-être l'évangile mais refusent d'y répondre, Pierre a continué à les exhorter (v. 40) et à proclamer le message. Si l'on fait comme Pierre, certains y répondront éventuellement.

3. Se concentrer sur le ministère plutôt que sur la croissance.

Notre tâche consiste à être actifs dans les cinq domaines du ministère, à apprendre comment les exécuter plus efficacement et à faire fonctionner ces ministères simultanément. La tâche de Jésus est d'ajouter à l'Église. Un ministère plus efficace cause une meilleure croissance. (Pour plus d'informations sur la croissance de l'Église voir la série "Croissance illimitée" ("Unlimited Growth," qui sera traduite dans le futur mais qui existe présentement en anglais sur BibleTalk.tv).

Questions à discuter

1. Quelles sont les deux manières dont la promesse du Saint Esprit a été remplie le dimanche de la Pentecôte et pourquoi y a-t-il tant de confusion au sujet de ces bienfaits?

2. Comment démontreriez-vous à partir du 2e chapitre des Actes que le don des langues donné aux apôtres est différent de ce que les groupes charismatiques considèrent de nos jours comme "parler en langues"?

3. Résumez comment Pierre utilise les Psaumes de David dans son argument aux Juifs que Jésus était le Messie.

15.
LE MINISTÈRE DE PIERRE APRÈS LA PENTECÔTE

ACTES 3.1-4.37

Examinons où nous en sommes dans notre étude:

I. Le ministère de Pierre – Actes 1.1-12.19

1. Le 1er discours de Pierre – Actes 1.1-2.47

Dans cette section nous avons vu que Luc décrit les apôtres dans l'attente qui reçoivent la puissance du Saint Esprit alors qu'Il vient sur eux le dimanche de la Pentecôte. On lit que Pierre prêche son premier sermon et que des milliers y répondent avec repentance et sont baptisés. Luc décrit ensuite la première église qui prend forme et se développe en pratiquant les premiers ministères bibliques: l'évangélisation, l'enseignement, la communion fraternelle, l'adoration et le service. Luc conclut cette première section en déclarant que le Seigneur ajoutait à Son Église à mesure que les apôtres servaient le peuple. Cela mène à la section suivante.

2. Le ministère de Pierre après la Pentecôte – Actes 3.1-4.37

Luc décrit comment Pierre réagit quand les chefs religieux lui interdisent de prêcher l'évangile ou de témoigner au sujet de la résurrection de Jésus.

La guérison d'un boiteux de naissance

[1]Pierre et Jean montaient ensemble au temple, à l'heure de la prière: c'était la neuvième heure. [2]Il y avait un homme boiteux de naissance, qu'on portait et qu'on plaçait tous les jours à la porte du temple appelée la Belle, pour qu'il demandât l'aumône à ceux qui entraient dans le temple. [3]Cet homme, voyant Pierre et Jean qui allaient y entrer, leur demanda l'aumône. [4]Pierre, de même que Jean, fixa les yeux sur lui, et dit: Regarde-nous. [5]Et il les regardait attentivement, s'attendant à recevoir d'eux quelque chose. [6]Alors Pierre lui dit: Je n'ai ni argent, ni or; mais ce que j'ai, je te le donne: au nom de Jésus Christ de Nazareth, lève-toi et marche. [7]Et le prenant par la main droite, il le fit lever. Au même instant, ses pieds et ses chevilles devinrent fermes; [8]d'un saut il fut debout, et il se mit à marcher. Il entra avec eux dans le temple, marchant, sautant, et louant Dieu. [9]Tout le monde le vit marchant et louant Dieu. [10]Ils reconnaissaient que c'était celui qui était assis à la Belle porte du temple pour demander l'aumône, et ils furent remplis d'étonnement et de surprise au sujet de ce qui lui était arrivé.
- Actes 3.1-10

Luc ne gaspille pas de temps à commenter sur les événements de la Pentecôte. Il continue son récit en racontant un événement tout aussi merveilleux mais qui cette fois n'implique qu'un seul homme. La première chose qui frappe le lecteur à ce sujet est la certitude du miracle:

- Le mendiant était connu des gens, ayant été infirme de naissance.

- Son infirmité était complète (il ne pouvait pas marcher) et on le portait tous les jours à une entrée du temple où il mendiait.

- Il est guéri et entre immédiatement au temple avec les apôtres, sautant et louant Dieu.

- Le peuple, qui le connaissait et le voyait régulièrement témoignait de sa condition avant et après sa guérison.

- Ils se demandaient peut-être comment il avait été guéri mais ils n'en doutaient nullement.

Comme le verset 10 l'indique (les gens étaient remplis d'étonnement et de surprise au sujet de ce qui lui était arrivé), ce miracle établit la scène pour la première défense de l'évangile par Pierre devant les dirigeants juifs. Plusieurs avaient été déconcertés par le miracle des langues et d'autres avaient trouvé des manières de le nier en disant par exemple que les apôtres étaient ivres. Ce miracle-ci était toutefois indiscutablement clair par son pouvoir et son résultat aussi bien que par sa source: Jésus Christ. Pierre n'a pas même demandé à l'homme s'il croyait, il l'a guéri au nom de Jésus (par l'autorité de Jésus) et l'infirmité de l'homme n'était plus.

La réponse du peuple et des dirigeants juifs (3.11-4.37)

En Actes 2, Luc résume l'activité de l'église à Jérusalem alors que la Pentecôte passe et que la vie retourne à la normale.

> [43]La crainte s'emparait de chacun, et il se faisait beaucoup de prodiges et de miracles par les apôtres. [44]Tous ceux qui croyaient étaient dans le même lieu, et ils avaient tout en commun. [45]Ils vendaient leurs propriétés et leurs biens, et ils en partageaient le produit entre tous, selon les besoins de chacun. [46]Ils étaient chaque jour tous ensemble assidus au temple, ils rompaient le pain dans les maisons, et prenaient leur nourriture avec joie et simplicité de cœur, [47]louant Dieu, et trouvant grâce auprès de tout le peuple. Et le Seigneur ajoutait chaque jour à l'Église ceux qui étaient

sauvés.
- Actes 2.43-47

Au chapitre suivant il revient en arrière et se concentre sur la guérison de l'homme et sur les événements qui ont eu lieu à la suite de ce miracle:

Le 2e sermon de Pierre (Actes 3.11-26)

[11]Comme il ne quittait pas Pierre et Jean, tout le peuple étonné accourut vers eux, au portique dit de Salomon. [12] Pierre, voyant cela, dit au peuple: Hommes Israélites, pourquoi vous étonnez-vous de cela? Pourquoi avez-vous les regards fixés sur nous, comme si c'était par notre propre puissance ou par notre piété que nous eussions fait marcher cet homme? [13]Le Dieu d'Abraham, d'Isaac et de Jacob, le Dieu de nos pères, a glorifié son serviteur Jésus, que vous avez livré et renié devant Pilate, qui était d'avis qu'on le relâchât. [14]Vous avez renié le Saint et le Juste, et vous avez demandé qu'on vous accordât la grâce d'un meurtrier. [15]Vous avez fait mourir le Prince de la vie, que Dieu a ressuscité des morts; nous en sommes témoins. [16]C'est par la foi en son nom que son nom a raffermi celui que vous voyez et connaissez; c'est la foi en lui qui a donné à cet homme cette entière guérison, en présence de vous tous.
- Actes 3.11-16

Tout comme dans le cas des apôtres parlant en langues, cet indéniable miracle attire une grande foule. De la même manière que les gens étaient étonnés que les apôtres parlent en langues étrangères par la puissance du Saint Esprit, ils sont maintenant surpris (traduction littérale: "abasourdis") et attendent une explication. Ils ont vu et cru ce qui s'était produit mais ils veulent maintenant savoir comment ça s'est fait.

C'est là une deuxième occasion pour Pierre de s'adresser à une foule nombreuse avec le message de l'évangile et il suit le même patron que lors de la Pentecôte. Il commence par établir que Jésus est la source du pouvoir spirituel démontré par le miracle en vertu du fait qu'Il est le Messie de Dieu. Il leur rappelle leur culpabilité en envoyant leur propre Sauveur à la croix en échange pour un meurtrier notoire. Il proclame la résurrection de Jésus et le fait que Jean et lui étaient des témoins oculaires de ce miracle extraordinaire. Pierre finit en rendant gloire à Jésus pour la guérison du boiteux. C'est là son explication.

En Actes 2.40, Luc écrit qu'après avoir d'abord prêché à la foule le jour de la Pentecôte, Pierre a continué à les exhorter. Autrement dit, il a continué à présenter des arguments et des encouragements pour que le peuple réponde au message de l'évangile avec obéissance. En Actes 2, Luc ne donne pas d'information supplémentaire quant à la nature de ces exhortations, seulement leurs résultats (3000 baptisés, v. 41). En Actes 3, cependant, Luc continue à enregistrer le sermon de Pierre et aussi ses résultats.

> [17]Et maintenant, frères, je sais que vous avez agi par ignorance, ainsi que vos chefs. [18]Mais Dieu a accompli de la sorte ce qu'il avait annoncé d'avance par la bouche de tous ses prophètes, que son Christ devait souffrir. [19]Repentez-vous donc et convertissez-vous, pour que vos péchés soient effacés,
> - Actes 3.17-19

Dans ces versets, Pierre atténue leur échec à recevoir Jésus en déclarant qu'ils l'ont fait par ignorance, bien que les prophètes avaient parlé de Son rejet et de Sa mort. Leurs péchés n'ont pas surpris Dieu et, aussi graves soient-ils, Dieu leur offrait tout de même, à eux et à leurs dirigeants, le pardon et la paix dont jouissent ceux qui sont pardonnés.

> [20]afin que des temps de rafraîchissement viennent de la part du Seigneur, et qu'il envoie celui qui vous a été destiné, Jésus Christ, [21]que le ciel doit recevoir jusqu'aux temps du rétablissement de toutes choses, dont Dieu a parlé anciennement par la bouche de ses saints prophètes. [22]Moïse a dit: Le Seigneur votre Dieu vous suscitera d'entre vos frères un prophète comme moi; vous l'écouterez dans tout ce qu'il vous dira, [23]et quiconque n'écoutera pas ce prophète sera exterminé du milieu du peuple. [24]Tous les prophètes qui ont successivement parlé, depuis Samuel, ont aussi annoncé ces jours-là. [25]Vous êtes les fils des prophètes et de l'alliance que Dieu a traitée avec nos pères, en disant à Abraham: Toutes les familles de la terre seront bénies en ta postérité.
> - Actes 3.20-25

Ici Pierre tourne leur attention du jugement présent au jugement qui viendra à la fin du monde quand Jésus reviendra. Il accentue le fait que Jésus, qui est ressuscité de la mort et monté au ciel, reviendra pour rétablir toutes choses. Cette restauration inclura le bon ordre avec Dieu, le Christ et le règne de l'Église; le ciel et la terre seront remplacés par un nouveau ciel et une nouvelle terre; et Satan et les incroyants seront punis. La restauration finale, dit-il, avait été annoncée par les prophètes et offerte d'abord au peuple juif.

> C'est à vous premièrement que Dieu, ayant suscité son serviteur, l'a envoyé pour vous bénir, en détournant chacun de vous de ses iniquités.
> - Actes 3.26

Il résume tout au verset 26 en réitérant que la résurrection de Jésus (la preuve qu'Il était le divin Messie) leur a été donnée en premier avec le but de les détourner de leurs péchés et de les sauver du jugement présent et à venir.

Le deuxième événement qui a pris place en résultat à la guérison...

Pierre et Jean sont arrêtés

> [1]Tandis que Pierre et Jean parlaient au peuple, survinrent les sacrificateurs, le commandant du temple, et les sadducéens, [2]mécontents de ce qu'ils enseignaient le peuple, et annonçaient en la personne de Jésus la résurrection des morts. [3]Ils mirent les mains sur eux, et ils les jetèrent en prison jusqu'au lendemain; car c'était déjà le soir.
> - Actes 4.1-3

Pendant que Pierre parle, lui et Jean sont interrompus et arrêtés par:

- Les sacrificateurs: plusieurs prêtres qui appartenaient au groupe des 24 choisis au sort pour diriger les services au temple certains jours, comme par exemple, Zacharie, le père de Jean-Baptiste avait été choisi.

> [8]Alors Pierre, rempli du Saint Esprit, leur dit: Chefs du peuple, et anciens d'Israël, [9]puisque nous sommes interrogés aujourd'hui sur un bienfait accordé à un homme malade, afin que nous disions comment il a été guéri,
> - Luc 1.8-9

- Le commandant du temple: des lévites qui servaient de police du temple, gardant les entrées, fermant les portes le jour du sabbat, s'assurant que les lois concernant les mouvements et la conduite dans le temple étaient observées.

- Les sadducéens: des prêtres riches qui faisaient partie du sanhédrin (le Conseil qui régnait).

Les sadducéens, étant les plus haut placés, avaient probablement instigué l'arrestation non pas parce qu'il y avait du désordre ni une foule trop nombreuse mais à cause de ce qui était enseigné. En tant que groupes principaux qui argumentaient en faveur de l'exécution de Jésus, toute discussion de Sa résurrection et de la croissance subséquente de Son mouvement reviendrait finalement contre eux. Ils craignaient de perdre leur autorité et leur position et aussi les privilèges qui les accompagnaient. Ils niaient l'existence des esprits, des anges et de l'après-vie et n'acceptaient que les cinq premiers livres de la Bible comme autorité, un "Sauveur ressuscité" réfuterait donc leur position sur les miracles et sur l'au-delà.

"Bien que peu nombreux, les sadducéens exerçaient une influence considérable parce qu'ils commandaient une grande richesse et une position sociale, et que la famille du grand prêtre appartenait aussi à leur groupe." (Lenski, p. 153)

> Cependant, beaucoup de ceux qui avaient entendu la parole crurent, et le nombre des hommes s'éleva à environ cinq mille.
> - Actes 4.4

Comme il le fait pour le sermon de la Pentecôte, Luc enregistre la réponse de la foule et le nombre de ceux qui sont devenus chrétiens (2000 de plus). Il mentionne simplement que leur nombre est passé de 3000 à 5000 hommes, une manière de donner un estimé général du taux de croissance (2000 hommes, sans compter les femmes et les enfants). Il ne mentionne pas le baptême et le besoin de confesser le Christ parce que cela a déjà été décrit comme nécessaire dans le processus de conversion. La foi est exprimée en confessant le Christ, en se repentant et en était baptisé. Il n'est pas nécessaire de continuer à le répéter à chaque conversion (la Bible contiendrait des milliers de pages). Luc ne fait que mentionner la conclusion et la réponse au sermon de Pierre: plus de 2000 personnes ont été converties.

Un troisième événement résultant de la prédication de Pierre...

Comparution devant les chefs juifs (Actes 4.5-22)

[5]Le lendemain, les chefs du peuple, les anciens et les scribes, s'assemblèrent à Jérusalem, [6]avec Anne, le souverain sacrificateur, Caïphe, Jean, Alexandre, et tous ceux qui étaient de la race des principaux sacrificateurs. [7]Ils firent placer au milieu d'eux Pierre et Jean, et leur demandèrent: Par quel pouvoir, ou au nom de qui avez-vous fait cela?[8]Alors Pierre, rempli du Saint Esprit, leur dit: Chefs du peuple, et anciens d'Israël, [9]puisque nous sommes interrogés aujourd'hui sur un bienfait accordé à un homme malade, afin que nous disions comment il a été guéri, [10]sachez-le tous, et que tout le peuple d'Israël le sache! C'est par le nom de Jésus Christ de Nazareth, que vous avez été crucifié, et que Dieu a ressuscité des morts, c'est par lui que cet homme se présente en pleine santé devant vous. [11]Jésus est La pierre rejetée par vous qui bâtissez, Et qui est devenue la principale de l'angle. [12]Il n'y a de salut en aucun autre; car il n'y a sous le ciel aucun autre nom qui ait été donné parmi les hommes, par lequel nous devions être sauvés.
- Actes 4.5-12

Malgré que Pierre et Jean aient été amenés devant les chefs juifs pour être questionnés et possiblement emprisonnés, Luc montre que cette occasion devient rapidement la scène du 3e sermon de Pierre. Il s'agit ici d'une audience beaucoup plus petite, mais l'une des plus riches et des plus puissantes en Israël.

Comme toujours, Luc donne des détails historiques et personnels en nommant certains des hommes proéminents présents et leurs positions:

- Les chefs du peuple: les principaux sacrificateurs et leurs familles, Anne et Caïphe (le gendre de Anne). Ils sont tous sadducéens.

- Les anciens: les hommes en chef appointés au sanhédrin (70-72 dirigeants, aussi appelé les anciens, les scribes), dont Jean et Alexandre.

- Les scribes: rabbins, avocats (pharisiens).

On note qu'ils posent à Pierre et à Jean les mêmes questions qu'ils avaient posées à Jésus quand ils L'avaient confronté dans la cour du temple (Matthieu 21.23, " Par quelle autorité fais-tu ces choses?"). La réponse (le sermon) de Pierre est l'accomplissement direct de ce que Jésus avait prophétisé en Luc 12.11-12.

> [11]Quand on vous mènera devant les synagogues, les magistrats et les autorités, ne vous inquiétez pas de la manière dont vous vous défendrez ni de ce que vous direz; [12]car le Saint Esprit vous enseignera à l'heure même ce qu'il faudra dire.
> - Luc 12.11-12

Luc le dit même en préfaçant les remarques de Pierre en disant qu'il parlait par la puissance du Saint Esprit (v. 8).

Luc enregistre le cœur du sermon de Pierre:

1. Le miracle a été fait par la puissance et l'autorité de Jésus Christ.

2. Les dirigeants étaient responsables pour Sa crucifixion.

3. Dieu a ressuscité Jésus de la mort.

4. Que les chefs rejetteraient Celui que Dieu avait choisi (le Messie) dont le prophète David avait parlé (Psaumes 118.22). Cela aurait été particulièrement irritant à entendre puisque le grand prêtre et les autres

prêtres du sanhédrin étaient des sadducéens qui ne croyaient pas à la résurrection ni à la vie après la mort.

5. Pierre finit avec une déclaration qui fait de Jésus et de la foi en Lui le chemin exclusif au salut. Une déclaration qui continue à offenser encore de nos jours parce qu'il fait du christianisme une religion exclusive: Jésus seul peut sauver et aucun autre.

> [13]Lorsqu'ils virent l'assurance de Pierre et de Jean, ils furent étonnés, sachant que c'étaient des hommes du peuple sans instruction; et ils les reconnurent pour avoir été avec Jésus. [14]Mais comme ils voyaient là près d'eux l'homme qui avait été guéri, ils n'avaient rien à répliquer. [15]Ils leur ordonnèrent de sortir du sanhédrin, et ils délibérèrent entre eux, disant: Que ferons-nous à ces hommes? [16]Car il est manifeste pour tous les habitants de Jérusalem qu'un miracle signalé a été accompli par eux, et nous ne pouvons pas le nier. [17]Mais, afin que la chose ne se répande pas davantage parmi le peuple, défendons-leur avec menaces de parler désormais à qui que ce soit en ce nom-là. [18]Et les ayant appelés, ils leur défendirent absolument de parler et d'enseigner au nom de Jésus. [19]Pierre et Jean leur répondirent: Jugez s'il est juste, devant Dieu, de vous obéir plutôt qu'à Dieu; [20]car nous ne pouvons pas ne pas parler de ce que nous avons vu et entendu. [21]Ils leur firent de nouvelles menaces, et les relâchèrent, ne sachant comment les punir, à cause du peuple, parce que tous glorifiaient Dieu de ce qui était arrivé. [22]Car l'homme qui avait été l'objet de cette guérison miraculeuse était âgé de plus de quarante ans.
> - Actes 4.13-22

Les dirigeants veulent maintenant les punir et les réduire au silence mais ils ne peuvent pas le faire pour trois raisons:

1. Ils ne peuvent pas nier le sermon de Pierre. Beaucoup de gens dans la ville pensaient la même chose au sujet de Jésus et ils ne pouvaient réfuter les arguments de Pierre basé sur les Écritures (Jésus était le Messie rejeté selon Psaumes 118.22).

2. Ils ne peuvent nier le miracle évident. Ils connaissaient peut-être ou reconnaissaient le mendiant infirme maintenant complètement guéri et debout devant eux.

3. Ils ne peuvent renier aux apôtres leur liberté. Prendre action contre eux créerait une émeute et démontrerait au gouvernement romain qu'ils ne savaient maintenir l'ordre, ce qui leur ferait peut-être perdre leurs positions favorables rendues possibles par leurs suzerains romains.

Aux versets 23-31, Luc rapporte la joie, les louanges et la prière dont l'église fait l'expérience après que Pierre et Jean sont relâchés. Il n'y avait que quelques semaines depuis que Jésus S'était tenu devant ces mêmes hommes et avait été par la suite crucifié. Après ces événements, les apôtres et l'église ont gagné une grande confiance.

> Quand ils eurent prié, le lieu où ils étaient assemblés trembla; ils furent tous remplis du Saint Esprit, et ils annonçaient la parole de Dieu avec assurance.
> - Actes 4.31

L'église s'épanouit (4.32-37)

L'histoire de la défense de l'évangile par Pierre et Jean et de leur libération renouvelle la croissance et le développement de l'église ainsi que l'expansion du ministère de tous les apôtres. Luc décrit le travail bénévole de l'église et la générosité de ses membres.

Il utilise cette occasion pour présenter un personnage important qui apparaîtra plus tard lorsqu'il commencera à décrire le ministère de Paul: Joseph, un Lévite (un ouvrier et gardien du temple) de Chypre (un Juif né à l'étranger), appelé Barnabas (fils d'exhortation). Il a été le premier officiel du temple converti par les apôtres.

Leçons

Jésus n'a pas besoin de la foi de quelqu'un pour agir

La foi en Jésus est importante mais elle n'est pas le facteur essentiel pour Ses actions. Sa volonté est le facteur essentiel pour ce qu'Il fait. Une foi profonde aide à connaître et à accepter Sa volonté, à persévérer quand on ne comprend pas ou quand on est en désaccord avec Sa volonté. La prière faite par la foi espère que Sa volonté est faite et que l'on peut y avoir confiance et s'en réjouir même si on ne la comprend pas toujours.

Garder l'évangile simple

En Actes 4.8-12, Pierre fait cinq points importants en cinq versets de texte qui se lisent en 40 secondes. Le point ici est qu'en évangélisant quelqu'un, on ne devrait pas commencer par "expliquer" l'évangile, mais simplement par le prêcher: la vie, la mort, la résurrection du Christ et notre réponse. On peut ensuite répondre aux questions et aux défis, et expliquer plus en détail. Quand on en vient à l'évangile, il faut le proclamer d'abord et l'expliquer ensuite.

Questions à discuter

1. Selon vous, quelles parties des deux premiers sermons de Pierre sont les mêmes? Et quelles parties sont différentes?

2. Comment expliqueriez-vous le fait que Pierre ne mentionne le baptême que dans son premier sermon le dimanche de la Pentecôte mais qu'il ne le mentionne pas quand il prêche à la foule après la guérison du mendiant?

3. Nommez et décrivez trois choses qui empêchaient les dirigeants juifs de croire en Jésus. Nommez trois choses qui selon vous empêchent les gens de croire en Lui de nos jours.

16.
PERSÉCUTION DE PIERRE ET DES APÔTRES

ACTES 5.1-42

Révisons notre plan à mesure que nous suivons la première section d'Actes qui traite principalement du ministère de l'apôtre Pierre.

1. Le [1er] discours de Pierre – Actes 1.1-2.47
2. Son ministère après la Pentecôte – Actes 3.1-4.37
3. La persécution de Pierre et des apôtres – Actes 5.1-42

Nous nous sommes arrêtés au point où l'église à Jérusalem se réjouissait et vivait un renouveau spirituel après la libération de Pierre et de Jean par les dirigeants juifs. Cette joie se transforme bientôt en inquiétude quand Pierre et les apôtres souffrent une nouvelle vague de persécution.

Ananias et Saphira – Actes 5.1-11

> [36]Joseph, surnommé par les apôtres Barnabas, ce qui signifie fils d'exhortation, Lévite, originaire de Chypre, [37]vendit un champ qu'il possédait, apporta l'argent, et le déposa aux pieds des apôtres.
> - Actes 4.36-37

On lit dans ce passage que l'église vivait une joie et un élan spirituels en résultat de l'audace de Pierre avant et après sa libération par les chefs juifs. Cet enthousiasme motivait les membres de l'assemblée à donner généreusement pour prendre soin des besoins de cette jeune congrégation en pleine croissance. Luc insère dans cette joyeuse période de libéralité un épisode insolite de fraude commise par un couple qui était aussi membre de cette assemblée.

> [1]Mais un homme nommé Ananias, avec Saphira sa femme, vendit une propriété, [2]et retint une partie du prix, sa femme le sachant; puis il apporta le reste, et le déposa aux pieds des apôtres. [3]Pierre lui dit: Ananias, pourquoi Satan a-t-il rempli ton cœur, au point que tu mentes au Saint Esprit, et que tu aies retenu une partie du prix du champ?[4]S'il n'eût pas été vendu, ne te restait-il pas? Et, après qu'il a été vendu, le prix n'était-il pas à ta disposition? Comment as-tu pu mettre en ton cœur un pareil dessein? Ce n'est pas à des hommes que tu as menti, mais à Dieu. [5]Ananias, entendant ces paroles, tomba, et expira. Une grande crainte saisit tous les auditeurs. [6]Les jeunes gens, s'étant levés, l'enveloppèrent, l'emportèrent, et l'ensevelirent.
> - Actes 5.1-6

On note plusieurs choses au sujet de cette action et pourquoi elle est si sérieuse:

- Ananias et Saphira ont fait semblant de copier le don de Barnabas (qui avait donné tout le produit de la vente de son champ à l'église).

- L'homme et sa femme ont comploté leur fraude. Ils ont planifié de vendre leur propriété, de garder pour eux-mêmes une portion de l'argent et de donner la balance à l'église en prétendant en donner le produit tout entier.

- Leur péché n'était pas de garder de l'argent, qui leur appartenait et dont ils pouvaient disposer à leur gré. Leur péché était de préméditer un mensonge quant à leur offrande, de faire semblant de donner la somme entière alors qu'ils en gardaient une portion pour eux-mêmes.

- Le sérieux du péché n'est pas basé sur le fait qu'ils ont gardé de l'argent, mais comme Pierre le dit, de croire qu'ils pourraient mentir au Saint Esprit sans répercussions.

- Leur échec n'était pas la cupidité mais leur foi. Celle-ci était si faible et ils étaient si blasés qu'ils en étaient venus à un tel plan pour être louangés pour leur générosité.

- Ananias meurt instantanément et va au jugement sans avoir la chance de se repentir, de changer ou de grandir. L'effet sur l'église n'est plus l'enthousiasme et le pouvoir spirituel mais la peur; la crainte de ce qui vient juste de se passer devant eux et possiblement la crainte alors qu'ils examinent leurs cœurs et leurs actions pour des signes de cupidité et de manque de sincérité.

> [7]Environ trois heures plus tard, sa femme entra, sans savoir ce qui était arrivé. [8]Pierre lui adressa la parole: Dis-moi, est-ce à un tel prix que vous avez vendu le champ? Oui, répondit-elle, c'est à ce prix-là. [9]Alors Pierre lui dit: Comment vous êtes-vous accordés pour tenter l'Esprit du Seigneur? Voici, ceux qui ont enseveli ton mari sont à la porte, et ils t'emporteront. [10]Au même instant, elle tomba aux pieds de l'apôtre, et expira. Les jeunes gens, étant entrés, la trouvèrent morte; ils l'emportèrent, et l'ensevelirent auprès de son mari. [11]Une grande crainte s'empara de toute l'assemblée et de tous ceux qui apprirent ces choses.
> - Actes 5.7-11

Pierre donne à Saphira l'occasion de confesser, de se repentir et de recevoir le pardon, mais elle confirme le mensonge et reçoit le même sort que son mari. Pierre la confronte avec ses péchés (celui de conspirer pour tricher l'église et de mentir au Saint Esprit). Cette fois Luc dit que la peur s'est manifestée non seulement sur ceux qui ont été témoins de l'incident mais sur l'église tout entière. C'est la première fois que ce terme est utilisé dans le livre des Actes (du mot grec "ekklesia" qui signifie "ceux qui sont appelés." À l'origine ce mot faisait référence à ceux qui étaient appelés à servir comme dirigeants de la ville et mais éventuellement il s'est utilisé exclusivement pour le corps des croyants au Christ).

La croissance de l'église – Actes 5.12-16

Après avoir décrit cet épisode, Luc donne une vue plus vaste de la situation à Jérusalem alors que l'église grandit de manière dramatique dû au ministère dynamique de Pierre et des apôtres.

> [12]Beaucoup de miracles et de prodiges se faisaient au milieu du peuple par les mains des apôtres. Ils se tenaient tous ensemble au portique de Salomon, [13]et aucun des autres n'osait se joindre à eux; mais le peuple les louait hautement.
> - Actes 5.12-13

Luc décrit le lieu où l'église se réunit, le portique de Salomon, une promenade ouverte qui pouvait accommoder des milliers de personnes dans le complexe du temple. Il mentionne l'unité dans la jeune église ainsi que la faveur du peuple bien qu'ils n'osaient se joindre à eux à cause des dirigeants juifs.

> [14]Le nombre de ceux qui croyaient au Seigneur, hommes et femmes, s'augmentait de plus en plus; [15]en sorte qu'on apportait les malades dans les rues et qu'on les plaçait sur des lits et des couchettes, afin que, lorsque Pierre passerait, son ombre au moins couvrît quelqu'un d'eux. [16]La multitude accourait aussi des villes voisines à Jérusalem, amenant des malades et des gens

tourmentés par des esprits impurs; et tous étaient
guéris.
- Actes 5.14-16

L'influence du ministère des apôtres s'élargit alors que plus
de croyants viennent au Christ, et leur ministère de guérison
ouvre des portes pour toucher des gens qui vivaient au-delà
des limites de la ville de Jérusalem. C'était-là
l'accomplissement de la promesse de Jésus en Actes 1.8,
qu'ils seraient Ses témoins à Jérusalem, dans toute la
Judées (ce qui se passe ici) et en Samarie, même aux
endroits les plus éloignés sur terre (le ministère de Paul).

La persécution – Actes 5.17-42

La deuxième arrestation (5.17-25)

[17]Cependant le souverain sacrificateur et tous ceux
qui étaient avec lui, savoir le parti des sadducéens,
se levèrent, remplis de jalousie, [18]mirent les mains
sur les apôtres, et les jetèrent dans la prison
publique. [19]Mais un ange du Seigneur, ayant
ouvert pendant la nuit les portes de la prison, les fit
sortir, et leur dit: [20]Allez, tenez-vous dans le
temple, et annoncez au peuple toutes les paroles
de cette vie. [21]Ayant entendu cela, ils entrèrent dès
le matin dans le temple, et se mirent à enseigner.
Le souverain sacrificateur et ceux qui étaient avec
lui étant survenus, ils convoquèrent le sanhédrin et
tous les anciens des fils d'Israël, et ils envoyèrent
chercher les apôtres à la prison.[22]Les huissiers, à
leur arrivée, ne les trouvèrent point dans la prison.
Ils s'en retournèrent, et firent leur rapport, [23]en
disant: Nous avons trouvé la prison soigneusement
fermée, et les gardes qui étaient devant les portes;
mais, après avoir ouvert, nous n'avons trouvé
personne dedans. [24]Lorsqu'ils eurent entendu ces
paroles, le commandant du temple et les
principaux sacrificateurs ne savaient que penser

des apôtres et des suites de cette
affaire. [25]Quelqu'un vint leur dire: Voici, les
hommes que vous avez mis en prison sont dans le
temple, et ils enseignent le peuple.
- Actes 5.17-25

Pierre et Jean avaient déjà été arrêtés (Actes 4.3) et avertis
de ne pas prêcher le Christ. À mesure que de plus en plus
de gens sont convertis et se réunissent dans le temple, les
chefs sont jaloux et ils craignent que ce mouvement ne
menace leur autorité et leur position. Après leur première
arrestation les apôtres avaient été relâchés avec un
avertissement. Cette fois ils sont libérés miraculeusement
par un ange qui leur dit de continuer à prêcher. Quand les
chefs les envoient chercher, les gardes leur disent que les
apôtres sont partis et aussi qu'ils sont retournés prêcher au
temple.

La troisième arrestation

[26]Alors le commandant partit avec les huissiers, et
les conduisit sans violence, car ils avaient peur
d'être lapidés par le peuple. [27]Après qu'ils les
eurent amenés en présence du sanhédrin, le
souverain sacrificateur les interrogea en ces
termes: [28]Ne vous avons-nous pas défendu
expressément d'enseigner en ce nom-là? Et voici,
vous avez rempli Jérusalem de votre
enseignement, et vous voulez faire retomber sur
nous le sang de cet homme! [29]Pierre et les apôtres
répondirent: Il faut obéir à Dieu plutôt qu'aux
hommes. [30]Le Dieu de nos pères a ressuscité
Jésus, que vous avez tué, en le pendant au
bois. [31]Dieu l'a élevé par sa droite comme Prince et
Sauveur, pour donner à Israël la repentance et le
pardon des péchés. [32]Nous sommes témoins de
ces choses, de même que le Saint Esprit, que Dieu
a donné à ceux qui lui obéissent.
- Actes 5.26-32

La défense de Pierre

Les apôtres sont arrêtés encore une fois par les gardes, sans violence parce qu'ils craignent le peuple, et amenés devant les chefs juifs pour être questionnés. La première fois, les chefs voulaient savoir par quelle autorité ils prêchaient et guérissaient. Pierre avait répondu:

- Par l'autorité de Jésus

- Que vous avez crucifié

- Que Dieu a ressuscité

- Il est le Messie selon la prophétie ("La pierre de l'angle rejetée par les bâtisseurs").

- Il est le seul Sauveur de tous les hommes.

Cette fois, leur ton est différent, presque défensif, "Pourquoi continuez-vous à faire cela (prêcher et guérir), voulez-vous nous faire porter la culpabilité pour la mort de Jésus?" C'était de l'hypocrisie puisqu'ils savaient exactement ce qu'ils avaient fait afin de forcer Pilate à exécuter Jésus injustement.

Pierre répète certains des mêmes points que lors de sa parution précédente devant eux:

- Cet enseignement et ce pouvoir de guérison viennent de Dieu.

- C'est vous, les dirigeants, qui L'avez mis à mort. Ce péché est le vôtre.

- Toutefois Dieu a ressuscité Jésus.

Il ajoute cette fois à sa réponse:

- Jésus occupe maintenant une place d'autorité et de pouvoir à la droite de Dieu.

- Ironiquement, Celui qu'ils ont tué est le Seul à qui ils peuvent faire appel pour leur pardon.

- L'enseignement et les miracles qu'ils voient sont un résultat du Saint Esprit qui leur donne le pouvoir et qui vit en tous ceux qui croient et obéissent à l'évangile.

Dans ce court extrait, on voit l'audace et la perspicacité grandissantes de Pierre. Par exemple, il refuse de cesser de prêcher et de guérir; il continue à les accuser d'avoir tué Jésus, leur Messie; il proclame Jésus le seul Sauveur des Juifs et des gentils; il révèle Sa position aux cieux; et il affirme qu'Il est la source de leur pouvoir pour prêcher et guérir. Pierre, sans hésitation et sans crainte devant eux, provoque en eux de la jalousie et de la colère et il les oblige aussi à s'arrêter et à réfléchir à ce qu'ils doivent faire.

Le conseil de Gamaliel

[33]Furieux de ces paroles, ils voulaient les faire mourir. [34]Mais un pharisien, nommé Gamaliel, docteur de la loi, estimé de tout le peuple, se leva dans le sanhédrin, et ordonna de faire sortir un instant les apôtres. [35]Puis il leur dit: Hommes Israélites, prenez garde à ce que vous allez faire à l'égard de ces gens. [36]Car, il n'y a pas longtemps que parut Theudas, qui se donnait pour quelque chose, et auquel se rallièrent environ quatre cents hommes: il fut tué, et tous ceux qui l'avaient suivi furent mis en déroute et réduits à rien. [37]Après lui, parut Judas le Galiléen, à l'époque du recensement, et il attira du monde à son parti: il périt aussi, et tous ceux qui l'avaient suivi furent dispersés.[38]Et maintenant, je vous le dis ne vous occupez plus de ces hommes, et laissez-les aller. Si cette entreprise ou cette œuvre vient des hommes, elle se détruira; [39]mais si elle vient de Dieu, vous ne pourrez la détruire. Ne courez pas le risque d'avoir combattu contre Dieu.
- Actes 5.33-39

Gamaliel était un docteur de la Loi et un enseignant, membre du sanhédrin. Son intervention a sauvé les vies des apôtres parce que la réponse de Pierre avait rendu furieux les membres du Conseil. Il savait sûrement que par ses paroles et son audace il risquait la mort mais il parle quand même. Il est intéressant que Dieu utilise ici un des hommes opposés aux apôtres pour les sauver.

Le conseil de Gamaliel (d'attendre et de voir, de ne rien faire d'hâtif) est accepté par les autres chefs religieux. La Bible mentionne Gamaliel comme ayant enseigné à Paul avant qu'il ne soit converti (Actes 22.3) sans aucune autre référence. Selon Photios (un dirigeant dans l'Église au 9e siècle), Gamaliel aurait été baptisé par Pierre et Jean, ainsi que ses deux fils, et il serait mort en 52 après J.-C.

Punition par le Conseil

> [40]Ils se rangèrent à son avis. Et ayant appelé les apôtres, ils les firent battre de verges, ils leur défendirent de parler au nom de Jésus, et ils les relâchèrent. [41]Les apôtres se retirèrent de devant le sanhédrin, joyeux d'avoir été jugés dignes de subir des outrages pour le nom de Jésus. [42]Et chaque jour, dans le temple et dans les maisons, ils ne cessaient d'enseigner, et d'annoncer la bonne nouvelle de Jésus Christ.
> - Actes 5.40-42

Les dirigeants suivent le conseil prudent de Gamaliel mais dans un effort de décourager les apôtres et de les apeurer, ils les avertissent de cesser leur prédication et réaffirment leur décision en les torturant tous. La flagellation consistait en 39 coups sur le dos et les côtés avec des bâtons (Matthieu 10.17; 2 Corinthiens 11.24). Tous les apôtres l'ont subie. Leur réaction était complètement opposée à l'attente des chefs Juifs; ils s'attendaient à de la peur, du découragement, du doute envers leur cause et leur mission. Luc écrit qu'au contraire, les apôtres se réjouissent parce que :

1. Cet événement a prouvé qu'ils étaient sincèrement fidèles. Accepter de se faire battre et de recevoir ces menaces sans perdre leur foi a prouvé la qualité et la force de leur croyance.

2. Il a aussi prouvé la certitude de la parole de Jésus et de Sa promesse.

> [16]Voici, je vous envoie comme des brebis au milieu des loups. Soyez donc prudents comme les serpents, et simples comme les colombes. [17]Mettez-vous en garde contre les hommes; car ils vous livreront aux tribunaux, et ils vous battront de verges dans leurs synagogues; [18]vous serez menés, à cause de moi, devant des gouverneurs et devant des rois, pour servir de témoignage à eux et aux païens. [19]Mais, quand on vous livrera, ne vous inquiétez ni de la manière dont vous parlerez ni de ce que vous direz: ce que vous aurez à dire vous sera donné à l'heure même; [20]car ce n'est pas vous qui parlerez, c'est l'Esprit de votre Père qui parlera en vous.
> - Matthieu 10.16-20

Les mauvaises choses qu'Il avait promises sont arrivées mais aussi la promesse de savoir quoi dire aux moments critiques.

3. Leurs actions ont démontré la faiblesse de l'opposition. Pierre avait maintenant parlé deux fois devant les dirigeants juifs et les deux fois ils n'avaient aucun contre-argument à sa prédication de l'évangile. Ces supposés maîtres, ces sages, ces dirigeants d'Israël n'avaient aucune réponse aux accusations et aux proclamations d'un humble pêcheur de Galilée.

4. Dieu les considéraient assez dignes (fidèles) pour souffrir pour le nom du Christ. Ils ne recherchaient pas le rejet et la violence mais quand ils se sont produits à cause de leur foi, ils étaient tout à fait sûrs qu'ils suivaient Jésus qui avait aussi souffert pour faire la volonté de Dieu.

La torture ayant été administrée en présence du sanhédrin, la joyeuse réaction des apôtres doit avoir inquiété les hommes qui en étaient témoins.

Luc termine cette section en mentionnant un nouvel élément du développement de la jeune église. Elle se réunissait dans les maisons pour enseigneur et annoncer la bonne nouvelle, probablement:

1. Parce que la congrégation devenait trop nombreuse pour être servie en s'assemblant dans un seul lieu.

2. Pour éviter l'opposition grandissante des chefs juifs qui contrôlaient le temple où l'église se réunissait.

Leçons

Dieu sait tout

Pierre savait qu'Ananias et Saphira avaient menti parce que l'Esprit de Dieu le lui avait révélé. C'est surprenant comment des croyants, qui devraient savoir, pensent qu'ils peuvent cacher leurs péchés ou leurs motifs de Dieu. En fin de compte, ce ne sont ni les conjoints, ni les amis, ni nous-mêmes qui jugeront, mais c'est Dieu, qui est omniscient.

> Je vous le dis: au jour du jugement, les hommes rendront compte de toute parole vaine qu'ils auront proférée.
> - Matthieu 12.36

Il y a toujours un prix à payer

Luc écrit que le nombre de ceux qui croyaient grandissait mais que la majorité des gens, bien qu'ils les respectaient, n'osaient se joindre à eux. Le respect pour l'Église est bon mais il ne pardonne pas les péchés et ne sauve pas. La foi et l'obéissance sont nécessaires. Même si ces gens respectaient la sincérité, la spiritualité et la bonté des disciples, ils n'étaient pas prêts à payer le prix (la foi et le rejet possible par leur famille et leurs amis). Ils continuaient donc à observer et à admirer quelque chose qu'ils ne possèderaient jamais, soit une vie remplie de l'Esprit et une vie éternelle.

Dieu est le plus fort

Dans les temps de difficultés et de chagrins, il faut se souvenir que Dieu est plus fort que ce qui nous afflige. Luc décrit la ligne de bataille en Actes: les chefs juifs, la tradition, l'empire romain, le monde païen opposé aux douze apôtres et à la jeune église. Avec la sagesse de la rétrospective, on sait que chacun de ces obstacles a éventuellement été surmonté pour faire place à la parole de Jésus et à Son Église. Jean dit: *"celui qui est en vous est plus grand que celui qui est dans le monde."* (1 Jean 4.4). Dans le découragement, il faut se rappeler que l'Esprit de Dieu qui vit en nous est plus grand que l'esprit de celui qui règne sur le monde. Ce n'est pas toujours évident mais la preuve finale sera vue quand Il nous ressuscitera de la mort et détruira une fois pour toutes le malin et tous ceux qui s'opposent à nous.

Questions à discuter

1. Comment mentons-nous au Saint Esprit aujourd'hui? Qu'est-ce qui serait une repentance appropriée?

2. Face à de telles preuves, pourquoi pensez-vous que les dirigeants juifs ont continué à ne pas croire? À votre avis, quelle est la raison pour laquelle les gens aujourd'hui croient ou rejettent le Christ quand on leur présente un évangile et des arguments similaires?

3. Décrivez une manière ou une occasion où vous avez souffert pour le Christ and ce que vous avez ressenti en conséquence. Comment votre foi en a-t-elle été affectée?

17.
PERSÉCUTION
DE L'ÉGLISE
- 1re PARTIE

ACTES 6.1-7.60

Jusqu'ici Luc a concentré ses écrits sur le ministère de l'apôtre Pierre et sur sa persécution aux mains des dirigeants juifs. Commençant dans ce chapitre, Luc met l'Église et son fonctionnement interne au premier plan. Regardons où nous en sommes dans notre étude.

1. Le 1er discours de Pierre – Actes 1.1-2.47
2. Son ministère après la Pentecôte – Actes 3.1-4.37
3. La persécution de Pierre et des apôtres – Actes 5.1-42
4. **La persécution de l'Église - 1 – Actes 6.1-7.60**

Luc décrit maintenant les gens et les événements qui faisaient partie de la première congrégation de l'Église à Jérusalem.

La sélection des sept – Actes 6.1-7

Le problème

> En ce temps-là, le nombre des disciples augmentant, les Hellénistes murmurèrent contre les Hébreux, parce que leurs veuves étaient

> négligées dans la distribution qui se faisait chaque
> jour.
> - Actes 6.1

Il semble qu'après avoir été libérés de leur emprisonnement par les chefs religieux, les apôtres ont continué à œuvrer à Jérusalem où l'on estime que l'église avait augmenté à environ 25,000 personnes. On a déjà lu que certains membres vendaient leurs propriétés et en donnaient les revenus à l'église, et on voit ici qu'une partie de cet argent était utilisé pour nourrir les veuves pauvres. En utilisant l'approximation après un décompte rapide du nombre de veuves dans notre congrégation (25 pour environ 400 personnes), on peut estimer que l'église à Jérusalem comptait possiblement 1,500 veuves. L'attention et la distribution quotidiennes auraient nécessité un ministère avec d'énormes ressources de temps et d'argent.

Les Hellénistes n'étaient pas des Grecs convertis au Judaïsme mais plutôt des Juifs nés hors d'Israël. Luc appelle Hébreux les Juifs nés en Israël, faisant ainsi la distinction entre les deux groupes. On ne sait pas pourquoi les veuves des Hellénistes étaient négligées, peut-être que la croissance rapide avait causé à certaines d'être oubliées ou peut-être que les Hellénistes étaient sensibles au fait que tous les chefs de l'église (les apôtres) étaient Hébreux et que toute différence dans le traitement des membres faisait l'objet de leur examen minutieux. Luc ne commente pas au sujet de leur complainte, il dit seulement que les apôtres en ont entendu parler.

La solution

> Les douze convoquèrent la multitude des disciples,
> et dirent: Il n'est pas convenable que nous
> laissions la parole de Dieu pour servir aux tables.
> - Actes 6.2

Il semble que les apôtres eux-mêmes étaient activement impliqués dans le soin aux veuves et qu'ils concluent que cette tâche évinçait leur travail plus important en tant que dirigeants et enseignants dans l'église. Même aujourd'hui, les anciens et les prédicateurs se trouvent souvent surchargés de tâches qui ne sont pas liées à leur travail principal d'enseignement, de prédication et de ministère de la Parole. Ce problème a poussé les apôtres à commencer à déléguer certaines tâches de bénévolat et à établir une structure pour la jeune église.

> [3]C'est pourquoi, frères, choisissez parmi vous sept hommes, de qui l'on rende un bon témoignage, qui soient pleins d'Esprit Saint et de sagesse, et que nous chargerons de cet emploi. [4]Et nous, nous continuerons à nous appliquer à la prière et au ministère de la parole. [5]Cette proposition plut à toute l'assemblée. Ils élurent Étienne, homme plein de foi et d'Esprit Saint, Philippe, Prochore, Nicanor, Timon, Parménas, et Nicolas, prosélyte d'Antioche. [6]Ils les présentèrent aux apôtres, qui, après avoir prié, leur imposèrent les mains.
> - Actes 6.3-6

Luc présente soigneusement le processus qu'ils ont suivi:

1. Les apôtres ont établi les qualifications de ceux qui seraient choisis. Tout d'abord, seuls les hommes doivent être considérés pour ce rôle (le terme utilisé faisait référence aux mâles et non aux gens en général). Ils auraient pu établir ici un précédent pour que les femmes servent comme diacres mais ils ont choisi de ne pas le faire. Les apôtres avaient déterminé que sept hommes seraient nécessaires pour accomplir cette tâche adéquatement. Ceux-ci devaient être mûrs spirituellement (pleins de l'Esprit) et et posséder la sagesse (savoir comment appliquer ou utiliser la connaissance qu'ils avaient). Aujourd'hui on choisit souvent un bon charpentier ou un comptable très compétent pour servir comme diacre parce qu'on pense

que cette habileté est la principale nécessaire. Il faut remarquer que Pierre ne nomme comme critères que la spiritualité et la sagesse.

2. Les apôtres ont donné à l'église la tâche de choisir les candidats. Les membres de l'assemblée devaient choisir des hommes qui étaient à la fois spirituels et sages pour être considérés pour le rôle de diacre (un mot grec qui signifie serveur, serviteur ou ministre).

3. Alors, les apôtres ont autorisé pour le service les hommes choisis et approuvés par la congrégation, ce qu'ils font par la prière et l'imposition des mains afin de recommander ces hommes dans leur ministère en tant que diacres.

Les résultats

La parole de Dieu se répandait de plus en plus, le nombre des disciples augmentait beaucoup à Jérusalem, et une grande foule de sacrificateurs obéissaient à la foi.
- Actes 6.7

Les apôtres sont retournés à leur travail essentiel de prière et d'enseignement. On voit les résultats de cet effort renouvelé alors que Luc enregistre la croissance continue de l'église. Il mentionne aussi que l'évangile impactait les plus hauts niveaux de la société alors que certains sacrificateurs obéissaient à la foi.

La persécution commence – Actes 6.8-7.60

L'arrestation d'Étienne

[8]Étienne, plein de grâce et de puissance, faisait des prodiges et de grands miracles parmi le peuple. [9]Quelques membres de la synagogue dite

des Affranchis, de celle des Cyrénéens et de celle des Alexandrins, avec des Juifs de Cilicie et d'Asie, se mirent à discuter avec lui; [10]mais ils ne pouvaient résister à sa sagesse et à l'Esprit par lequel il parlait. [11]Alors ils subornèrent des hommes qui dirent: Nous l'avons entendu proférer des paroles blasphématoires contre Moïse et contre Dieu. [12]Ils émurent le peuple, les anciens et les scribes, et, se jetant sur lui, ils le saisirent, et l'emmenèrent au sanhédrin.
- Actes 6.8-12

Luc écrit qu'en plus de son travail comme diacre, Étienne faisait aussi des miracles et c'est ainsi qu'il est devenu le premier membre de l'église, à part les apôtres, à en faire. On apprend plus tard que la capacité de parler en langues, de guérir et de faire d'autres miracles était transférée aux croyants par l'imposition des mains des apôtres (Actes 8.14-18). C'était là la manière dont Étienne avait reçu son habileté de faire ces choses.

Il était sage et mûr spirituellement ce qui explique sa capacité de prêcher, d'enseigner et de débattre avec les Hellénistes. Étienne était lui-même un Juif helléniste converti au christianisme. Maintenant il souffre les attaques d'autres Hellénistes qui le considèrent comme un traître en vue de sa conversion. Ils essaient de le débattre sans succès et font recours aux tactiques utilisées pour arrêter Jésus et l'exécuter. Ils excitent le peuple par des mensonges et donnent ainsi aux chefs juifs l'occasion de l'arrêter.

Le procès

[13]Ils produisirent de faux témoins, qui dirent: Cet homme ne cesse de proférer des paroles contre le lieu saint et contre la loi; [14]car nous l'avons entendu dire que Jésus, ce Nazaréen, détruira ce lieu, et changera les coutumes que Moïse nous a données. [15]Tous ceux qui siégeaient au sanhédrin ayant fixé les regards sur Étienne, son visage leur

parut comme celui d'un ange.
- Actes 6.13-15

Une fois devant les chefs juifs, de nombreuses charges sont portées contre lui qui sont presque les mêmes que celles dont Jésus avait été accusé. Luc enregistre les différentes accusations sans évidences faites par de faux témoins qui ont menti pour le condamner. Tout comme Jésus, Étienne n'argumente pas et ne se défend pas contre ses accusateurs. La promesse du Seigneur de fournir à Ses disciples la sagesse de donner la bonne réponse quand ils étaient questionnés comportait peut-être aussi la capacité de savoir quand il ne faut rien dire!

La réponse d'Étienne (7.1-53)

[1]Le souverain sacrificateur dit: Les choses sont-elles ainsi? [2]Étienne répondit: Hommes frères et pères, écoutez! Le Dieu de gloire apparut à notre père Abraham, lorsqu'il était en Mésopotamie, avant qu'il s'établît à Charran; et il lui dit: [3]Quitte ton pays et ta famille, et va dans le pays que je te montrerai.
- Actes 7.1-3

Poussé par le souverain sacrificateur à parler et à répondre aux charges, ce qui aurait été inutile puisque le but de la comparution était de le prouver coupable et de l'exécuter, Étienne raconte plutôt l'histoire du peuple juif. Il commence avec Abraham et son appel initial par Dieu à quitter son pays (la Mésopotamie ou l'Iraq) et à aller vers Canaan (Israël). Il résume leur histoire et leurs héros, et aussi la façon dont Dieu les traitait comme Sa nation choisie. Étienne ramène ensuite l'histoire à l'époque où il vit et conclut avec les mêmes accusations que celles que Pierre avait faites quand lui et les autres apôtres avaient comparus devant les mêmes hommes.

> [51]Hommes au cou raide, incirconcis de cœur et d'oreilles! vous vous opposez toujours au Saint Esprit. Ce que vos pères ont été, vous l'êtes aussi. [52]Lequel des prophètes vos pères n'ont-ils pas persécuté? Ils ont tué ceux qui annonçaient d'avance la venue du Juste, que vous avez livré maintenant, et dont vous avez été les meurtriers, [53]vous qui avez reçu la loi d'après des commandements d'anges, et qui ne l'avez point gardée!...
> - Actes 7.51-53

Ses accusations sont dures mais vraies:

1. Ils sont entêtés, endurcis et absolument non-spirituels.

2. Ils sont désobéissants et résistent à l'Esprit de Dieu.

3. Ils sont aussi méchants et désobéissants que leurs ancêtres l'étaient.

4. Ils ont tué non seulement le prophète envoyé pour annoncer la venue du Messie (Jean-Baptiste), mais ils ont aussi tué le Messie même (Jésus).

5. Ils ont reçu la Loi de Dieu mais ne l'ont pas honorée ni observée.

L'accusation d'Étienne envers eux est complète: ils sont coupables par le passé (leurs ancêtres ont rejeté et tué les prophètes qui leur ont été envoyés) et coupables au présent (d'avoir rejeté et tué leur propre Messie). Il laisse de côté le futur parce que le jugement à venir pour leurs péchés est évident.

La mort d'Étienne (7.54-60)

> En entendant ces paroles, ils étaient furieux dans leur cœur, et ils grinçaient des dents contre lui.
> - Actes 7.54

Ses accusations les frappent et ils sont remplis d'émotions (furieux dans leur cœur, ils grincent des dents contre lui). Malgré tout, ils ne l'attaquent pas et il continue à parler.

> [55]Mais Étienne, rempli du Saint Esprit, et fixant les regards vers le ciel, vit la gloire de Dieu et Jésus debout à la droite de Dieu. [56]Et il dit: Voici, je vois les cieux ouverts, et le Fils de l'homme debout à la droite de Dieu.
> - Actes 7.55-56

Dans Sa miséricorde et sachant ce qui s'en vient, Dieu donne à Étienne une vision du ciel où il se trouvera bientôt comme récompense pour sa fidélité jusqu'à la mort. Luc mentionne à deux reprises que Jésus est debout à la droite de Dieu, ce qui signifie Son autorité (à la droite). Certains commentateurs (Lenski, p. 304) suggèrent que Jésus est debout en signe de bienvenue au premier saint martyrisé à atteindre le ciel depuis que l'Église a été établie à la Pentecôte.

> Ils poussèrent alors de grands cris, en se bouchant les oreilles, et ils se précipitèrent tous ensemble sur lui,
> - Actes 7.57

Étienne ne faisait rien de nouveau en les accusant de rejeter le Messie. Après tout, Pierre avait fait la même chose et chacun des 25,000 disciples à Jérusalem avait participé à son accusation en acceptant le Christ. Cette fois, par contre, cet homme prétendait voir Dieu et Jésus au ciel. Selon eux c'était là un blasphème! Étienne s'élevait comme pouvant voir Dieu aux cieux. Ils n'en pouvaient plus et enragés, ils l'ont fait taire.

> [58]le traînèrent hors de la ville, et le lapidèrent. Les témoins déposèrent leurs vêtements aux pieds d'un jeune homme nommé Saul. [59]Et ils lapidaient

Étienne, qui priait et disait: Seigneur Jésus, reçois mon esprit! [60]Puis, s'étant mis à genoux, il s'écria d'une voix forte: Seigneur, ne leur impute pas ce péché! Et, après ces paroles, il s'endormit.
- Actes 7.58-60

Le "procès" n'a pas suivi la procédure normale avec un vote ou une période de réflexion de 24 heures avant de prononcer une sentence, particulièrement une d'exécution. Les Juifs n'étaient pas autorisés à exécuter les criminels, ils devaient passer par les autorités romaines comme ils l'avaient fait avec Jésus. Cependant il ne s'agissait plus d'un procès pour obtenir justice, mais d'une foule en colère prenant la loi entre ses mains et assassinant quelqu'un dans un acte de rage. Il n'y a pas de répercussions ici pour deux raisons:

1. À la différence de Jésus, Étienne n'était pas une personne de haut profile et il n'avait pas été remarqué par Hérode ou Pilate.

2. Même si les chrétiens avaient voulu se plaindre et porter des accusations, ils n'auraient pas pu le faire aux chefs juifs pour des raisons bien évidentes et ils n'auraient pas osé approcher Pilate après ce qui était arrivé à Jésus.

Luc choisit de présenter Saul (Paul) à ce point, comme l'un de ceux qui avaient approuvé le meurtre d'Étienne. Les témoins étaient ceux qui avaient témoigné contre Étienne. Selon la loi, ces hommes devaient lancer la première pierre en tant que ceux qui avaient témoignés du crime pour lequel la personne était exécutée (Deutéronome 17.6). Dans ce cas, ces gens ajoutaient le meurtre au péché de parjure qu'ils avaient déjà commis.

Étienne n'a pas peur de mourir parce qu'il est absolument certain d'où il va, au point où il en appelle au Seigneur de recevoir son esprit. Il s'endort, signifiant qu'il entre dans la période d'attente jusqu'au retour de Jésus. Et les dernières paroles d'Étienne, qui doivent avoir été difficiles pour les Juifs, ne sont pas un appel à l'aide ni une condamnation de ses attaquants mais, comme Jésus, une demande que Dieu pardonne ceux qui sont en train de le tuer.

Dieu donne ainsi un modèle pour tous ceux qui mourront comme martyrs:

1. Ne pas agir comme ceux qui vous exécutent.

2. Garder les yeux de foi sur Jésus.

3. Ne pas échanger quelques années de vie supplémentaires sur terre pour un départ tôt pour le ciel.

4. Pardonner à ceux qui prennent votre vie parce qu'ils peuvent ainsi avoir l'occasion de vous voir au ciel un jour.

Leçons

Satan trouve toujours une manière de faire du trouble

On remarque que ce n'est pas long avant que Satan commence à attaquer la jeune église de Jérusalem.

- Pierre est arrêté dans un effort de le réduire au silence.

- Tous les apôtres sont arrêtés afin de supprimer le leadership dans l'église.

- Certains commencent à exciter des troubles dans le ministère de bénévolat.

- Les Juifs attaquent un servant dynamique de l'église qui a un impact sur le peuple au nom du Christ.

Cela a commencé presqu'au tout début et a continué à travers l'histoire jusqu'à aujourd'hui. Satan attaque continuellement l'Église, spécialement quand elle grandit et porte fruit.

Nous verrons tous ce qu'Étienne a vu!

Étienne a vu Jésus à la droite de Dieu à peine quelques instants avant de s'endormir (la sorte de mort dont les croyants font l'expérience quand ils attendent le retour de Jésus et leur réveil). Nous entendrons et verrons Jésus à la droite de Dieu disant: "C'est bien, bon et fidèle serviteur." Ce sera là notre expérience au moment où nous serons réveillés par la trompette d'un ange et l'appel du Seigneur à Son retour. Étienne n'était qu'un homme, mais en tant que premier chrétien à mourir, Dieu nous montre à travers lui ce qui nous attend après la mort, peu importe comment nous mourons (un temps de sommeil paisible, puis la résurrection et la capacité de voir et d'entendre Jésus Lui-même nous accueillir au ciel).

Questions à discuter

1. Les femmes sont en général plus fidèles et plus actives dans l'Église. Alors pourquoi pensez-vous que Dieu a confié la direction de l'Église à des hommes?

2. Selon vous, que doit faire votre congrégation pour recruter des diacres qualifiés?

3. Décrivez des manières dont Satan a attaqué votre congrégation et comment celle-ci y a fait face. L'église aurait-elle pu éviter ces problèmes? Comment?

18.
PERSÉCUTION DE L'ÉGLISE
- 2e PARTIE

ACTES 8.1-9.43

Au chapitre précédent on a vu commencer la persécution de l'Église quand Pierre et les apôtres ont été arrêtés et battus, et quand Étienne a été lapidé. On verra croître cette violence jusqu'à la persécution de l'Église entière et non seulement de ses dirigeants.

1. Le 1er discours de Pierre – Actes 1.1-2.47
2. Son ministère après la Pentecôte – Actes 3.1-4.37
3. La persécution de Pierre et des apôtres – Actes 5.1-42
4. La persécution de l'Église - 1 – Actes 6.1-7.60
5. **La persécution de l'Église - 2 – Actes 8.1-9.43**

On reprend l'histoire au chapitre 8 avec l'introduction de Saul, qui persécutait l'Église à ses débuts.

La persécution et la dispersion de l'Église

Saul persécute

> [1]Saul avait approuvé le meurtre d'Étienne. Il y eut, ce jour-là, une grande persécution contre l'Église

> de Jérusalem; et tous, excepté les apôtres, se
> dispersèrent dans les contrées de la Judée et de la
> Samarie. Des hommes pieux ensevelirent Étienne,
> et le pleurèrent à grand bruit. Saul, de son côté,
> ravageait l'Église; pénétrant dans les maisons, il en
> arrachait hommes et femmes, et les faisait jeter en
> prison.
> - Actes 8.1-3

Voici ce que Luc dit de l'attitude et des actions de Paul:

1. Il approuve le meurtre d'Étienne.

2. En conséquence, il est naturel qu'il veule aussi détruire tous les chrétiens.

3. Dès la mort d'Étienne, Saul dirige une campagne de persécution sans retenue ni miséricorde. Les hommes et les femmes sont arrachés de leurs maisons et emprisonnés.

Luc mentionne que c'est cette persécution qui fait fuir les chrétiens de Jérusalem vers d'autres régions du pays plus sécures (par exemple, en Samarie où le sanhédrin n'avait aucune autorité). Étienne est enseveli et les apôtres, qui ne craignent pas Saul, demeurent à Jérusalem parce que c'est là que se trouve leur ministère ainsi que la majeure partie de l'Église.

Philippe en Samarie (8.4-40)

> [4]Ceux qui avaient été dispersés allaient de lieu en
> lieu, annonçant la bonne nouvelle de la
> parole. [5]Philippe, étant descendu dans la ville de
> Samarie, y prêcha le Christ. [6]Les foules tout
> entières étaient attentives à ce que disait Philippe,
> lorsqu'elles apprirent et virent les miracles qu'il
> faisait. [7]Car des esprits impurs sortirent de
> plusieurs démoniaques, en poussant de grands
> cris, et beaucoup de paralytiques et de boiteux

furent guéris. [8]Et il y eut une grande joie dans cette ville.
- Actes 8.4-8

Luc introduit maintenant un autre personnage principal de l'église primitive: Philippe, qui était un des sept diacres originaux avec Étienne. À cause de la persécution, il descend en Samarie (un lieu qu'il n'aurait pas visité étant Juif). Toutefois, comme chrétien, il y travaille et commence même à partager l'évangile avec ces gens que les Juifs ne côtoyent nullement. Le Saint Esprit lui donne le pouvoir d'accomplir des signes et des guérisons (le pouvoir reçu par l'imposition des mains des apôtres, Actes 6.6) pour confirmer la Parole qu'il annonce et les gens en Samarie la reçoivent.

[9]Il y avait auparavant dans la ville un homme nommé Simon, qui, se donnant pour un personnage important, exerçait la magie et provoquait l'étonnement du peuple de la Samarie. [10]Tous, depuis le plus petit jusqu'au plus grand, l'écoutaient attentivement, et disaient: Celui-ci est la puissance de Dieu, celle qui s'appelle la grande. [11]Ils l'écoutaient attentivement, parce qu'il les avait longtemps étonnés par ses actes de magie. [12]Mais, quand ils eurent cru à Philippe, qui leur annonçait la bonne nouvelle du royaume de Dieu et du nom de Jésus Christ, hommes et femmes se firent baptiser. [13]Simon lui-même crut, et, après avoir été baptisé, il ne quittait plus Philippe, et il voyait avec étonnement les miracles et les grands prodiges qui s'opéraient.
- Actes 8.9-13

Ici Luc se concentre sur un converti en particulier, Simon, un magicien qui était hautement considéré comme un pratiquant des arts noirs. La magie est la tentative de manipuler ou d'influencer le "monde spirituel" pour le bénéfice personnel ou pour le mal des autres en faisant quelque chose dans le monde matériel (comme par exemple porter un fétiche en croyant que les esprits apporteront la bonne fortune).

La Bible interdit toute forme de magie et d'occulte (Exode 7.11-12; Deutéronome 18.9-12; Galates 5.19-21). Voici quelques définitions générales de ces pratiques avec des Écritures qui les interdisent:

1. La sorcellerie: la pratique des arts magiques – Deutéronome 18.10-12

2. La divination: la magie, les devins – 2 Chroniques 33.6

3. La divination: l'astrologie et la magie – Jérémie 27.9

4. Les enchantements: les devins, les enchanteurs – 2 Rois 17.17

5. La magie: la magicienne – Exode 22.18

6. La nécromancie: la communication avec les morts – 1 Chroniques 10.13-14

7. Les maléfices: les sortilèges – Ésaïe 19.3

8. L'augure: l'astrologie – Ésaïe 47.12-15

9. L'imagerie: l'utilisation de symboles occultes et d'images pour la décoration et les logos.

Ces pratiques sont interdites par Dieu parce que les gens qui les utilisent, qu'ils s'en rendent compte ou non, font en réalité appel à Satan et à son pouvoir pour accomplir les résultats qu'ils espèrent. Le seul appel au monde spirituel béni par Dieu est la prière qui Lui est offerte par la foi en Jésus (Luc 11.9; Jean 14.13). Dieu dit de toutes ces pratiques occultes qu'elles sont une abomination (Deutéronome 18.10-12).

Luc écrit que comme tous les disciples, Simon croit l'évangile et est donc baptisé (v. 13).

> [14]Les apôtres, qui étaient à Jérusalem, ayant appris que la Samarie avait reçu la parole de Dieu,

y envoyèrent Pierre et Jean. [15]Ceux-ci, arrivés chez les Samaritains, prièrent pour eux, afin qu'ils reçussent le Saint Esprit. [16]Car il n'était encore descendu sur aucun d'eux; ils avaient seulement été baptisés au nom du Seigneur Jésus. [17]Alors Pierre et Jean leur imposèrent les mains, et ils reçurent le Saint Esprit.
- Actes 8.14-17

Pour mieux comprendre ce passage, révisons encore une fois le sens des deux termes qui décrivent le travail du Saint Esprit:

1. **L'habitation** : Le Saint Esprit habite dans le croyant. Cela prend place au baptême (Actes 2.38).

2. **La puissance**: Le Saint Esprit donne à quelqu'un la capacité de faire des miracles, de parler en langues, etc. (Actes 2.1-13).

L'expression "recevoir le Saint Esprit" peut signifier l'un ou l'autre de ces dons (l'habitation ou la puissance) dépendant du contexte. Aux versets 16-17, Luc écrit que les Samaritains avaient été baptisés au nom de Jésus; par conséquent, selon Actes 2.38, le Saint Esprit habitait en eux. Philippe les avait baptisés mais seuls les apôtres pouvaient transférer par l'imposition des mains la puissance de l'Esprit. C'est pourquoi l'église à Jérusalem avait envoyé Pierre et Jean en Samarie.

Ce point est important à comprendre parce que c'est la base de l'enseignement sur les miracles des temps modernes. Le raisonnement s'explique ainsi:

1. Le Saint Esprit avait donné la puissance seulement aux apôtres (et à Cornélius comme nous le verrons au chapitre 10) avec la capacité de parler en langues, de guérir et de faire des miracles.

2. Les apôtres, comme on le voit ici, étaient capables de transférer ce pouvoir de parler en langues, de guérir, etc., à d'autres disciples par l'imposition de leurs mains.

3. Les disciples qui avaient ainsi reçu la puissance n'avaient pas la capacité de la transférer à d'autres et c'est pourquoi même si Philippe pouvait accomplir des signes et des miracles, il ne pouvait passer ce pouvoir à d'autres disciples. Seuls les apôtres pouvaient le faire et c'est pourquoi ils sont allés en Samarie pour donner à ses convertis le pouvoir de pratiquer ces dons spirituels. Les miracles ont diminué et éventuellement cessé parce la manière de recevoir ce pouvoir a s'est éteinte avec la mort des apôtres.

> [18]Lorsque Simon vit que le Saint Esprit était donné par l'imposition des mains des apôtres, il leur offrit de l'argent, [19]en disant: Accordez-moi aussi ce pouvoir, afin que celui à qui j'imposerai les mains reçoive le Saint Esprit. [20]Mais Pierre lui dit: Que ton argent périsse avec toi, puisque tu as cru que le don de Dieu s'acquérait à prix d'argent! [21]Il n'y a pour toi ni part ni lot dans cette affaire, car ton cœur n'est pas droit devant Dieu. [22]Repens-toi donc de ta méchanceté, et prie le Seigneur pour que la pensée de ton cœur te soit pardonnée, s'il est possible; [23]car je vois que tu es dans un fiel amer et dans les liens de l'iniquité. [24]Simon répondit: Priez vous-mêmes le Seigneur pour moi, afin qu'il ne m'arrive rien de ce que vous avez dit.
> - Actes 8.18-24

4. Simon voit que le transfert du pouvoir spirituel est accompli par l'imposition des mains. Il s'en rend compte quand il remarque que ceux sur qui les apôtres ont imposé les mains commencent à parler en langues et à faire les choses que Philippe avait faites.

5. Étant donné que les disciples qui avaient le pouvoir ne pouvaient transférer ce don spirituel, et que les apôtres

sont éventuellement morts, avec le temps personne n'avait plus ce pouvoir dans l'Église.

6. Paul enseigne que ces talents et pouvoirs disparaîtront éventuellement après que la révélation de Dieu sera complète, enregistrée et préservée (1 Corinthiens 13.8-10).

C'est là la version courte de la raison pour laquelle nous croyons que Dieu ne donne pas aujourd'hui le pouvoir de parler en langues, de guérir ou de faire des miracles. Il peut le faire s'Il le veut, mais selon les Écritures, Il ne le fait plus. La Bible contient tout ce qui est nécessaire pour gagner les âmes, bâtir l'Église et mûrir les chrétiens (2 Timothée 3.15-16; 2 Pierre 1.3; Romains 1.16). Ceux qui prétendent avoir ce pouvoir le font en opposition aux Écritures et peuvent difficilement démontrer objectivement que leur pouvoir et leurs guérisons sont semblables à ceux démontrés dans le Nouveau Testament. Par exemple, le miracle des langues est décrit dans la Bible comme la capacité de parler dans diverses langues humaines que l'orateur ne connaît pas et n'a pas étudiées. Les charismatiques d'aujourd'hui ne font pas cela et n'en ont jamais été capables.

On lit que Simon fait l'erreur d'essayer d'acheter ce pouvoir des apôtres, retournant à ses vieilles habitudes où les magiciens achetaient et vendaient leurs trucs et leurs tromperies l'un de l'autre. Pierre le réprimande fortement et l'exhorte à se repentir immédiatement d'un tel péché (celui d'essayer d'acheter la bénédiction de Dieu). Simon a probablement été épargné parce qu'il était un jeune chrétien et qu'il avait agi impétueusement. Le fiel amer et les liens de l'iniquité font références au péché de Simon qui a beaucoup d'emprise sur lui. Sa réponse montre qu'il prend la réprimande au sérieux et qu'il fait appel aux apôtres pour leur aide en prière.

Le diacre Philippe et l'eunuque éthiopien (8.25-40)

Luc inclut un deuxième récit du ministère de Philippe, cette fois à un non-juif d'Afrique converti au judaïsme. On lit que le ministère d'évangélisation de Philippe était dynamique au point où il prêchait déjà le message de l'évangile au-delà des limites de la nation juive, d'abord aux Samaritains et maintenant à cet étranger, un prosélyte de la foi juive. Il est dirigé par un ange à cet homme qui était surintendant des trésors de la reine d'Éthiopie. Il était non seulement un converti au judaïsme mais aussi un individu d'une race différente.

Luc raconte comment Philippe est monté dans le char de cet homme et a répondu à ses questions au sujet des Écritures qu'il lisait. Philippe utilise cette occasion pour lui prêcher l'évangile et l'eunuque y répond immédiatement.

> [34]L'eunuque dit à Philippe: Je te prie, de qui le prophète parle-t-il ainsi? Est-ce de lui-même, ou de quelque autre? [35]Alors Philippe, ouvrant la bouche et commençant par ce passage, lui annonça la bonne nouvelle de Jésus. [36]Comme ils continuaient leur chemin, ils rencontrèrent de l'eau. Et l'eunuque dit: Voici de l'eau; qu'est-ce qui empêche que je ne sois baptisé? [37]Philippe dit: Si tu crois de tout ton cœur, cela est possible. L'eunuque répondit: Je crois que Jésus Christ est le Fils de Dieu. [38]Il fit arrêter le char; Philippe et l'eunuque descendirent tous deux dans l'eau, et Philippe baptisa l'eunuque.
> - Actes 8.34-38

On remarque que sa réponse initiale après avoir entendu l'évangile était de demander à être baptisé. Cela démontre trois choses:

1. Le commandement d'être baptisé fait partie de la prédication de l'évangile.

2. Être baptisé fait partie de la réponse de foi à l'évangile.

3. Le baptême qui était enseigné et pratiqué était un baptême d'immersion dans l'eau, comme on voit les deux hommes descendre dans l'eau.

Un autre point non mentionné est que sa déformation comme eunuque ne permettait à cet homme que d'être considéré un "prosélyte de la porte" par les Juifs et l'aurait empêché d'entrer dans la cour du temple où les autres prosélytes pouvaient adorer (Deutéronome 23.1). La conversion de l'eunuque au christianisme le transformait toutefois de quelqu'un qui ne pouvait aller qu'aux portes du temple à être lui-même le temple du Saint Esprit par le Christ (1 Corinthiens 6.19-20).

La conversion de Saul – Actes 9.1-19

Luc change maintenant la direction de son récit de l'œuvre de Pierre et de l'église primitive vers la conversion de son antagoniste principal qui dirigeait la persécution contre eux, Saul de Tarse.

> [1]Cependant Saul, respirant encore la menace et le meurtre contre les disciples du Seigneur, se rendit chez le souverain sacrificateur, [2]et lui demanda des lettres pour les synagogues de Damas, afin que, s'il trouvait des partisans de la nouvelle doctrine, hommes ou femmes, il les amenât liés à Jérusalem.
> - Actes 9.1-2

Saul n'était pas simplement un adversaire de la religion avec des objections au christianisme. Sa mission était de détruire cette religion et de tuer ou d'emprisonner ceux qui la pratiquaient. Il avait limité ses attaques à la Palestine mais il les étendait maintenant en dehors du pays. Le fait qu'il avait demandé l'autorisation des chefs religieux juifs pour arrêter et emprisonner les convertis juifs dans une autre ville confirme deux choses:

1. Les chefs juifs étaient complices de la persécution des chrétiens.

2. Saul était leur chef officiel chargé de cet effort.

³Comme il était en chemin, et qu'il approchait de Damas, tout à coup une lumière venant du ciel resplendit autour de lui. ⁴Il tomba par terre, et il entendit une voix qui lui disait: Saul, Saul, pourquoi me persécutes-tu? ⁵Il répondit: Qui es-tu, Seigneur? Et le Seigneur dit: Je suis Jésus que tu persécutes. Il te serait dur de regimber contre les aiguillons. ⁶Tremblant et saisi d'effroi, il dit: Seigneur, que veux-tu que je fasse? Et le Seigneur lui dit: Lève-toi, entre dans la ville, et on te dira ce que tu dois faire. ⁷Les hommes qui l'accompagnaient demeurèrent stupéfaits; ils entendaient bien la voix, mais ils ne voyaient personne. ⁸Saul se releva de terre, et, quoique ses yeux fussent ouverts, il ne voyait rien; on le prit par la main, et on le conduisit à Damas. ⁹Il resta trois jours sans voir, et il ne mangea ni ne but.
- Actes 9.3-9

Dieu a choisi l'ennemi principal de l'évangile pour le prêcher aux gentils. La rencontre de Paul avec le Christ arrête sa persécution et le rend impuissant. Il passe plusieurs jours à jeûner et à prier, comme tout Juif pieux le ferait dans de telles circonstances. Dieu lui donne trois jours pour réfléchir à la question de Jésus: "Pourquoi Me persécutes-tu?" Saul était si certain de sa mission (de détruire le christianisme parce que c'était selon lui un mensonge et une menace au Judaïsme) qu'il était prêt à tuer et à emprisonner hommes et femmes en toute bonne conscience. Il doit aussi s'être demandé ce que Dieu attendait de lui.

Luc présente encore un nouveau personnage et la tâche que Dieu lui a donnée.

¹⁰Or, il y avait à Damas un disciple nommé Ananias. Le Seigneur lui dit dans une vision: Ananias! Il répondit: Me voici, Seigneur! ¹¹Et le Seigneur lui dit: Lève-toi, va dans la rue qu'on appelle la droite, et cherche, dans la maison de Judas, un nommé Saul de Tarse. ¹²Car il prie, et il a

vu en vision un homme du nom d'Ananias, qui entrait, et qui lui imposait les mains, afin qu'il recouvrât la vue. Ananias répondit:[13]Seigneur, j'ai appris de plusieurs personnes tous les maux que cet homme a faits à tes saints dans Jérusalem;[14]et il a ici des pouvoirs, de la part des principaux sacrificateurs, pour lier tous ceux qui invoquent ton nom.[15]Mais le Seigneur lui dit: Va, car cet homme est un instrument que j'ai choisi, pour porter mon nom devant les nations, devant les rois, et devant les fils d'Israël;[16]et je lui montrerai tout ce qu'il doit souffrir pour mon nom.[17]Ananias sortit; et, lorsqu'il fut arrivé dans la maison, il imposa les mains à Saul, en disant: Saul, mon frère, le Seigneur Jésus, qui t'est apparu sur le chemin par lequel tu venais, m'a envoyé pour que tu recouvres la vue et que tu sois rempli du Saint Esprit.[18]Au même instant, il tomba de ses yeux comme des écailles, et il recouvra la vue. Il se leva, et fut baptisé;[19]et, après qu'il eut pris de la nourriture, les forces lui revinrent. Saul resta quelques jours avec les disciples qui étaient à Damas.
- Actes 9.10-19

Ici il donne de l'information au sujet d'Ananias et de son hésitation à croire ce que Dieu lui demande. Au chapitre 22 on apprend qu'Ananias a prêché l'évangile à Saul et l'a baptisé, encore un exemple de quelqu'un qui répond à l'évangile avec le baptême comme expression initiale de sa foi en Jésus.

En compilant ce récit et celui du chapitre 22, un certain ordre apparaît dans la conversion de Saul:

1. Il est appelé (miraculeusement).

2. Il reçoit de l'enseignement (l'évangile).

3. Il est baptisé (pour enlever ses péchés, spécialement le meurtre d'Étienne et d'autres aussi).

4. Il commence son ministère.

Saul n'étant plus l'agresseur, l'Église a encore une fois une période de paix et de croissance.

Saul commence son ministère

> [20]Et aussitôt il prêcha dans les synagogues que Jésus est le Fils de Dieu. [21]Tous ceux qui l'entendaient étaient dans l'étonnement, et disaient: N'est-ce pas celui qui persécutait à Jérusalem ceux qui invoquent ce nom, et n'est-il pas venu ici pour les emmener liés devant les principaux sacrificateurs? [22]Cependant Saul se fortifiait de plus en plus, et il confondait les Juifs qui habitaient Damas, démontrant que Jésus est le Christ. [23]Au bout d'un certain temps, les Juifs se concertèrent pour le tuer, [24]et leur complot parvint à la connaissance de Saul. On gardait les portes jour et nuit, afin de lui ôter la vie. [25]Mais, pendant une nuit, les disciples le prirent, et le descendirent par la muraille, dans une corbeille.
> - Actes 9.20-25

En raison de sa notoriété et de sa compréhension des Écritures, Saul devient immédiatement un défenseur de la foi et il prêche avec succès. Tout comme Jésus et Pierre (mais pas Philippe parce qu'il prêchait en Samarie et à Damas où les chefs juifs n'avaient pas d'autorité), Saul fait face à de l'opposition des dirigeants juifs qui complotent de le tuer pour prêcher le Christ. Ils en ressortissent à ce complot parce qu'ils n'ont ni le désir ni l'habileté de débattre avec lui, de l'humilier ou de le distraire. Luc décrit comment Saul est devenu plus fort à mesure que leurs attaques ont empiré. Éventuellement il lui est nécessaire de s'échapper et il quitte Damas quand ses amis le descendent par-dessus la muraille dans une corbeille puis il se rend à Jérusalem.

Saul se joint aux disciples à Jérusalem

[26]Lorsqu'il se rendit à Jérusalem, Saul tâcha de se joindre à eux; mais tous le craignaient, ne croyant pas qu'il fût un disciple. [27]Alors Barnabas, l'ayant pris avec lui, le conduisit vers les apôtres, et leur raconta comment sur le chemin Saul avait vu le Seigneur, qui lui avait parlé, et comment à Damas il avait prêché franchement au nom de Jésus. [28]Il allait et venait avec eux dans Jérusalem, et s'exprimait en toute assurance au nom du Seigneur. [29]Il parlait aussi et disputait avec les Hellénistes; mais ceux-ci cherchaient à lui ôter la vie. [30]Les frères, l'ayant su, l'emmenèrent à Césarée, et le firent partir pour Tarse. [31]L'Église était en paix dans toute la Judée, la Galilée et la Samarie, s'édifiant et marchant dans la crainte du Seigneur, et elle s'accroissait par l'assistance du Saint Esprit.
- Actes 9.26-31

Selon certains érudits, Saul est retourné à Jérusalem après une période d'un à trois ans. À cause des communications de l'époque, les nouvelles à son sujet et au sujet de sa conversion se sont peut-être faites par petits morceaux. Il réapparaît subitement et veut immédiatement s'associer aux saints mais ils le craignent, ne croyant pas à sa conversion. Ils pensent peut-être qu'il s'agit là d'un truc pour les épier et continuer la persécution.

Barnabas (Actes 4.36-37), qui a accès aux apôtres, amène Saul devant eux avec lui pour confirmer son histoire. Après avoir reçu leur approbation, Paul est accepté et il continue son ministère d'enseignement parmi les Juifs comme il l'avait fait à Damas. Évidemment la même chose se produit à Jérusalem et un complot pour le tuer est organisé cette-fois par les Hellénistes (le même groupe qui avait attaqué Étienne). Luc écrit que les frères l'ont fait sortir de la ville et l'ont renvoyé chez-lui, aux limites plus amicales de Tarse.

Luc finit cette section en décrivant la paix et la croissance de l'Église alors que son principal ennemi, Saul, a été converti et qu'il sert dans le nord. Saul a cessé de persécuter l'église et étant absent, il n'attise plus ses attaques des chefs religieux envers les croyants à Jérusalem. Sans la friction que Paul créait, l'église peut grandir en paix.

Le ministère de Pierre continue – Actes 9.31-43

Luc retourne maintenant à Pierre et à son ministère. Il reparlera plus tard de Saul et de son progrès mais il y a encore des événements importants qu'ils veut mentionner dans le ministère de Pierre.

Le premier événement est la guérison d'un homme paralysé quand Pierre invoque le nom de Jésus. Les habitants de Lydde le voient, ils croient en Jésus et se convertissent. Pierre est ensuite appelé à Joppé, une ville toute proche, où Tabitha (Dorcas en grec), une femme qui fait partie des disciples, est morte. Les frères appellent Pierre pour qu'il vienne malgré qu'elle soit déjà morte. Pierre arrive et la ressuscite à la grande joie des disciples. Beaucoup croient au Seigneur là aussi.

Ces deux scènes nous donnent un aperçu du ministère apostolique de Pierre:

1. Il voyageait à travers la Judée en prêchant et en faisant des miracles.

2. Ses pouvoirs miraculeux étaient illimités. Il a guéri un incroyant et ressuscité une croyante par ses paroles.

3. Il n'était pas un chef d'entreprise ni un administrateur; il était un ancien et il dirigeait par la proclamation.

Dans la section suivante, Luc décrira l'un des événements les plus significatifs dans le ministère de l'apôtre Pierre.

Leçons

Tous les chemins mènent à Jésus

Philippe a commencé dans le livre d'Ésaïe et démontré à l'eunuque comment les prophéties qui s'y trouvaient pointaient à Jésus. Tout ce qui se trouve dans la Bible concerne, supporte et mène au Christ, en expliquant la personne et le ministère.

Nous devenons tous chrétiens de la même manière

On remarque qu'à travers tout le livre des Actes, les gens deviennent chrétiens par la foi au Christ exprimée par la repentance et le baptême (par exemple les 3000 à la Pentecôte ont été baptisés - Actes 2.41; les Samaritains ont été baptisés - Actes 8.16; l'eunuque éthiopien a été baptisé - Actes 8.26-40; Saul le pharisien juif a été baptisé - Actes 9.18). La nécessité du baptême n'était pas un argument dans l'église primitive. Le Nouveau Testament est absolument clair à ce sujet et donne au moins dix exemples dans le livre des Actes seul, montrant de différentes personnes étant baptisées quand elle se convertissent au christianisme.

Questions à discuter

1. À votre avis, quelles sont les différences majeures entre les diacres au sujet desquels on lit dans le livre des Actes et les diacres dans l'Église aujourd'hui? Pourquoi en est-il ainsi?

2. Quelle est la différence entre l'Esprit qui habite en quelqu'un et la puissance que l'Esprit donne à quelqu'un? Listez la manière dont le Saint Esprit nous influence aujourd'hui comme Paul l'explique en Romains 8.

3. Beaucoup considèrent que le baptême est une "œuvre de la Loi" et qu'il est par conséquent non essentiel pour le salut. Comment répondriez-vous à cet enseignement (utilisez des Écritures spécifiques)?

19.
PIERRE PRÊCHE AUX GENTILS

ACTES 10.1-12.25

Voici la dernière section du livre des Actes qui traite principalement du ministère de Pierre à Jérusalem et aux environs. Pierre a eu le privilège d'être le premier à prêcher l'évangile au complet le dimanche de la Pentecôte. Il a aussi été le premier à le prêcher aux gentils (c'est dire aux non-juifs) et Luc compète son compte-rendu en décrivant ce qui précède et ce qui suit cet événement. Jusqu'ici les apôtres et leurs disciples ont prêché aux Juifs et aux gentils convertis au judaïsme (c'est à dire à Philippe et à l'eunuque). Pierre brise toutefois le mur de séparation entre les Juifs et les gentils et proclame l'évangile à un soldat romain, ouvrant ainsi la porte pour Paul et les autres à prêcher librement la bonne nouvelle à tous les hommes sans égard à leur culture, leur genre, leur religion ou leur position dans la société.

Corneille

[1]Il y avait à Césarée un homme nommé Corneille, centenier dans la cohorte dite italienne. [2]Cet homme était pieux et craignait Dieu, avec toute sa maison; il faisait beaucoup d'aumônes au peuple, et priait Dieu continuellement. [3]Vers la neuvième heure du jour, il vit clairement dans une vision un ange de Dieu qui entra chez lui, et qui lui dit: Corneille! [4]Les regards fixés sur lui, et saisi d'effroi, il répondit: Qu'est-ce, Seigneur? Et l'ange lui dit:

> Tes prières et tes aumônes sont montées devant Dieu, et il s'en est souvenu. [5]Envoie maintenant des hommes à Joppé, et fais venir Simon, surnommé Pierre; [6]il est logé chez un certain Simon, corroyeur, dont la maison est près de la mer.[7]Dès que l'ange qui lui avait parlé fut parti, Corneille appela deux de ses serviteurs, et un soldat pieux d'entre ceux qui étaient attachés à sa personne; [8]et, après leur avoir tout raconté, il les envoya à Joppé.
> - Actes 10.1-8

Les Juifs avaient deux classes de convertis (Lenski, p.67):

1. **Les prosélytes de la porte :** Ces convertis n'étaient pas sujets à la circoncision et ils observaient une portion de la loi interdisant l'idolâtrie, le blasphème, la désobéissance aux juges, le meurtre, la fornication et l'inceste, le vol et la consommation du sang. L'eunuque baptisé par Philippe ainsi que Corneille (probablement parce qu'il était un soldat romain et un étranger) étaient des prosélytes de la porte.

2. **Les prosélytes de la justice :** Ceux-ci étaient des non-juifs qui sont devenus Juifs, ont accepté la circoncision et étaient sujets à tous les préceptes de la religion juive. Il leur était permis d'entrer et d'adorer au temple (dans la cour des gentils).

Bien qu'il était un prosélyte de la porte, Luc décrit Corneille (qui était un centenier, c'est à dire un officier romain qui commandait 100 soldats) comme:

- un homme pieux: un prosélyte qui adorait le Dieu des Juifs et dirigeait sa maisonnée dans Ses voies.

- un homme bienveillant: il utilisait sa position et ses biens au bénéfice des pauvres confirmant ainsi que sa foi était sincère.

- un homme spirituel: il voulait poursuivre une relation spirituelle avec Dieu par la prière.

Ses prières sont exaucées quand Dieu l'instruit d'envoyer chercher Pierre pour l'emmener chez lui. L'ange aurait tout aussi bien pu prêcher l'évangile à Corneille mais cette tâche Dieu a donné cette tâche aux hommes et non pas aux anges.

Pierre

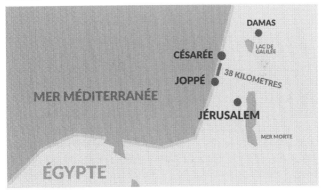

⁹Le lendemain, comme ils étaient en route, et qu'ils approchaient de la ville, Pierre monta sur le toit, vers la sixième heure, pour prier. ¹⁰Il eut faim, et il voulut manger. Pendant qu'on lui préparait à manger, il tomba en extase. ¹¹Il vit le ciel ouvert, et un objet semblable à une grande nappe attachée par les quatre coins, qui descendait et s'abaissait vers la terre, ¹²et où se trouvaient tous les quadrupèdes et les reptiles de la terre et les oiseaux du ciel. ¹³Et une voix lui dit: Lève-toi, Pierre, tue et mange. ¹⁴Mais Pierre dit: Non, Seigneur, car je n'ai jamais rien mangé de souillé ni d'impur. ¹⁵Et pour la seconde fois la voix se fit encore entendre à lui: Ce que Dieu a déclaré pur, ne le regarde pas comme souillé. ¹⁶Cela arriva jusqu'à trois fois; et aussitôt après, l'objet fut retiré

dans le ciel.
- Actes 10.9-16

Le Seigneur avait préparé Corneille à la visite de Pierre par l'apparition d'un ange qui lui avait donné des instructions très spécifiques. Il donne maintenant à Pierre une vision où une voix lui dit de manger de la nourriture qui était défendue aux Juifs. Il le prépare pour sa mission et les défis auxquels il devra faire face.

Les lois de cérémonie et de nourriture ont été données aux Juifs par Dieu pour les distinguer des autres nations (des gentils): ils étaient Son peuple. Par exemple, les autres peuples travaillaient sept jours par semaine, mais les Juifs étaient différents, ils consacraient une journée (le sabbat) au Seigneur et se reposaient. Les autres nations mangeaient toutes sortes de nourriture, mais les Juifs étaient différents, ils prenaient ou s'abstenaient de certaines choses selon la loi que Dieu leur avait donnée. Après la venue du Christ, la manière de se séparer du monde était de suivre Jésus et de se soumettre à la direction de l'Esprit qui dirige les chrétiens par le Nouveau Testament, énoncé par le Christ et enseigné par Ses apôtres (Actes 2.42).

Jésus avait enlevé ou accompli les pratiques que les Juifs avaient observées (les lois alimentaires, l'observation du jour du sabbat, etc.) Pierre et les autres apôtres étaient lents à le comprendre. Cela incluait les règles concernant leur association aux gentils. Par exemple, ils ne pouvaient ni entrer chez un gentil ni partager un repas avec lui, non plus que les gentils ne pouvaient entrer ni chez un Juif ni au temple.

Par la vision de la nourriture pure et impure et le commandement d'en manger, Dieu enseigne deux choses à Pierre:

1. Dieu a l'autorité d'établir, de changer ou d'éliminer des lois parce qu'Il est Dieu et qu'Il a donné les lois.

2. Il modifie ici la loi en déclarant toute nourriture "pure" et par conséquent les chrétiens juifs peuvent en manger librement.

> [17]Tandis que Pierre ne savait en lui-même que penser du sens de la vision qu'il avait eue, voici, les hommes envoyés par Corneille, s'étant informés de la maison de Simon, se présentèrent à la porte, [18]et demandèrent à haute voix si c'était là que logeait Simon, surnommé Pierre. [19]Et comme Pierre était à réfléchir sur la vision, l'Esprit lui dit: Voici, trois hommes te demandent; [20]lève-toi, descends, et pars avec eux sans hésiter, car c'est moi qui les ai envoyés. [21]Pierre donc descendit, et il dit à ces hommes: Voici, je suis celui que vous cherchez; quel est le motif qui vous amène? [22]Ils répondirent: Corneille, centenier, homme juste et craignant Dieu, et de qui toute la nation des Juifs rend un bon témoignage, a été divinement averti par un saint ange de te faire venir dans sa maison et d'entendre tes paroles. [23]Pierre donc les fit entrer, et les logea.
> - Actes 10.17-23a

Alors que Pierre essaie encore d'absorber le sens de la vision, on lui dit que des hommes envoyés par Corneille sont à la porte et qu'il doit les accueillir. Pierre les salue et après avoir écouté la raison de leur venue, les invite à passer la nuit chez Simon. Il ne saisit peut-être pas pleinement l'impact de la vision mais il obéit aux instructions de Dieu d'inviter ces gentils malgré son inconfort.

Pierre rencontre Corneille

> [23b]Le lendemain, il se leva, et partit avec eux. Quelques-uns des frères de Joppé l'accompagnèrent. [24]Ils arrivèrent à Césarée le jour suivant. Corneille les attendait, et avait invité ses parents et ses amis intimes. [25]Lorsque Pierre

entra, Corneille, qui était allé au-devant de lui, tomba à ses pieds et se prosterna. [26]Mais Pierre le releva, en disant: Lève-toi; moi aussi, je suis un homme. [27]Et conversant avec lui, il entra, et trouva beaucoup de personnes réunies. [28]Vous savez, leur dit-il, qu'il est défendu à un Juif de se lier avec un étranger ou d'entrer chez lui; mais Dieu m'a appris à ne regarder aucun homme comme souillé et impur. [29]C'est pourquoi je n'ai pas eu d'objection à venir, puisque vous m'avez appelé; je vous demande donc pour quel motif vous m'avez envoyé chercher. [30]Corneille dit: Il y a quatre jours, à cette heure-ci, je priais dans ma maison à la neuvième heure; et voici, un homme vêtu d'un habit éclatant se présenta devant moi, et dit: [31]Corneille, ta prière a été exaucée, et Dieu s'est souvenu de tes aumônes. [32]Envoie donc à Joppé, et fais venir Simon, surnommé Pierre; il est logé dans la maison de Simon, corroyeur, près de la mer. [33]Aussitôt j'ai envoyé vers toi, et tu as bien fait de venir. Maintenant donc nous sommes tous devant Dieu, pour entendre tout ce que le Seigneur t'a ordonné de nous dire.

- Actes 10:23[b]-33

Luc décrit les préparatifs de Corneille pour la visite de Pierre (il n'avait aucun doute qu'il viendrait). Il y a aussi une image merveilleuse de ces deux hommes humbles et pieux qui s'entretiennent l'un avec l'autre avec respect. Corneille, un centenier romain, s'agenouille face à ce pêcheur galiléen devant sa famille et ses amis. Et le serviteur du Seigneur refuse ce type d'hommage déclarant la vérité que devant Dieu ils sont tous deux simplement des hommes (des hommes pécheurs).

Pierre commence par adresser la question évidente dans l'esprit de chacun: pourquoi est-ce qu'un groupe d'hommes juifs acceptent d'entrer dans la maison d'un gentil? Il ne décrit pas sa vision comme Corneille le fera dans un moment, mais il démontre qu'il a compris le sens de la vision que Dieu lui a donnée et qu'il y a obéi. Corneille explique sa propre vision et comment cela a conduit à la visite de Pierre. La scène est maintenant établie pour la première prédication de l'évangile aux gentils.

Pierre prêche aux gentils (10.34-43)

Pierre suppose que ses auditeurs sont familiers avec les faits de l'évangile comme la plupart des gens qui vivaient dans cette région et qui avaient entendu parler de Jésus, de Son ministère, de Sa mort et de Sa résurrection. Il inclut aussi la nouvelle information qui lui a été donnée par Dieu dans la vision, que l'évangile est pour tous et non pas seulement pour les Juifs à qui il avait prêché depuis la Pentecôte. Son point principal est que lui et les autres apôtres sont des témoins réels de la mort, de l'ensevelissement et de la résurrection de Jésus.

> [39]Nous sommes témoins de tout ce qu'il a fait dans le pays des Juifs et à Jérusalem. Ils l'ont tué, en le pendant au bois. [40]Dieu l'a ressuscité le troisième jour, et il a permis qu'il apparût, [41]non à tout le peuple, mais aux témoins choisis d'avance par Dieu, à nous qui avons mangé et bu avec lui, après qu'il fut ressuscité des morts. [42]Et Jésus nous a ordonné de prêcher au peuple et d'attester que c'est lui qui a été établi par Dieu juge des vivants et des morts. [43]Tous les prophètes rendent de lui le témoignage que quiconque croit en lui reçoit par son nom le pardon des péchés.
> - Actes 10.39-43

La réponse à la prédication de Pierre (10.44-48)

> [44]Comme Pierre prononçait encore ces mots, le Saint Esprit descendit sur tous ceux qui écoutaient la parole. [45]Tous les fidèles circoncis qui étaient venus avec Pierre furent étonnés de ce que le don du Saint Esprit était aussi répandu sur les païens. [46]Car ils les entendaient parler en langues

et glorifier Dieu.
- Actes 10.44-46

Avant même que Pierre ne finisse d'encourager son auditoire à se repentir et à être baptisé comme il l'avait fait avec la foule le dimanche de la Pentecôte, Corneille et les autres commencent à parler en langues et à louanger Dieu. Luc décrit ce phénomène comme "le don du Saint Esprit (...) répandu sur les païens."

S'agit-il ici de la "puissance" du Saint Esprit ou de "l'habitation" du Saint Esprit? Il s'agit de "la puissance." Le Saint Esprit a donné à ces gens le pouvoir de parler en langues, sûrement afin de convaincre ceux qui n'avaient pas eu de vision (comme par exemple les compagnons de Pierre) que Dieu offrait l'évangile aux païens, et non seulement aux Juifs. De nombreux prophètes avaient annoncé qu'il en serait ainsi (Michée 4.2; Zacharie 8.22; Amos 9.12) y compris Jésus Lui-même en Marc 13.10.

> [47]Alors Pierre dit: Peut-on refuser l'eau du baptême à ceux qui ont reçu le Saint Esprit aussi bien que nous? [48]Et il ordonna qu'ils fussent baptisés au nom du Seigneur. Sur quoi ils le prièrent de rester quelques jours auprès d'eux.
> - Actes 10.47-48

Pierre finit maintenant sa leçon en dirigeant ces nouveaux croyants à être baptisés parce que si certains doutaient que l'évangile était aussi pour les païens, le Saint Esprit avait répondu à leurs questions en donnant à ces gens le pouvoir de parler en langues. Pierre mentionne qu'ils avaient reçu ce pouvoir tout comme les apôtres l'avaient reçu, sans intervention humaine (pas d'imposition des mains). Il insiste aussi qu'ils soient baptisés pour obéir à l'évangile et recevoir l'habitation du Saint Esprit en eux (Actes 2.38).

Dieu utilise donc l'apparition d'un ange, une vision spéciale et la puissance de l'Esprit chez les gentils pour diriger Pierre à ouvrir l'évangile aux non-juifs. On voit que tout cela et même plus était nécessaire pour convaincre l'église primitive, constituée exclusivement de chrétiens juifs, d'accepter cette instruction reçue de Dieu.

Pierre rapporte ces événements à l'église à Jérusalem – Actes 11.1-18

Luc décrit le retour de Pierre à l'église à Jérusalem et son explication de la percée du message de l'évangile aux gentils. Dès son retour, il fait face à une réaction sceptique de la part des chrétiens juifs qui sont inquiets de son association et de sa prédication aux gentils. Ces Juifs étaient devenus chrétiens mais ils fonctionnaient encore à la manière juive par leurs émotions et leur culture. Pierre raconte alors sa vision et celle qui avait originalement poussé Corneille à l'envoyer chercher, ainsi que ce qui s'est produit quand il a prêché devant eux, et l'église a conclu que cela était venu de Dieu.

Il est intéressant de noter que Pierre, un des apôtres, était encore sujet à expliquer ses actions à l'église pour prouver que ce qu'il avait fait venait de Dieu et non pas de lui-même. De nos jours, l'Église utilise les Écritures pour juger l'enseignement de ses dirigeants et de ses enseignants (2 Timothée 2.15).

L'église à Antioche – Actes 11.19-30

[19]Ceux qui avaient été dispersés par la persécution survenue à l'occasion d'Étienne allèrent jusqu'en Phénicie, dans l'île de Chypre, et à Antioche, annonçant la parole seulement aux Juifs.[20]Il y eut cependant parmi eux quelques hommes de Chypre et de Cyrène, qui, étant venus à Antioche, s'adressèrent aussi aux Grecs, et leur annoncèrent la bonne nouvelle du Seigneur Jésus.[21]La main du Seigneur était avec eux, et un grand nombre de personnes crurent et se convertirent au

Seigneur.[22]Le bruit en parvint aux oreilles des membres de l'Église de Jérusalem, et ils envoyèrent Barnabas jusqu'à Antioche.[23]Lorsqu'il fut arrivé, et qu'il eut vu la grâce de Dieu, il s'en réjouit, et il les exhorta tous à rester d'un coeur ferme attachés au Seigneur.[24]Car c'était un homme de bien, plein d'Esprit Saint et de foi. Et une foule assez nombreuse se joignit au Seigneur.
- Actes 11.19-24

On voit le soin providentiel de Dieu dans la succession d'événements en faveur de l'Église, Son royaume sur la terre. Pierre a ouvert la porte aux gentils. Les chrétiens chassés hors de Jérusalem prêchent aux païens à travers leurs voyages. Ces nouvelles atteignent les dirigeants à Jérusalem, qui ont déjà approuvé de l'évangélisation des païens. Barnabas, qui a prouvé sa fidélité et sa générosité, est envoyé pour aider à enseigner les frères qui ont formé une église à Antioche. Luc écrit que le ministère de Barnabas est un succès et que l'église grandit.

[25]Barnabas se rendit ensuite à Tarse, pour chercher Saul; [26]et, l'ayant trouvé, il l'amena à Antioche. Pendant toute une année, ils se réunirent aux assemblées de l'Église, et ils enseignèrent beaucoup de personnes. Ce fut à Antioche que, pour la première fois, les disciples furent appelés chrétiens.
- Actes 11.25-26

Barnabas trouve Saul qui, étant citoyen romain, peut enseigner efficacement les convertis qui ne sont pas Juifs dans cette église en croissance. L'église d'Antioche était composée d'un groupe culturel mixte (de Juifs et de gentils) et avait besoin d'un nom concis qui éliminerait toute séparation culturelle, sociale ou de leur religion précédente. C'est là que le terme "chrétien" a pris naissance.

> ²⁷En ce temps-là, des prophètes descendirent de Jérusalem à Antioche. ²⁸L'un deux, nommé Agabus, se leva, et annonça par l'Esprit qu'il y aurait une grande famine sur toute la terre. Elle arriva, en effet, sous Claude. ²⁹Les disciples résolurent d'envoyer, chacun selon ses moyens, un secours aux frères qui habitaient la Judée. ³⁰Ils le firent parvenir aux anciens par les mains de Barnabas et de Saul.
> - Actes 11.27-30

Pour les chrétiens non-juifs, il se produit un véritable test de communion fraternelle. Une famine est prédite par un des prophètes de Jérusalem qui présente aussi une demande d'aide. Il s'agit du premier exemple de coopération entre les congrégations dans le but d'assistance et de bénévolat. Le test pour Antioche était à savoir si les frères non-juifs enverraient des fonds à leurs frères juifs qui les avaient dédaignés avant leur conversion. Le test pour les chrétiens juifs à Jérusalem était l'inverse, accepteraient-ils la charité des non-juifs, même s'ils avaient confessé le Christ?

La réponse se trouve au verset 29, où Luc rapporte que tous ceux qui en étaient capables (les Juifs et les gentils) ont contribué, et que la tâche de livrer les dons à l'église à Jérusalem a été confiée aux deux principaux enseignants, Barnabas (nommé d'abord parce qu'il est encore à former Saul à ce moment-là) et Saul. La manière dont tout cela s'est fait était un témoignage que les apôtres à Jérusalem et les enseignants (Barnabas et Saul) d'Antioche faisaient tous un bon travail dans leur ministère d'enseignement et de prédication.

L'arrestation et la délivrance de Pierre – Actes 12.1-25

> ¹Vers le même temps, le roi Hérode se mit à maltraiter quelques membres de l'Église, ²et il fit mourir par l'épée Jacques, frère de Jean. ³Voyant

> que cela était agréable aux Juifs, il fit encore
> arrêter Pierre. -C'était pendant les jours des pains
> sans levain. - [4]Après l'avoir saisi et jeté en prison, il
> le mit sous la garde de quatre escouades de
> quatre soldats chacune, avec l'intention de le faire
> comparaître devant le peuple après la
> Pâque. [5]Pierre donc était gardé dans la prison; et
> l'Église ne cessait d'adresser pour lui des prières à
> Dieu.
> - Actes 12.1-5

Luc choisit de terminer sa narration sur le ministère de Pierre avec l'arrestation de celui-ci par Hérode et sa délivrance miraculeuse par la main d'un ange. Luc ajoute aussi aux détails historiques de l'église primitive en incluant la mort de l'apôtre Jacques. L'église à Jérusalem subit alors des épreuves et des défis sévères:

1. Des défis créés par sa croissance rapide (plusieurs milliers d'âmes ajoutées en seulement deux ans).

2. Des besoins exigeants de bénévolat (nécessitant sept diacres pour opérer le service de nourriture aux veuves).

3. Une famine locale sur toute la population (prédite par Agabus).

4. La persécution de l'église, commençant avec la mort d'Étienne et la dispersion de nombreux membres.

Luc ajoute maintenant que Jacques est tué et que Pierre est arrêté par le roi Hérode cette fois et non pas par les chefs religieux juifs. Il ne s'agit pas ici d'Hérode Antipas qui avait questionné Jésus et régné uniquement dans le nord de la Galilée. Il s'agit d'Hérode Agrippa I, un petit-fils d'Hérode-le-Grand, qui règne sur toute la région et siège à Jérusalem. Il fait arrêter Pierre pour s'attirer les faveurs des dirigeants juifs.

En Actes 12.6-19, Luc mentionne que malgré ses nombreux tests et découragements, l'église priait pour la libération de Pierre. Celle-ci, miraculeusement rendue possible par un ange est décrite avec la sorte de détails qui ne pouvaient être connus que par un témoin oculaire. Luc ajoute aussi un récit humoristique d'une jeune servante qui, dans son excitation, laisse Pierre dehors frappant à la porte de Marie (la mère de Jean Marc) alors qu'elle court annoncer que qu'il est à la porte. Finalement on laisse entrer Pierre et il instruit les frères de laisser savoir Jacques (le frère du Seigneur, et non pas l'apôtre qui avait été tué par Hérode) et les autres au sujet de sa libération. Pierre s'est probablement caché pour éviter les efforts d'Hérode de le capturer de nouveau. Luc mentionne Pierre encore au chapitre 15 où il discute avec d'autres de certaines questions prenant place dans l'église à Antioche.

Actes 12.20-23: comme épilogue, Luc ajoute quelques versets qui décrivent la mort d'Hérode peu après l'évasion de Pierre. Cela se solde en un ralentissement dans la persécution de l'Église et Luc termine cette section sur une note positive et optimiste.

> [24]Cependant la parole de Dieu se répandait de plus en plus, et le nombre des disciples augmentait. [25]Barnabas et Saul, après s'être acquittés de leur message, s'en retournèrent de Jérusalem, emmenant avec eux Jean, surnommé Marc.
> - Actes 12.24-25

Leçons

Obéir à ce qu'on sait et à ce qu'on connaît

Si Pierre avait été entêté et, ne comprenant pas le grand plan de Dieu, s'il avait refusé (comme il en avait l'habitude) de se mêler aux gentils, Dieu aurait utilisé un autre serviteur et une manière différente d'apporter l'évangile aux païens, mais imaginez l'occasion et les bienfaits que Pierre aurait manqués. De la même manière, on ne connaît pas tous les faits et on ne voit pas toujours clairement le plan d'ensemble ou le dessein de Dieu quand on prend la décision d'obéir à Sa volonté. Dans une telle situation, il est sage d'obéir à ce qu'on connaît et à ce dont on est certain, et de prier que Dieu nous donne éventuellement la compréhension. Après tout, on vit par la foi et non par la vue.

Dieu bénit ceux qui bénissent les autres

En Actes 10.4, Luc dit que les prières et les aumônes de Corneille étaient reconnues par Dieu. Sa piété et son bénévolat ne l'ont pas sauvé, mais Dieu était témoin de ses bonnes œuvres et en retour Il lui a donné l'occasion d'entendre l'évangile. Il y a ici une leçon pour les bonnes personnes, chrétiennes ou non:

1. Les chrétiens doivent se souvenir que ce ne sont pas la bonté ou la générosité qui sauvent quelqu'un mais l'évangile et l'obéissance. En parlant de justice personnelle, le prophète Ésaïe dit: *"[6]toute notre justice est comme un vêtement souillé; "* (Ésaïe 64.6). On ne devrait pas supposer que les gens bons et généreux sont exonérés du message de l'évangile. *"Car tous ont péché et sont privés de la gloire de Dieu;"* (Romains 3.23).

2. Il y a aussi une leçon pour les gens bons et honnêtes qui n'ont jamais fait de mal à personne et qui ont toujours fait de leur mieux. Leur bonté ne peut les sauver. Ils peuvent être récompensés en étant exposés au message de l'évangile, mais seul le sacrifice du Christ (par la foi, exprimée par la repentance et le baptême) peut être échangé pour la vie éternelle et non pas leur vie, aussi bonne soit-elle.

Passage à lire : Actes 13.1-15.35

Questions à discuter

1. À votre avis, quel est le genre de personne le plus difficile à convertir?

   - L'athéiste
   - L'agnostique
   - Quelqu'un d'une religion autre que le christianisme
   - Un chrétien de nom seulement
   - Quelqu'un d'autre _____
     - Pourquoi?
     - Que serait votre approche?

2. Quelles traditions des églises du Christ ont besoin d'être changées, mises à jour, éliminées? Comment le feriez-vous? Avec quoi les remplaceriez-vous?

3. À votre avis, quel est le plus grand danger auquel l'Église fait face aujourd'hui? Comment l'Église devrait-elle le traiter?

20.
LE MINISTÈRE DE PAUL
LE 1er VOYAGE MISSIONNAIRE DE PAUL

ACTES 13.1-15.35

Luc a conclu sa description du ministère de Pierre parmi les Juifs et l'appel que Pierre a reçu de Dieu pour apporter l'évangile aux païens. Après la Pentecôte il semble que les apôtres comprenaient que la grande commission consistait à prêcher aux Juifs partout dans le monde. Il a fallu un événement miraculeux (Corneille qui a parlé en langues) pour convaincre Pierre non seulement de prêcher aux non-juifs mais aussi de leur offrir le même salut par la foi, exprimé par la repentance et le baptême, qu'il avait offert à la foule le jour de la Pentecôte. Cette percée a encouragé les autres à apporter l'évangile aux païens dans la région d'Antioche, où Barnabas et Paul (son nom hébreu était Saul, et il utilise maintenant son nom romain, Paul, alors qu'il continue son ministère aux gentils - Actes 13.9) ont eu un vaste ministère de prédication parmi cette congrégation mixte juive et païenne.

Nous commençons la deuxième section de ce livre où Luc parlera principalement du ministère et des voyages de Paul.

1. Le 1er discours de Pierre – Actes 1.1-2.47
2. Son ministère après la Pentecôte – Actes 3.1-4.37
3. La persécution de Pierre et des apôtres – Actes 5.1-42
4. La persécution de l'Église - 1 – Actes 6.1-7.60
5. La persécution de l'Église - 2 – Actes 8.1-9.43
6. Pierre prêche aux gentils – Actes 10.1-12.25
7. **1er voyage missionnaire de Paul – Actes 13.1-15.35**

Luc a établi la scène géographique, Antioche, ainsi que le moment historique, soit après le contact de Pierre avec Corneille. Cette fois Barnabas et Paul ont gagné beaucoup d'expérience à travailler ensemble et aussi à travailler avec des convertis aussi bien juifs que gentils. Ils savent rencontrer les besoins religieux et culturels particuliers de chaque groupe.

Le ^{1er} voyage missionnaire de Paul – Actes 13.1-14.28

Un appel au ministère

> [1]Il y avait dans l'Église d'Antioche des prophètes et des docteurs: Barnabas, Siméon appelé Niger, Lucius de Cyrène, Manahen, qui avait été élevé avec Hérode le tétrarque, et Saul. [2]Pendant qu'ils servaient le Seigneur dans leur ministère et qu'ils jeûnaient, le Saint Esprit dit: Mettez-moi à part Barnabas et Saul pour l'œuvre à laquelle je les ai appelés. [3]Alors, après avoir jeûné et prié, ils leur imposèrent les mains, et les laissèrent partir.
> - Actes 13.1-3

Il s'agit ici de la troisième étape de l'appel de Paul au ministère. Son appel établit un patron pour ceux qui se sentent appelés à servir à plein temps mais ne sont pas certains qu'il s'agisse d'un appel légitime de Dieu.

En étudiant la vie de Paul, on voit trois étapes à son appel au ministère:

1. **L'appel:** la manière dont Dieu appelle ou dirige quelqu'un au ministère à temps plein. Paul a été appelé d'une manière miraculeuse (il a été rendu aveugle, il a entendu la voix du Seigneur et après quelques jours il a retrouvé la vue - Actes 9.3-9; 17) mais ces événements sont exceptionnels et ne constituent pas l'appel habituel. Pour la plupart des gens, l'appel commence comme un désir ou une occasion de servir qui s'intensifie avec le temps. Cet appel prend souvent la forme de commentaires positifs des membres de l'assemblée ou des dirigeants qui discernent chez quelqu'un un talent particulier et l'encouragent à le développer et à l'utiliser au service du Seigneur. Beaucoup de ministres choisissent de servir à temps plein parce qu'ils voient un grand besoin dans l'Église (ou chez ceux qui sont perdus) et se sentent poussés à s'engager et à servir ce besoin (même s'ils ne se sentent pas qualifiés). Quelle que soit la façon dont quelqu'un est appelé, un élément est le même pour chacun: le sentiment que Dieu appelle ne disparaît pas jusqu'à ce qu'on y réponde. Certains y résistent pendant des années et choisissent de faire quelque chose d'autre avec leurs vies mais continuent tout de même à le ressentir.

2. **La consécration:** La consécration est le temps de préparation au ministère. Dans le cas de Paul, il y a eu une période d'environ 10 à 12 ans entre son appel et le commencement de son ministère aux gentils lors de son premier voyage missionnaire. Pendant ce temps, il a passé trois ans dans le désert d'Arabie à être enseigné par l'Esprit du Christ (Galates 1.11-17), il est allé à Jérusalem puis est retourné enseigner chez lui à Tarse pendant quatre ans (Actes 9.30), il a ensuite été recruté par Barnabas pour enseigner à l'église d'Antioche pour une année entière. Enfin, lui et Barnabas ont escorté les offrandes aux frères de Jérusalem après une famine qui a sévi pendant deux

ans (Actes 11.30). Pendant sa période de consécration, Paul a donc reçu l'enseignement du Seigneur, il a lui-même enseigné et voyagé avec différents apôtres et dirigeants de l'Église, il a dirigé un effort d'aide à l'Église; en tout, une dizaine d'années de formation et de préparation au ministère pour lequel il avait été appelé au moment de sa conversion. De nos jours, il y a des écoles de formation pour les prédicateurs opérées par de diverses congrégations de l'Église, il y a aussi des collèges et des universités où quelqu'un qui ressent l'appel peut recevoir la formation pour se préparer au ministère à temps plein, homme ou femme puisque différents ministères sont aussi ouverts aux femmes. On trouve parfois confusion chez celui qui est appelé, en pensant qu'il doit commencer son ministère immédiatement. La période de consécration est importante parce qu'elle sert habituellement à confirmer l'appel.

3. **La recommandation** par l'imposition des mains: La recommandation au ministère est ce qui prend place en Actes 13.1-3. Le Saint Esprit, par l'église (ses dirigeants et ses enseignants), commande, envoie ou autorise Paul et Barnabas à prendre l'évangile au monde. Cette scène nous enseigne que Dieu travaille à travers Son Église. Le Seigneur appelle Paul sur la route de Damas mais quand le temps arrive où il doit accomplir son ministère, Dieu utilise l'Église pour le recommander, Paul ne pouvait se recommander lui-même. Personne ne s'appointe soi-même à une position dans l'Église. Par exemple, les anciens ne s'appointent pas eux-mêmes (ils sont appointés et formés par les évangélistes - Actes 14.23; Tite 15). Les évangélistes ne s'appointent pas (ils sont appointés par les anciens - 1 Timothée 4.14). Les diacres ne s'appointent pas (ils sont choisis par l'église et confirmés par les anciens - Actes 6.3-6). Les missionnaires ne s'appointent pas dans l'Église (ils sont formés par l'église et envoyés par les dirigeants de l'église - Actes 13.1-3). C'est ce qu'on voit ici avec Paul et Barnabas en tant que premiers missionnaires confirmés et envoyés par l'église, et cette méthode continue jusqu'à maintenant dans l'Église du

Seigneur. Un certificat d'études ou un diplôme collégial n'autorise pas quelqu'un à être évangéliste ou enseignant ou missionnaire. C'est la recommandation par l'église qui confirme l'appel et la consécration au service du Seigneur dans l'Église et pour Son Église.

Le premier voyage missionnaire (13.4-14.28)

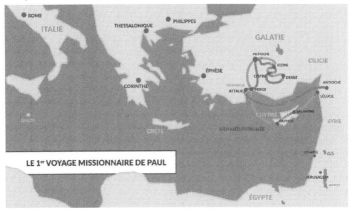

LE 1ᵉʳ VOYAGE MISSIONNAIRE DE PAUL

Voici un aperçu géographique du premier voyage missionnaire de Paul:

Chypre (13.4)
Luc écrit que Paul, Barnabas et son cousin, Jean Marc, s'embarquent à Séleucie, près d'Antioche, et font voile vers l'île de Chypre d'où Barnabas est originaire (Actes 4.36).

Salamine (13.5)
Leur premier arrêt a lieu aux confins amicaux de la synagogue locale où Barnabas était probablement connu et accueilli pour parler. Ils s'adressent alors aux Juifs qui s'y trouvent.

Paphos (13.6-12)

⁶Ayant ensuite traversé toute l'île jusqu'à Paphos, ils trouvèrent un certain magicien, faux prophète

juif, nommé Bar Jésus, [7] qui était avec le proconsul Sergius Paulus, homme intelligent. Ce dernier fit appeler Barnabas et Saul, et manifesta le désir d'entendre la parole de Dieu. [8] Mais Élymas, le magicien, -car c'est ce que signifie son nom, -leur faisait opposition, cherchant à détourner de la foi le proconsul. [9] Alors Saul, appelé aussi Paul, rempli du Saint Esprit, fixa les regards sur lui, et dit: [10] Homme plein de toute espèce de ruse et de fraude, fils du diable, ennemi de toute justice, ne cesseras-tu point de pervertir les voies droites du Seigneur? [11] Maintenant voici, la main du Seigneur est sur toi, tu seras aveugle, et pour un temps tu ne verras pas le soleil. Aussitôt l'obscurité et les ténèbres tombèrent sur lui, et il cherchait, en tâtonnant, des personnes pour le guider. [12] Alors le proconsul, voyant ce qui était arrivé, crut, étant frappé de la doctrine du Seigneur.
- Actes 13.6-12

Leur œuvre sur l'île est un tel succès que le proconsul les fait appeler pour entendre le message de l'évangile. Le fait que Barnabas est mentionné en premier suggère qu'il était alors le chef et le principal orateur. Bar Jésus est appelé Élymas, qui signifiait "magicien" ou "expert". Il avait la faveur du gouverneur et il cherchait à détourner le proconsul de la foi. Pour cette raison, Paul le dénonce et le rend aveugle pour un temps. Il s'agit là du premier miracle attribué à Paul. Le proconsul est converti et Luc mentionne que c'est la doctrine du Seigneur qui le frappe plutôt que le fait que le magicien était aveugle. Le miracle confirme la doctrine et la doctrine produit la conversion.

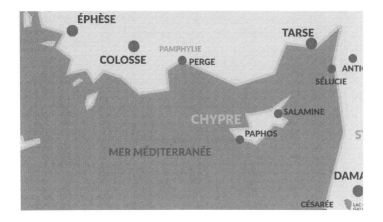

Perge (13.13)

> Paul et ses compagnons, s'étant embarqués à
> Paphos, se rendirent à Perge en Pamphylie. Jean
> se sépara d'eux, et retourna à Jérusalem.
> - Actes 13.13

Luc nomme Paul en premier, montrant qu'après leur travail à
Chypre (spécialement après le miracle), Paul est maintenant
le chef de la mission. Jean Marc les quitte et retourne à
Jérusalem; il manque peut-être de courage pour continuer le
voyage dans un pays inconnu. Barnabas et Paul, dans cet
ordre, avaient été appelés par l'Esprit à entreprendre cette
mission. Jean Marc avait été ajouté par Barnabas, son
cousin, et non par le Saint Esprit. Dieu savait que Jean Marc
n'était pas prêt, mais Barnabas, Jean Marc et Paul ont mis
plus longtemps à s'en rendre compte.

Antioche de Pisidie (13.14-52)

Paul et Barnabas ne travaillent pas à Perge mais se dirigent
vers Antioche située au nord, aux abords de la Pisidie, ainsi
nommée pour la différencier de la ville d'Antioche en Syrie,
d'où ils étaient venus. Ici Luc donne un récit détaillé de la
prédication de Paul et de la réaction du peuple à leur
ministère.

> [14]De Perge ils poursuivirent leur route, et arrivèrent à Antioche de Pisidie. Étant entrés dans la synagogue le jour du sabbat, ils s'assirent. [15]Après la lecture de la loi et des prophètes, les chefs de la synagogue leur envoyèrent dire: Hommes frères, si vous avez quelque exhortation à adresser au peuple, parlez. [16]Paul se leva, et, ayant fait signe de la main, il dit: Hommes Israélites, et vous qui craignez Dieu, écoutez!
> - Actes 14.14-16

Luc décrit la méthode que Paul utilise pour prêcher l'évangile parmi les Juifs et les convertis à la foi juive. Le service était dirigé par des anciens ou des officiels qui invitaient les rabbins de passage à parler. Paul, un étudiant fameux de Gamaliel et Barnabas, un Lévite et résident de Jérusalem, étaient connus parmi les Juifs et par conséquent on demande à Paul de parler.

Luc enregistre l'enseignement qui est probablement une leçon de base que Paul prêche quand il s'adresse à un public juif. Sa leçon a quatre parties et pourrait être intitulée "Le Sauveur d'Israël est Jésus Christ" (Lenski, p. 516).

1. L'histoire d'Israël mène à Jésus (13.17-25)

> Et lorsque Jean achevait sa course, il disait: Je ne suis pas celui que vous pensez; mais voici, après moi vient celui des pieds duquel je ne suis pas digne de délier les souliers.
> - Actes 13.25

2. Israël a rejeté le Sauveur annoncé par les prophètes et envoyé par Dieu (13.26-29)

> Et, après qu'ils eurent accompli tout ce qui est écrit de lui, ils le descendirent de la croix et le déposèrent dans un sépulcre.
> - Actes 13.29

3. Dieu a rempli Ses promesses à Israël en Le ressuscitant de la mort (13.30-37)

> [32]Et nous, nous vous annonçons cette bonne nouvelle que la promesse faite à nos pères, [33]Dieu l'a accompli pour nous leurs enfants, en ressuscitant Jésus, selon ce qui est écrit dans le Psaume deuxième: Tu es mon Fils, Je t'ai engendré aujourd'hui.
> - Actes 13.32-33

4. Le pardon et le salut ne se trouvent qu'en Jésus (13.38-41)

> [38]Sachez donc, hommes frères, que c'est par lui que le pardon des péchés vous est annoncé, [39]et que quiconque croit est justifié par lui de toutes les choses dont vous ne pouviez être justifiés par la loi de Moïse.
> - Actes 13.38-39

Il ressort un patron familier des versets qui suivent où les mots de Paul attirent des foules nombreuses qui, en retour, contrarient les dirigeants juifs qui commencent à l'attaquer. De nombreux Juifs et gentils convertis au judaïsme décident de suivre Paul et ses enseignements, au point où l'apôtre déclare ouvertement qu'il concentrera désormais son ministère vers les gentils à cause du rejet et de la persécution des Juifs. Cela produit de la joie et de l'enthousiasme parmi les gentils parce que Dieu leur a offert le salut, les rendant ainsi des partenaires égaux aux chrétiens juifs dans le royaume de Dieu, l'Église.

Icone, Lystre, Derbe (14.1-21a)

Luc mentionne quelques villes où ils continuent à prêcher et à enseigner. Il se concentre sur deux endroits:

1. Icone (Actes 14.1-7): On retrouve le même patron alors que leur prédication divise leur audience (certains croient et d'autres ne croient pas). Les Juifs intensifient leur opposition en aigrissant des gentils qui provoquent une émeute et lapident Paul et Barnabas. Ils sont forcés à s'échapper vers d'autres villes mentionnées au verset 6.

2. Lystre (Actes 14.8-20[a]): Luc décrit un deuxième miracle de Paul (la guérison d'un homme boiteux de naissance) qui cause un remous dans la foule. Les spectateurs pensent que Paul et Barnabas sont l'incarnation des dieux païens Zeus (dieu grec du ciel et du tonnerre) et Hermès (le fils de Zeus).

> [14]Les apôtres Barnabas et Paul, ayant appris cela, déchirèrent leurs vêtements, et se précipitèrent au milieu de la foule, [15]en s'écriant: O hommes, pourquoi agissez-vous de la sorte? Nous aussi, nous sommes des hommes de la même nature que vous; et, vous apportant une bonne nouvelle, nous vous exhortons à renoncer à ces choses vaines, pour vous tourner vers le Dieu vivant, qui a fait le ciel, la terre, la mer, et tout ce qui s'y trouve.[16]Ce Dieu, dans les âges passés, a laissé toutes les nations suivre leurs propres voies,[17]quoiqu'il n'ait cessé de rendre témoignage de ce qu'il est, en faisant du bien, en vous dispensant du ciel les pluies et les saisons fertiles, en vous donnant la nourriture avec abondance et en remplissant vos cœurs de joie.[18]A peine purent-ils, par ces paroles, empêcher la foule de leur offrir un sacrifice.
> - Actes 14.14-18

Paul commence à prêcher aux gentils en se servant de la situation actuelle comme point de départ.

> [19]Alors survinrent d'Antioche et d'Icone des Juifs qui gagnèrent la foule, et qui, après avoir lapidé Paul, le traînèrent hors de la ville, pensant qu'il

était mort. [20]Mais, les disciples l'ayant entouré, il se leva, et entra dans la ville.
- Actes 14.19-20a

L'apôtre n'a toutefois pas l'occasion de continuer alors que les Juifs des autres villes commencent à le suivre de ville en ville. Paul est harcelé et poursuivi, mais cette fois les Juifs parviennent à le capturer et à le lapider, puis traînent son corps hors de la ville le laissant pour mort. Luc déclare simplement que Paul, entouré de disciples, se réveille (sans parler d'un miracle donc il était probablement inconscient) et retourne à la ville.

3. Derbe (Actes 14.20b-21a): Luc mentionne brièvement que Paul et Barnabas vont dans cette ville pour y prêcher et qu'ils y font de nombreux convertis sans mentionner d'opposition.

Lystre, Icone, Antioche (14.21b-23)

Ils retournent maintenant sur leurs pas et revisitent les jeunes églises qu'ils ont plantées pendant ce premier voyage missionnaire de deux ans (44-46 après J.-C.).

> Ils firent nommer des anciens dans chaque Église, et, après avoir prié et jeûné, ils les recommandèrent au Seigneur, en qui ils avaient cru.
> - Actes 14.23

Beaucoup des convertis juifs avaient la maturité morale et spirituelle pour servir comme anciens dans ces églises. Ils avaient peut-être déjà occupé des positions de leadership dans leurs synagogues avant leur conversion. Le christianisme était l'accomplissement de la foi juive et la connaissance de l'évangile était le dernier mystère qui complétait tout ce qu'ils avaient appris et cru en tant que Juifs. Dans cette première génération de l'Église, de nombreux convertis juifs continuaient à pratiquer leur foi juive et à observer le calendrier religieux juif (avec les fêtes, etc.). Avec le temps et la destruction du temple par les Romains en 70 apr. J.-C., ces deux religions sont devenues très distinctes, le christianisme étant reconnu comme une foi autonome et non simplement comme une secte liée à la religion juive.

Pamphylie, Perge, Attalie, Antioche (14.24-28)

Luc continue à nommer les différents arrêts le long de leur route vers Antioche en Syrie. Il écrit que Paul et Barnabas réunissent l'église qui les avait d'abord envoyés pour leur donner un compte-rendu de leur travail, spécialement la percée en prêchant et en convertissant des gentils.

Cela prépare la scène où Luc décrit une réunion et une décision importante concernant les gentils et leur entrée dans l'Église.

Le conseil de Jérusalem - Actes 15.1-35

En Actes 15.1-35, Luc résume la question et l'approche à cette résolution dans les deux premiers versets.

La question

> Quelques hommes, venus de la Judée,
> enseignaient les frères, en disant: Si vous n'êtes
> circoncis selon le rite de Moïse, vous ne pouvez
> être sauvés.
> - Actes 15.1

Des chrétiens juifs de Jérusalem (Actes 15.5 - des pharisiens convertis au christianisme) viennent à Antioche et enseignent que les gentils doivent d'abord adhérer aux lois juives de conversion avant de pouvoir devenir chrétiens. Cela les forçait à être circoncis avant de pouvoir être baptisés.

Pour un pharisien juif converti au Christ, cette idée était logique. Le judaïsme était là en premier, Jésus était un Juif, le christianisme était simplement une extension de la foi juive et adhérer aux lois et coutumes juives avant de s'identifier au Christ était raisonnable. Pour eux le baptême n'était qu'un ajout.

Le problème de cet enseignement était qu'il ne saisissait pas la relation du christianisme au judaïsme:

1. Le judaïsme était le véhicule créé pour amener Jésus, le Fils de Dieu et le Sauveur de l'humanité, dans le monde.

> Ne croyez pas que je sois venu pour abolir la loi ou les prophètes; je suis venu non pour abolir, mais pour accomplir.
> - Matthieu 5.17

Les rituels, les lois et les pratiques du judaïsme étaient censés être un aperçu de ce qui viendrait. Ces chrétiens juifs pensaient que leur religion était la substance de la volonté de Dieu alors qu'en fait elle n'était que l'ombre de ce que Dieu avait planifié de faire à travers Jésus Christ: S'offrir en sacrifice parfait pour expier les péchés de l'humanité puis offrir la rédemption aux Juifs et aux gentils basée sur la foi en Lui en tant que Fils de Dieu.

2. Cet enseignement était dangereux parce qu'il substituait un salut basé sur la Loi (être circoncis, obéir aux lois concernant la nourriture, etc.) afin d'être digne de devenir chrétien à un salut basé sur la foi. Il remplaçait un évangile basé sur la grâce et la foi: "je suis sauvé parce que je crois en Jésus et que j'exprime ma foi par la repentance et le baptême" (Actes 2:38) par "je suis sauvé parce que j'obéis à la loi" (la circoncision et les règles du judaïsme). En d'autres termes, je suis sauvé parce que je fais des choses, plutôt que parce que je crois en Jésus.

La solution (15.2-35)

> Paul et Barnabas eurent avec eux un débat et une
> vive discussion; et les frères décidèrent que Paul
> et Barnabas, et quelques-uns des leurs,
> monteraient à Jérusalem vers les apôtres et les
> anciens, pour traiter cette question.
> - Actes 15.2

Étant donné qu'Antioche était une église formée de Juifs et
de gentils, et qu'une grande partie du ministère de Paul
consistait à prêcher à des non-juifs, beaucoup était en jeu
dans cette décision.

On avait réuni plusieurs partis différents (les missionnaires,
les enseignants chrétiens juifs, les anciens de l'Église et les
apôtres) pour discuter de cette question. Elle n'était pas
décidée par un groupe exécutif ni par Pierre comme un
quelconque apôtre en chef. Luc écrit qu'il y a eu une vive
discussion et il enregistre aussi une partie de l'argument de
Pierre.

> [10]Maintenant donc, pourquoi tentez-vous Dieu, en
> mettant sur le cou des disciples un joug que ni nos
> pères ni nous n'avons pu porter?[11]Mais c'est par la
> grâce du Seigneur Jésus que nous croyons être
> sauvés, de la même manière qu'eux.
> - Actes 15.10-11

Jacques soutient également que d'apporter l'évangile aux
païens fait partie du plan de Dieu consigné dans les
Écritures.

> [14]Simon a raconté comment Dieu a d'abord jeté les
> regards sur les nations pour choisir du milieu
> d'elles un peuple qui portât son nom.[15]Et avec cela
> s'accordent les paroles des prophètes, selon qu'il
> est écrit:
> - Actes 15.14-15

En fin de compte, tous ceux qui sont présents s'accordent de continuer à prêcher aux gentils avec un avertissement pour eux d'éviter l'immoralité sexuelle, qui faisait partie de leur style de vie, et de respecter certaines sensibilités juives en ne mangeant ni la viande offerte en sacrifice païen et vendue au marché publique, ni le sang, qui était défendu aux Juifs. Ces instructions ont été données pour garantir la paix dans une assemblée où des Juifs et des gentils adoraient et mangeaient souvent ensemble. La question est donc définie, débattue et ultimement résolue selon la parole de Dieu, puis mise par écrit dans une lettre à l'église d'Antioche et envoyée avec Paul, Barnabas et les frères de l'église à Jérusalem.

Luc finit cette section en notant la joyeuse réaction de chrétiens non-juifs alors qu'ils reçoivent la nouvelle qu'ils ne sont pas sujets à la loi juive et qu'ils sont acceptés par les apôtres eux-mêmes comme membres égaux de l'Église de Dieu avec leur frères juifs qui avaient aussi été convertis.

La scène finale montre Paul et Barnabas qui demeurent à Antioche, occupés à enseigner et à prêcher aux frères qui s'y trouvent.

Questions à discuter

1. Avez-vous déjà ressenti un appel à servir le Seigneur d'une manière plus grande? Comment vous a-t-Il appelé? Qu'a été votre réponse?

2. Avez-vous déjà échoué dans le ministère? Expliquez comment? Qu'avez-vous appris de cette expérience?

3. Le sermon de Paul aux Juifs a quatre parties. Expliquez comment chaque partie serait pertinente aux auditeurs non-juifs aujourd'hui.

21.
LE 2e VOYAGE MISSIONNAIRE DE PAUL

ACTES 15.36-18.22

À la fin du chapitre précédent nous nous sommes arrêtés où les apôtres et les anciens à Jérusalem avaient désamorcé une situation qui aurait pu diviser l'église à Antioche. Ils avaient envoyé une lettre instruisant les frères que contrairement à certains enseignements erronés, il n'était pas nécessaire pour les gentils convertis au christianisme d'être circoncis pour devenir chrétiens. Cette idée avait été promue par des pharisiens qui s'étaient eux-mêmes convertis au christianisme et voulaient imposer leur légalisme aux prosélytes païens. Ils préconisaient que pour devenir chrétien, puisque le christianisme était une excroissance du judaïsme, il fallait adhérer à la loi juive et que le signe le plus évident en était le rite de la circoncision. Cette fausse idée a été répudiée par les dirigeants à Jérusalem et ils en ont informé les frères dans une lettre livrée par Paul, Barnabas, Silas et Barsabas.

Leur décision confirmait et approuvait aussi le travail de Paul et Barnabas parmi les gentils et leur donnait de la légitimité dans l'Église, sans laquelle il n'y aurait pas eu de deuxième et de troisième efforts missionnaires. Luc écrit qu'après avoir délivré la lettre à l'église, Paul, Barnabas et Silas sont demeurés à Antioche pour y enseigner, probablement pour renforcer les idées de cette lettre et pour détruire la confusion semée par les enseignements de la circoncision. Cette question continuera toutefois à affecter l'Église (Paul en parle en Galates 5.12 et Colossiens 2.11-17).

Le 2ᵉ voyage missionnaire de Paul – Actes 15.36-18.22

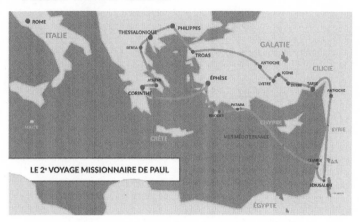

LE 2ᵉ VOYAGE MISSIONNAIRE DE PAUL

Une dispute (15.36-40)

Après un temps à Antioche, Paul propose que Barnabas et lui retournent visiter et fortifier les églises qu'ils avaient établies pendant leur premier voyage. Ils n'arrivent pas à s'entendre quant à l'idée d'amener Jean Marc, le cousin de Barnabas, avec eux ou non. Paul choisit donc de prendre Silas avec lui et Barnabas amène Jean Marc comme protégé et ils rentrent travailler à Chypre.

Ce n'est que spéculation, mais il semble que Paul ait dépassé la relation mentor-étudiant qu'il avait avec Barnabas et que Silas, mentionné au verset 32 comme un prophète, était maintenant pour lui un partenaire plus convenable. Jean Marc, cependant, encore affecté par son échec à compléter le premier voyage mais prêt à essayer de nouveau, avait besoin d'un bon enseignant et guide comme Barnabas. Par le soin providentiel de Dieu, un incident qui menaçait de diviser une paire de missionnaires a, en fait, produit deux équipes et l'on sait que Jean Marc a plus tard servi Paul et aussi éventuellement Pierre (en écrivant l'évangile de Marc qui était un sommaire des expériences de Pierre avec Jésus).

Timothée

⁴¹Il parcourut la Syrie et la Cilicie, fortifiant les Églises.
¹Il se rendit ensuite à Derbe et à Lystre. Et voici, il y avait là un disciple nommé Timothée, fils d'une femme juive fidèle et d'un père grec. ²Les frères de Lystre et d'Icone rendaient de lui un bon témoignage.³Paul voulut l'emmener avec lui; et, l'ayant pris, il le circoncit, à cause des Juifs qui étaient dans ces lieux-là, car tous savaient que son père était grec.⁴En passant par les villes, ils recommandaient aux frères d'observer les décisions des apôtres et des anciens de Jérusalem.⁵Les Églises se fortifiaient dans la foi, et augmentaient en nombre de jour en jour.
- Actes 15.41-16.5

Au début du voyage les objectifs de Paul et Silas étaient doubles:

1. Lire et expliquer la lettre envoyée aux églises par les apôtres en ce qui avait trait à la circoncision.

2. Fortifier la foi des jeunes chrétiens dans les églises que Paul et Barnabas avaient plantées.

Timothée joint leur mission et les tâches initiales de Jean Marc lui sont assignées. On note que malgré le fait qu'il défende le droit des païens de devenir chrétiens sans l'obligation d'être circoncis, Paul circoncit Timothée (dont le père était Grec et non-croyant). Cela s'avérait nécessaire, non pas pour le salut de Timothée qui était déjà un membre de l'Église, mais requis pour entrer dans les synagogues où les incirconcis n'avaient pas accès, et où Paul prêchait souvent. En surplus, le fait que le père de Timothée était un gentil était connu.

La direction du Saint Esprit

[6]Ayant été empêchés par le Saint Esprit d'annoncer la parole dans l'Asie, ils traversèrent la Phrygie et le pays de Galatie.[7]Arrivés près de la Mysie, ils se disposaient à entrer en Bithynie; mais l'Esprit de Jésus ne le leur permit pas.[8]Ils franchirent alors la Mysie, et descendirent à Troas.[9]Pendant la nuit, Paul eut une vision: un Macédonien lui apparut, et lui fit cette prière: Passe en Macédoine, secours-nous![10]Après cette vision de Paul, nous cherchâmes aussitôt à nous rendre en Macédoine, concluant que le Seigneur nous appelait à y annoncer la bonne nouvelle.
- Actes 16.6-10

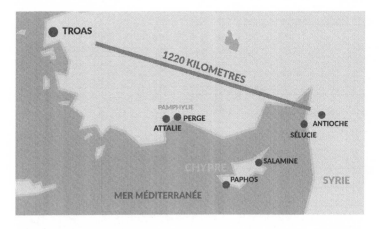

De leur point de départ à Antioche en Syrie, la distance jusqu'à Troas est d'environ 1220 km. Luc décrit le voyage en quelques versets mais leur route sur terre ferme peut avoir duré plusieurs mois. Le système routier romain permettait des déplacements relativement sûrs et les gens, comme Paul, marchaient quelque 25-30 km par jour, restant dans des auberges, chez des amis ou même dans des synagogues.

À part le travail dans les églises qu'ils avaient établies lors de leur premier voyage, une grande partie de leur voyage était un effort d'aller vers l'est, effort qui a échoué. "Empêchés par le Saint Esprit" pourrait signifier une série de revers ou d'obstacles qui les empêchaient de prêcher l'Évangile dans cette région. Par exemple, les ponts délavés, l'absence de synagogues, la maladie ou le manque de ressources financières pourraient expliquer leur manque de succès. Une fois arrivés à la ville côtière de Troas, Paul a une vision qui leur donne enfin la direction dont ils avaient besoin. Le rêve est assez général ("Passe en Macédoine"), sans détail de personne à contacter ou de lieu spécifique. La foi de Paul est cependant assez forte pour le pousser à agir en dépit des instructions limitées.

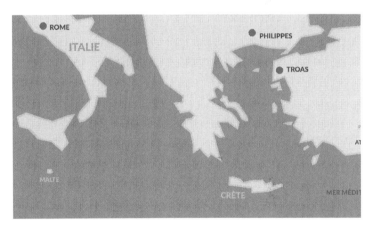

Philippes (16.11-40)

Dans sa vision, un homme de la Macédoine appelle Paul à son aide. L'apôtre et ses compagnons se mettent en route vers Philippes, qui était une ville importante de la Macédoine. Une fois rendus, ils cherchent un lieu où les Juifs se réunissent possiblement et cela lui donne une occasion de prêcher.

> [13]Le jour du sabbat, nous nous rendîmes, hors de la porte, vers une rivière, où nous pensions que se

trouvait un lieu de prière. Nous nous assîmes, et nous parlâmes aux femmes qui étaient réunies.[14]L'une d'elles, nommée Lydie, marchande de pourpre, de la ville de Thyatire, était une femme craignant Dieu, et elle écoutait. Le Seigneur lui ouvrit le cœur, pour qu'elle fût attentive à ce que disait Paul.[15]Lorsqu'elle eut été baptisée, avec sa famille, elle nous fit cette demande: Si vous me jugez fidèle au Seigneur, entrez dans ma maison, et demeurez-y. Et elle nous pressa par ses instances.

- Actes 16.13-15

Dans les versets qui suivent (Actes 16.16-24), Luc décrit un incident qui ressemble à celui qui avait eu lieu à Chypre pendant le premier voyage missionnaire. Paul avait frappé d'aveuglement un magicien qui nuisait à son travail. À Philippes, il chasse un démon d'une servante qui les avait suivis et qui attirait l'attention à leur ministère. Paul qui ne veut pas le témoignage d'un démon, la fait taire en chassant le démon. Les maîtres de la servante perdant ainsi une source de revenus provoquent une émeute et Paul et Silas sont traînés devant le juge, battus et mis en prison avec des ceps aux pieds. Dans ce cas toutefois, leur emprisonnement n'a pas été provoqué par les Juifs.

[25]Vers le milieu de la nuit, Paul et Silas priaient et chantaient les louanges de Dieu, et les prisonniers les entendaient. [26]Tout à coup il se fit un grand tremblement de terre, en sorte que les fondements de la prison furent ébranlés; au même instant, toutes les portes s'ouvrirent, et les liens de tous les prisonniers furent rompus. [27]Le geôlier se réveilla, et, lorsqu'il vit les portes de la prison ouvertes, il tira son épée et allait se tuer, pensant que les prisonniers s'étaient enfuis. [28]Mais Paul cria d'une voix forte: Ne te fais point de mal, nous sommes tous ici. [29]Alors le geôlier, ayant demandé de la lumière, entra précipitamment, et se jeta tout tremblant aux pieds de Paul et de Silas; [30]il les fit

sortir, et dit: Seigneurs, que faut-il que je fasse pour être sauvé? [31]Paul et Silas répondirent: Crois au Seigneur Jésus, et tu seras sauvé, toi et ta famille. [32]Et ils lui annoncèrent la parole du Seigneur, ainsi qu'à tous ceux qui étaient dans sa maison. [33]Il les prit avec lui, à cette heure même de la nuit, il lava leurs plaies, et aussitôt il fut baptisé, lui et tous les siens. [34]Les ayant conduits dans son logement, il leur servit à manger, et il se réjouit avec toute sa famille de ce qu'il avait cru en Dieu.
- Actes 16.25-34

Le geôlier avait déjà une certaine notion de la foi parce que le tremblement de terre et le fait qu'aucun prisonnier ne s'était échappé l'a poussé à poser une question semblable à celle de la foule à Pierre le jour de la Pentecôte: "Frères, que ferons-nous?" (Actes 2.37).

Luc n'enregistre qu'un sommaire de l'enseignement de Paul sans mentionner s'il a parlé au geôlier et à sa famille du baptême. Toutefois, après avoir confessé sa foi au Christ, le geôlier se soumet immédiatement au baptême (comme la foule à Jérusalem à la Pentecôte). Cela démontre que le baptême fait partie du message de l'évangile.

[35]Quand il fit jour, les préteurs envoyèrent les licteurs pour dire au geôlier: Relâche ces hommes.[36]Et le geôlier annonça la chose à Paul: Les préteurs ont envoyé dire qu'on vous relâchât; maintenant donc sortez, et allez en paix.[37]Mais Paul dit aux licteurs: Après nous avoir battus de verges publiquement et sans jugement, nous qui sommes Romains, ils nous ont jetés en prison, et maintenant ils nous font sortir secrètement! Il n'en sera pas ainsi. Qu'ils viennent eux-mêmes nous mettre en liberté.[38]Les licteurs rapportèrent ces paroles aux préteurs, qui furent effrayés en apprenant qu'ils étaient Romains.[39]Ils vinrent les apaiser, et ils les mirent en liberté, en les priant de

quitter la ville.[40]Quand ils furent sortis de la prison, ils entrèrent chez Lydie, et, après avoir vu et exhorté les frères, ils partirent.
- Actes 16.35-40

Il est intéressant que quand les magistrats veulent relâcher tranquillement Paul et Silas, Paul leur rappelle sa citoyenneté romaine et la manière illégale dont on les a traités, en refusant de sortir de prison sans être libérés publiquement par les juges mêmes pour se protéger contre toute accusation future de s'être échappé plutôt que d'avoir été libéré légalement. Paul et Silas quittent donc la prison au grand jour et légalement. Ils font ensuite une visite d'adieux à Lydie et s'en vont ailleurs pour prêcher l'évangile.

Thessalonique

[1]Paul et Silas passèrent par Amphipolis et Apollonie, et ils arrivèrent à Thessalonique, où les Juifs avaient une synagogue. [2]Paul y entra, selon sa coutume. Pendant trois sabbats, il discuta avec eux, d'après les Écritures, [3]expliquant et établissant que le Christ devait souffrir et ressusciter des morts. Et Jésus que je vous annonce, disait-il, c'est lui qui est le Christ. [4]Quelques-uns d'entre eux furent persuadés, et se joignirent à Paul et à Silas, ainsi qu'une grande multitude de Grecs craignant Dieu, et beaucoup de femmes de qualité. [5]Mais les Juifs, jaloux prirent avec eux quelques méchants hommes de la populace, provoquèrent des attroupements, et répandirent l'agitation dans la ville. Ils se portèrent à la maison de Jason, et ils cherchèrent Paul et Silas, pour les amener vers le peuple. [6]Ne les ayant pas trouvés, ils traînèrent Jason et quelques frères devant les magistrats de la ville, en criant: Ces gens, qui ont bouleversé le monde, sont aussi venus ici, et Jason les a reçus. [7]Ils agissent tous contre les édits de César, disant qu'il y a un autre roi, Jésus. [8]Par ces paroles

ils émurent la foule et les magistrats, [9]qui ne laissèrent aller Jason et les autres qu'après avoir obtenu d'eux une caution.
- Actes 17.1-9

On voit ici un patron familier:

1. Paul arrive dans une ville et trouve un lieu où prêcher.

2. Quelques-uns croient et d'autres ne croient pas.

3. Ceux qui croient suivent Paul et reçoivent plus d'enseignement, ceux qui ne croient pas provoquent des problèmes.

4. Paul part ou s'échappe, et le cycle se répète ailleurs.

Malgré les problèmes, une église est établie à Thessalonique.

Bérée (Actes 17.10-14)

Bérée est une exception à ce cycle. Les Juifs qui s'y trouvent sont désireux d'entendre Paul et ils considèrent tous ses enseignements, les comparant aux Écritures. De nombreux Juifs sont convertis ainsi que des Grecs prosélytes au judaïsme. Malheureusement cette oeuvre fructueuse est bientôt bouleversée et le cycle habituel recommence. Cette fois ce ne sont pas les Béréens qui précipitent les problèmes mais des Juifs de Thessalonique qui viennent interrompre le ministère de Paul parmi les Béréens qui l'escamotent hors de la ville, en laissant à Bérée Timothée et Silas pour continuer le travail pendant un certain temps.

Athènes (Actes 17.15-34)

[15]Ceux qui accompagnaient Paul le conduisirent jusqu'à Athènes. Puis ils s'en retournèrent, chargés de transmettre à Silas et à Timothée l'ordre de le rejoindre au plus tôt.[16]Comme Paul les attendait à Athènes, il sentait au dedans de lui son

esprit s'irriter, à la vue de cette ville pleine d'idoles. [17]Il s'entretenait donc dans la synagogue avec les Juifs et les hommes craignant Dieu, et sur la place publique chaque jour avec ceux qu'il rencontrait. [18]Quelques philosophes épicuriens et stoïciens se mirent à parler avec lui. Et les uns disaient: Que veut dire ce discoureur? D'autres, l'entendant annoncer Jésus et la résurrection, disaient: Il semble qu'il annonce des divinités étrangères. [19]Alors ils le prirent, et le menèrent à l'Aréopage, en disant: Pourrions-nous savoir quelle est cette nouvelle doctrine que tu enseignes? [20]Car tu nous fais entendre des choses étranges. Nous voudrions donc savoir ce que cela peut être. [21]Or, tous les Athéniens et les étrangers demeurant à Athènes ne passaient leur temps qu'à dire ou à écouter des nouvelles.

- Actes 17.15-21

On note que pendant que Paul est à Athènes aucune église n'a été établie à son arrivée ni pendant les débuts de sa prédication à la synagogue. Luc enregistre seulement que Paul "s'entretenait . . . avec les Juifs et les hommes craignant Dieu," mais il n'y a aucune mention de nouveaux croyants ni de baptêmes et aucune réponse à sa prédication sur la place publique.

Luc enregistre plutôt l'invitation et le discours de Paul à l'Aéropage. Ce moment était important parce que c'était son premier et son plus direct contact avec l'élite des philosophes et des penseurs de l'époque.

Tout d'abord, un peu d'information d'arrière-plan:

- L'Aéropage est une colline située à Athènes.

- En grec, on l'appelait la colline d'Arès, Arès était le dieu grec de la guerre (nommé Mars chez les Romains).

- L'Aéropage était aussi le nom du conseil suprême qui siégeait sur la colline d'Arès et dont les membres étaient élus à vie.

- Ces hommes étaient les citoyens ayant rempli le mieux les magistratures les plus importantes. Ils étaient célèbres et se réunissaient uniquement pour juger des cas d'homicide. Ils échangeaient aussi les idées les plus nouvelles en philosophie, en religion et en tous les autres domaines de pensée et de connaissance humaine.

Ce jour-là, ils étaient réunis pour entendre cette nouvelle "religion", ce nouvel "enseignement" comme le font les riches et les plus puissants qui, dans chaque génération, sont les premiers à venir en contact avec les idées nouvelles. C'est là le premier discours de Paul à un auditoire nombreux, influent et entièrement païen. Il ne présente pas son cas du point de vue des prophètes ou des Écritures comme il l'a fait précédemment devant ses auditoires juifs.

> [22]Paul, debout au milieu de l'Aréopage, dit:
> Hommes Athéniens, je vous trouve à tous égards extrêmement religieux. [23]Car, en parcourant votre ville et en considérant les objets de votre dévotion, j'ai même découvert un autel avec cette inscription: A un dieu inconnu! Ce que vous révérez sans le connaître, c'est ce que je vous annonce. [24]Le Dieu qui a fait le monde et tout ce qui s'y trouve, étant le Seigneur du ciel et de la terre, n'habite point dans des temples faits de main d'homme; [25]il n'est point servi par des mains humaines, comme s'il avait besoin de quoi que ce soit, lui qui donne à tous la vie, la respiration, et toutes choses. [26]Il a fait que tous les hommes, sortis d'un seul sang, habitassent sur toute la surface de la terre, ayant déterminé la durée des temps et les bornes de leur demeure; [27]il a voulu qu'ils cherchassent le Seigneur, et qu'ils s'efforçassent de le trouver en tâtonnant, bien qu'il ne soit pas loin de chacun de

nous, [28]car en lui nous avons la vie, le mouvement, et l'être. C'est ce qu'ont dit aussi quelques-uns de vos poètes: De lui nous sommes la race... [29]Ainsi donc, étant la race de Dieu, nous ne devons pas croire que la divinité soit semblable à de l'or, à de l'argent, ou à de la pierre, sculptés par l'art et l'industrie de l'homme. [30]Dieu, sans tenir compte des temps d'ignorance, annonce maintenant à tous les hommes, en tous lieux, qu'ils aient à se repentir, [31]parce qu'il a fixé un jour où il jugera le monde selon la justice, par l'homme qu'il a désigné, ce dont il a donné à tous une preuve certaine en le ressuscitant des morts...
- Actes 17.22-31

Paul base son discours sur leur notion de Dieu qui était panthéiste étant donné qu'ils avaient de nombreux dieux. Son premier objectif est de les éloigner du concept de plusieurs dieux et de les diriger vers l'idée d'un seul Dieu. Il explique ensuite que ce Dieu est la source de tout ce qui existe et ne dépend pas de l'homme puisque Sa nature n'est ni humaine ni matérielle. Il affirme ensuite que Dieu requiert certaines choses de Sa création qui inclut l'homme, et qu'Il jugera éventuellement le monde (une idée que les juges dans son auditoire pouvaient comprendre). Finalement, il introduit le Christ et Sa résurrection, mais à ce point, on l'interrompt sans le laisser finir.

[32]Lorsqu'ils entendirent parler de résurrection des morts, les uns se moquèrent, et les autres dirent: Nous t'entendrons là-dessus une autre fois. [33]Ainsi Paul se retira du milieu d'eux. [34]Quelques-uns néanmoins s'attachèrent à lui et crurent, Denys l'aréopagite, une femme nommée Damaris, et d'autres avec eux.
- Actes 17.32-34

Le discours de Paul a été bien reçu jusqu'au point où il a introduit l'idée de la résurrection de Jésus parce que les points qu'il faisait démontraient une manière logique et supérieure de penser à des être divins. Par exemple un Dieu plutôt que plusieurs dieux; un Dieu tout-puissant plutôt que les demi-dieux de la mythologie grecque; un Dieu créateur plutôt qu'un homme qui crée son propre dieu; et enfin, un Dieu qui fait justice plutôt que la justice d'hommes faibles et imparfaits. Ils ont évidemment rechigné à l'idée de la résurrection de Jésus parce que bien qu'ils croyaient à une après-vie pour l'âme, ils considéraient que la chair était mauvaise et entravait le voyage de l'âme après la mort du corps. Le concept d'un corps humain qui ressuscite (une notion acceptée par la foi) leur semblait ridicule et inutile puisque leur concept de l'après-vie était centré sur l'âme quittant le corps duquel elle était captive. À ce point, ils renvoient Paul mais deux personnes importantes et d'autres individus croient et le suivent pour recevoir plus d'enseignement, démontrant encore une fois que la parole de Dieu et Son message ne Lui reviennent jamais vides.

Corinthe (Actes 18.1-22)

> [1]Après cela, Paul partit d'Athènes, et se rendit à Corinthe.[2]Il y trouva un Juif nommé Aquilas, originaire du Pont, récemment arrivé d'Italie avec sa femme Priscille, parce que Claude avait ordonné à tous les Juifs de sortir de Rome. Il se lia avec eux;[3]et, comme il avait le même métier, il demeura chez eux et y travailla: ils étaient faiseurs de tentes.[4]Paul discourait dans la synagogue chaque sabbat, et il persuadait des Juifs et des Grecs.
> - Actes 18.1-4

Luc donne un aperçu fascinant du quotidien de Paul, de comment il se déplaçait, de comment il finançait ses voyages, et des conditions dans lesquelles il vivait.

Aquilas et sa femme, Priscille, sont présentés ici et on les verra de nouveau plus tard dans la narration. Luc porte toujours attention au détail historique en mentionnant non seulement la ville où sont les trois hommes (Corinthe) mais aussi un repère dans le temps (Claude qui renvoyait tous les Juifs de Rome - Claude a régné de 44 à 54 après J.-C.).

> [5]Mais quand Silas et Timothée furent arrivés de la Macédoine, il se donna tout entier à la parole, attestant aux Juifs que Jésus était le Christ.[6]Les Juifs faisant alors de l'opposition et se livrant à des injures, Paul secoua ses vêtements, et leur dit: Que votre sang retombe sur votre tête! J'en suis pur. Dès maintenant, j'irai vers les païens. [7]Et sortant de là, il entra chez un nommé Justus, homme craignant Dieu, et dont la maison était contiguë à la synagogue.[8]Cependant Crispus, le chef de la synagogue, crut au Seigneur avec toute sa famille. Et plusieurs Corinthiens, qui avaient entendu Paul, crurent aussi, et furent baptisés.[9]Le Seigneur dit à Paul en vision pendant la nuit: Ne crains point; mais parle, et ne te tais point,[10]Car je suis avec toi, et personne ne mettra la main sur toi pour te faire du mal: parle, car j'ai un peuple nombreux dans cette ville.[11]Il y demeura un an et six mois, enseignant parmi les Corinthiens la parole de Dieu.
> - Actes 18.5-11

Paul demeure à Corinthe pendant 18 mois après que le Seigneur l'encourage à y rester et à prêcher. De nombreux Juifs importants sont convertis ainsi que des gentils, mais quand les Juifs incroyants résistent et blasphèment, Paul redirige ses efforts exclusivement vers les gentils. Il prêche aussi à plein temps maintenant que Silas et Timothée sont venus lui aider.

> [12]Du temps que Gallion était proconsul de l'Achaïe, les Juifs se soulevèrent unanimement contre Paul, et le menèrent devant le tribunal, [13]en disant: Cet homme excite les gens à servir Dieu d'une manière contraire à la loi. [14]Paul allait ouvrir la bouche,

> lorsque Gallion dit aux Juifs: S'il s'agissait de quelque injustice ou de quelque méchante action, je vous écouterais comme de raison, ô Juifs; [15]mais, s'il s'agit de discussions sur une parole, sur des noms, et sur votre loi, cela vous regarde: je ne veux pas être juge de ces choses. [16]Et il les renvoya du tribunal. [17]Alors tous, se saisissant de Sosthène, le chef de la synagogue, le battirent devant le tribunal, sans que Gallion s'en mît en peine.
>
> - Actes 18.12-17

Après une longue période de ministère sans interruption, le cycle d'opposition par les Juifs recommence et Paul est arrêté. Le juge relâche l'apôtre quand il se rend compte qu'il ne s'agit pas d'un cas civil mais d'une dispute religieuse.

> [18]Paul resta encore assez longtemps à Corinthe. Ensuite il prit congé des frères, et s'embarqua pour la Syrie, avec Priscille et Aquilas, après s'être fait raser la tête à Cenchrées, car il avait fait un voeu. [19]Ils arrivèrent à Éphèse, et Paul y laissa ses compagnons. Étant entré dans la synagogue, il s'entretint avec les Juifs, [20]qui le prièrent de prolonger son séjour. [21]Mais il n'y consentit point, et il prit congé d'eux, en disant: Il faut absolument que je célèbre la fête prochaine à Jérusalem. Je reviendrai vers vous, si Dieu le veut. Et il partit d'Éphèse. [22]Étant débarqué à Césarée, il monta à Jérusalem, et, après avoir salué l'Église, il descendit à Antioche.
>
> - Actes 18.18-22

Luc écrit que Paul continue à servir une fois acquitté mais qu'après un an et demi, il sent qu'il est temps de retourner chez lui. Il amène Aquilas et Priscille avec lui et les laisse à Éphèse où il passe peu de temps mais promet de revenir. Paul finit son deuxième voyage missionnaire en saluant l'église à Césarée où se trouvait le port d'entrée puis il se dirige vers Antioche, sa congrégation, qui se trouve au nord, pour donner un compte-rendu de sa mission et du reste de ses voyages.

Leçons

Il est possible d'avoir un désaccord sans division.

Le désaccord entre Paul et Barnabas est assez typique dans l'Église: deux frères vraiment investis dans le travail ne sont pas d'accord sur la façon de procéder. Voici une situation où Satan pourrait provoquer une division. On voit toutefois qu'il n'y a pas eu de division et que personne n'a abandonné l'assemblée.

Je pense qu'ils ont présenté leur problème aux dirigeants de l'église en vue d'une résolution. En Actes 15.40 on lit: "Paul fit choix de Silas, et partit, recommandé par les frères à la grâce du Seigneur." Luc le mentionne pour souligner le fait que l'église était au courant de la situation et a béni la résolution à laquelle ils sont parvenus.

La leçon ici est que l'on devrait présenter aux anciens les disputes et les offenses qui ont à faire avec l'église. C'est là une bonne manière de les résoudre et de protéger l'église des divisions qui brisent bien souvent la communion fraternelle.

Il n'est pas nécessaire de connaître la fin pour prendre le premier pas.

Après que la porte ait semblé fermée à la prédication de Paul dans les régions de l'Asie, il cherchait une nouvelle direction. Il a éventuellement reçu une réponse à sa prière par la vision d'un homme qui l'appelait en Macédoine.

À l'époque la Macédoine était une région d'environ 30,000 km^2, dont la ville principale, Philippes, comptait de 10 à 20,000 habitants. Un défi comme de trouver "une aiguille dans une botte de foin!" Paul savait au moins qu'il lui fallait aller vers l'ouest et non vers l'est. Il a alors démontré sa foi en quittant Troas et en se dirigeant vers la Macédoine. On lit qu'il a éventuellement trouvé la ville, les gens et le ministère quand il le fallait.

Certaines gens hésitent à faire le premier pas pour suivre le Seigneur s'ils ne voient pas comment ils atteindront leur but. C'est là "marcher par la vue" et non pas "marcher par la foi." Le premier pas est habituellement le pas de foi sans lequel Dieu ne révèle pas la suite. On veut être sûr et on hésite à s'engager sans une garantie de succès, cependant une vie dédiée au Christ requiert souvent qu'on fasse d'abord le premier pas.

Si c'est le Seigneur qui appelle, on peut être certain de deux choses:

1. Il faudra marcher par la foi pour répondre à Son appel.
2. Il fournira au temps propice tout le nécessaire.

Passage à lire : Actes 18.23-21.14

Questions à discuter

1. Expliquez dans vos propres mots pourquoi la circoncision n'est pas nécessaire pour devenir chrétien de nos jours.

2. Écrivez un paragraphe décrivant ce que serait une journée typique au ciel.

3. À votre avis, quelle est la chose la plus difficile pour les incroyants à accepter au sujet du christianisme? Pourquoi?

22.
LE 3ᵉ VOYAGE MISSIONNAIRE DE PAUL

ACTES 18.23-21.14

La dernière scène que Luc décrit en Actes 18 est une courte visite de Paul à Éphèse à la fin de son deuxième voyage missionnaire (Actes 18.19-22). Les frères voulaient qu'il y reste plus longtemps mais il promet plutôt de revenir plus tard s'il le peut, ce qu'il fera lors de son troisième voyage missionnaire.

Regardons encore une fois notre plan: ce sera là le dernier voyage d'évangélisation de Paul avant son arrestation et son emprisonnement à divers endroits.

1. Le 1ᵉʳ discours de Pierre – Actes 1.1-2.47
2. Son ministère après la Pentecôte – Actes 3.1-4.37
3. La persécution de Pierre et des apôtres – Actes 5.1-42
4. La persécution de l'Église - 1 – Actes 6.1-7.60
5. La persécution de l'Église - 2 – Actes 8.1-9.43
6. Pierre prêche aux gentils – Actes 10.1-12.25
7. 1ᵉʳ voyage missionnaire de Paul – Actes 13.1-15.35
8. 2ᵉ voyage missionnaire de Paul – Actes 15.36-18.22
9. **3ᵉ voyage missionnaire de Paul – Actes 18.23-21.14**

Troisième voyage missionnaire – Actes 18.23-21.14

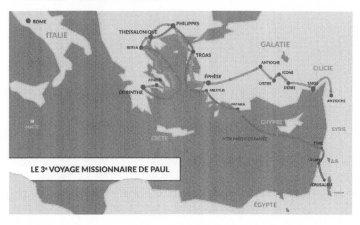

LE 3ᵉ VOYAGE MISSIONNAIRE DE PAUL

Paul revisite les églises

> Lorsqu'il eut passé quelque temps à Antioche, Paul se mit en route, et parcourut successivement la Galatie et la Phrygie, fortifiant tous les disciples.
> - Actes 18.23

Ce court verset résume la stratégie de Paul dans son travail missionnaire en commençant chaque voyage par une visite aux congrégations déjà établies pendant ses voyages précédents. Il utilise ces visites pour encourager, enseigner et fortifier les frères dans leur foi au Seigneur.

Apollos à Éphèse

> ²⁴Un Juif nommé Apollos, originaire d'Alexandrie, homme éloquent et versé dans les Écritures, vint à Éphèse. ²⁵Il était instruit dans la voie du Seigneur, et, fervent d'esprit, il annonçait et enseignait avec exactitude ce qui concerne Jésus, bien qu'il ne connût que le baptême de Jean. ²⁶Il se mit à parler

librement dans la synagogue. Aquilas et Priscille, l'ayant entendu, le prirent avec eux, et lui exposèrent plus exactement la voie de Dieu. [27]Comme il voulait passer en Achaïe, les frères l'y encouragèrent, et écrivirent aux disciples de le bien recevoir. Quand il fut arrivé, il se rendit, par la grâce de Dieu, très utile à ceux qui avaient cru; [28]Car il réfutait vivement les Juifs en public, démontrant par les Écritures que Jésus est le Christ.
- Actes 18.24-28

Apollos était un Juif né à Alexandrie, la ville égyptienne fondée par Alexandre le Grand, le chef et conquérant grec. Il y avait une université et une bibliothèque à Alexandrie, et c'est là que la Septante (la version grecque de la Bible hébraïque) a été complétée en 132 avant J.-C.

Luc dit d'Apollos qu'il est:

1. Éloquent: non pas simplement qu'il sait parler mais qu'il est un éloquent et expert en débat.

2. Puissant dans les Écritures: bien versé dans la Bible hébraïque et capable d'utiliser ses capacités de débatteur dans l'enseignement des Écritures.

3. Pas complètement instruit: des disciples de Jean-Baptiste lui avaient enseigné au sujet de Jésus et il enseignait lui-même avec efficacité ce qu'il avait appris, c'est à dire que Jésus était le Messie promis par les Écritures. Le fait qu'il ne connaissait que le baptême de Jean suggère qu'Apollos était un disciple de Jean et qu'il avait été baptisé mais qu'il ne connaissait pas complètement le ministère de Jésus qui incluait Sa mort et Sa résurrection ainsi que la grande commission aux apôtres d'aller prêcher l'évangile et de baptiser les croyants repentants au nom de Jésus. Cela explique pourquoi après avoir appris la voie du Seigneur (c'était l'expression utilisée pour décrire le christianisme à l'époque) plus complètement, il n'a pas été baptisé de

nouveau. Sa condition était semblable à celle des apôtres qui avaient reçu le baptême de Jean et avaient ainsi accompli la volonté de Dieu à ce sujet, ne nécessitant pas d'être rebaptisé après la Pentecôte.

Tous ceux qui avaient reçu le baptême avant la Pentecôte (c'est à dire les apôtres, les disciples de Jean-Baptiste, Apollos, etc.) n'avaient pas besoin d'être baptisés de nouveau après le dimanche de la Pentecôte. Seulement ceux qui entendaient l'évangile pour la première fois devaient se repentir et être baptisés comme Pierre l'avait enseigné à la Pentecôte (Actes 2.38). Luc insère cet épisode parce qu'Apollos était un enseignant et un prédicateur connu (certains érudits croient qu'il était l'auteur de l'épître aux Hébreux), et aussi parce que sa courte visite à Éphèse établit la scène suivante où Paul y retourne pour continuer l'œuvre qu'il y avait commencée pendant son deuxième voyage missionnaire.

On voit qu'Apollos reçoit l'instruction nécessaire d'Aquilas et de Priscille. Le texte grec mentionne Priscille en premier, ce qui indiquerait qu'elle était la meilleure des deux pour enseigner (Lenski, p. 775). En aucun cas, cela ne contredit pas les instructions de Paul empêchant les femmes d'enseigner aux hommes dans l'assemblée (1 Timothée 2.11-15) étant donné qu'il s'agissait ici d'une occasion privée qui n'avait pas lieu pendant une assemblée de l'église pour l'adoration. Armé avec le plein message de l'évangile, Apollos continue dans le ministère, plus puissant et plus efficace qu'auparavant.

Paul à Éphèse (19.1-41)

Les douze sont rebaptisés

> [1]Pendant qu'Apollos était à Corinthe, Paul, après avoir parcouru les hautes provinces de l'Asie, arriva à Éphèse. Ayant rencontré quelques disciples, il leur dit: [2]Avez-vous reçu le Saint Esprit, quand vous avez cru? Ils lui répondirent: Nous

n'avons pas même entendu dire qu'il y ait un Saint Esprit. [3]Il dit: De quel baptême avez-vous donc été baptisés? Et ils répondirent: Du baptême de Jean. [4]Alors Paul dit: Jean a baptisé du baptême de repentance, disant au peuple de croire en celui qui venait après lui, c'est-à-dire, en Jésus. [5]Sur ces paroles, ils furent baptisés au nom du Seigneur Jésus. [6]Lorsque Paul leur eut imposé les mains, le Saint Esprit vint sur eux, et ils parlaient en langues et prophétisaient. [7]Ils étaient en tout environ douze hommes.
- Actes 19.1-7

Certains pensent que ces hommes avaient été baptisés par Apollos mais il n'y a rien dans ce passage qui soutient cette idée. La différence principale entre Apollos et ces hommes était qu'Apollos connaissait beaucoup mieux les Écritures (par exemple, ils ne savaient rien du Saint Esprit). La similarité était qu'ils connaissaient et avaient reçu le baptême de Jean tout comme Apollos, et que pendant qu'Apollos était à Éphèse, il n'avait pas exigé qu'ils soient rebaptisés. On peut toutefois conclure qu'ils avaient reçu le baptême de Jean après la Pentecôte parce qu'après leur avoir enseigné plus complètement au sujet du Christ et du Saint Esprit, Paul a rebaptisé ces 12 disciples de Jésus.

Il y a ici deux choses intéressantes à noter:

1. Paul base ses questions au sujet du Saint Esprit sur la sorte de baptême qu'ils avaient reçu et non pas sur l'expérience qu'ils avaient ressentie. Il parle donc de l'habitation du Saint Esprit qui est donnée et reçue par le baptême de Jésus et non par celui de Jean-Baptiste (Actes 2.38).

2. Paul transfère la puissance du Saint Esprit en imposant ses mains sur eux. On en voit l'évidence dans le fait que ces hommes commencent alors à parler en langues et à déclarer la parole de Dieu avec connaissance et avec puissance, ce qu'ils ne pouvaient

pas faire avant que Paul, qui avait l'autorité apostolique, n'ait imposé les mains sur eux.

Ils sont donc les premiers convertis légitimes à Éphèse.

Paul établit l'église à Éphèse (19.8-22)

[8]Ensuite Paul entra dans la synagogue, où il parla librement. Pendant trois mois, il discourut sur les choses qui concernent le royaume de Dieu, s'efforçant de persuader ceux qui l'écoutaient. [9]Mais, comme quelques-uns restaient endurcis et incrédules, décriant devant la multitude la voie du Seigneur, il se retira d'eux, sépara les disciples, et enseigna chaque jour dans l'école d'un nommé Tyrannus. [10]Cela dura deux ans, de sorte que tous ceux qui habitaient l'Asie, Juifs et Grecs, entendirent la parole du Seigneur.
- Actes 19.8-10

On voit encore une fois le patron familier de Paul qui prêche d'abord aux Juifs, et quand ceux-ci réagissent négativement, redirige ses efforts vers les gentils. Luc écrit que Paul a passé deux ans à Éphèse, prêchant aux gentils avec succès, et que l'évangile a rayonné de ce centre économique et politique partout dans les provinces romaines environnantes, probablement à travers les efforts de différents hommes formés et envoyés à partir de cet endroit.

Luc mentionne que Paul a fait de nombreux miracles et que Dieu faisait des miracles extraordinaires par ses mains, au point où certains hommes tentaient (sans succès) d'utiliser son nom pour produire de tels miracles. Les résultats de son ministère étaient vus non seulement par des conversions et des guérisons mais par le fait que plusieurs de ceux qui avaient exercé les arts magiques ont brulé leurs livres de magie et se sont tournés vers le Seigneur avec foi. Paul, en voyant son travail et l'église bien établis, a formé le projet de revisiter les églises qu'il avait déjà plantées dans la région de la Macédoine (Philippes, Thessalonique, Bérée) et dans la région de l'Achaïe (Corinthe, Athènes) avant de retourner à Jérusalem et possiblement d'entreprendre un quatrième voyage missionnaire, vers Rome cette fois.

Alors qu'il était en train de contempler ces choses des difficultés ont surgi, non pas des Juifs qui étaient son opposition habituelle, mais des gentils de la région dont la vie avait été affectée par sa prédication et par les enseignements du Christ.

Une émeute à Éphèse (19.23-41)

Éphèse était à l'époque une ville importante de cette région, et servait de port d'entrée principal en Asie mineure, la Turquie d'aujourd'hui. Il y avait un grand boulevard large de 21 mètres qui traversait toute la ville dont la population était d'environ 300,000 personnes. De nombreuses rues étaient bordées de marbre et avaient des bains publiques, et le théâtre pouvait contenir 50,000 spectateurs. Le temple de Diane (nommée Artémis chez les Grecs) se trouvait à Éphèse et il était considéré l'une des sept merveilles du monde de l'Antiquité. Dans la mythologie grecque, Diane était décrite comme la fille de Zeus et de Léto (ou Latone), la jumelle d'Apollon. Elle était vénérée comme la déesse de la chasse, des animaux sauvages, des douleurs maternelles et la protectrice des jeunes vierges. Autour du temple se trouvait une communauté d'artisans qui gagnaient leur vie à fabriquer des pièces de monnaie, des statues et autres artefacts en l'honneur de Diane. Ils avaient formé une guilde et avaient une influence considérable dans une ville comme Éphèse où la culture, la religion et la politique étaient entremêlées pour former l'ensemble de la société.

Dans cette culture est venu Paul. Pendant deux ans il y prêche et y enseigne qu'il n'y a qu'un seul Dieu (et que ce n'est pas Diane), et que l'adoration et l'obéissance à Dieu sont exprimées par l'obéissance à Jésus, que le style de vie chrétien exige l'abandon des idoles sans valeur telles Diane, et la consécration de la vie et des ressources à Jésus et non au temple de Diane ou aux objets religieux qui y étaient vendus. Des problèmes étaient inévitables.

> [23]Il survint, à cette époque, un grand trouble au sujet de la voie du Seigneur. [24]Un nommé Démétrius, orfèvre, fabriquait en argent des temples de Diane, et procurait à ses ouvriers un gain considérable. [25]Il les rassembla, avec ceux du même métier, et dit: O hommes, vous savez que notre bien-être dépend de cette industrie; [26]et vous voyez et entendez que, non seulement à Éphèse, mais dans presque toute l'Asie, ce Paul a persuadé et détourné une foule de gens, en disant que les dieux faits de main d'homme ne sont pas des dieux. [27]Le danger qui en résulte, ce n'est pas seulement que notre industrie ne tombe en discrédit; c'est encore que le temple de la grande déesse Diane ne soit tenu pour rien, et même que la majesté de celle qui est révérée dans toute l'Asie et dans le monde entier ne soit réduite à néant.
> - Actes 19.23-27

Luc décrit l'émeute et les menaces formulées contre Paul alors que la foule entraîne avec elle au théâtre certains des compagnons d'œuvre de Paul dans le désordre, les cris et la confusion. Éventuellement un secrétaire de la ville apaise la foule et les avertit qu'ils pourraient être accusés de sédition par les dirigeants romains n'ayant aucun motif pour justifier leur attroupement. Cet événement signale à Paul qu'il est temps de quitter Éphèse et d'aller ailleurs pour continuer son ministère.

Paul à Troas (20.1-12)

Luc résume le voyage de Paul à travers la Macédoine alors qu'il encourage les églises et évite un autre complot contre lui par les Juifs. Il se rend éventuellement à Troas, le lieu où il avait reçu la vision qui l'a amené à son ministère fructueux en Macédoine et en Achaïe plusieurs années auparavant.

> [7]Le premier jour de la semaine, nous étions réunis pour rompre le pain. Paul, qui devait partir le

lendemain, s'entretenait avec les disciples, et il prolongea son discours jusqu'à minuit. [8]Il y avait beaucoup de lampes dans la chambre haute où nous étions assemblés. [9]Or, un jeune homme nommé Eutychus, qui était assis sur la fenêtre, s'endormit profondément pendant le long discours de Paul; entraîné par le sommeil, il tomba du troisième étage en bas, et il fut relevé mort. [10]Mais Paul, étant descendu, se pencha sur lui et le prit dans ses bras, en disant: Ne vous troublez pas, car son âme est en lui. [11]Quand il fut remonté, il rompit le pain et mangea, et il parla longtemps encore jusqu'au jour. Après quoi il partit. [12]Le jeune homme fut ramené vivant, et ce fut le sujet d'une grande consolation.
- Actes 20.7-12

Luc décrit ce miracle de manière si banale (un jeune homme meurt quand il tombe du troisième étage et il est simplement ramené à la vie). Il sait décrire de grands événements spirituels de manière naturelle, familière et réelle: bien que cet événement se soit passé dans une culture et un temps lointains, on peut facilement imaginer une étude biblique, un groupe de personnes et même l'endormissement du jeune homme.

Les adieux de Paul à Éphèse (20.13-38)

L'auteur continue son récit méticuleux des mouvements de Paul en décrivant les détails du voyage de l'apôtre d'Éphèse à travers la Macédoine, de retour à Troas et maintenant à Milet, une ville côtière au sud d'Éphèse.

En Actes 20.16 on apprend que Paul vise à être de retour à Jérusalem pour la Pentecôte, un voyage qui lui causera éventuellement beaucoup de souffrances. Une fois à Milet, Paul appelle les anciens d'Éphèse pour discuter avec eux de plusieurs questions importantes.

Sa situation personnelle

[17]Cependant, de Milet Paul envoya chercher à Éphèse les anciens de l'Église. [18]Lorsqu'ils furent arrivés vers lui, il leur dit: Vous savez de quelle manière, depuis le premier jour où je suis entré en Asie, je me suis sans cesse conduit avec vous, [19]servant le Seigneur en toute humilité, avec larmes, et au milieu des épreuves que me suscitaient les embûches des Juifs. [20]Vous savez que je n'ai rien caché de ce qui vous était utile, et que je n'ai pas craint de vous prêcher et de vous enseigner publiquement et dans les maisons, [21]annonçant aux Juifs et aux Grecs la repentance envers Dieu et la foi en notre Seigneur Jésus Christ. [22]Et maintenant voici, lié par l'Esprit, je vais à Jérusalem, ne sachant pas ce qui m'y arrivera; [23]seulement, de ville en ville, l'Esprit Saint m'avertit que des liens et des tribulations m'attendent. [24]Mais je ne fais pour moi-même aucun cas de ma vie, comme si elle m'était précieuse, pourvu que j'accomplisse ma course avec joie, et le ministère que j'ai reçu du Seigneur Jésus, d'annoncer la bonne nouvelle de la grâce de Dieu. [25]Et maintenant voici, je sais que vous ne verrez plus mon visage, vous tous au milieu desquels j'ai passé en prêchant le royaume de Dieu. [26]C'est pourquoi je vous déclare aujourd'hui que je suis pur du sang de vous tous, [27]car je vous ai annoncé tout le conseil de Dieu, sans en rien cacher.
- Actes 20.17-27

Paul commence par réviser et confirmer la base de son ministère parmi eux qui était de leur prêcher l'évangile. Il déclare l'avoir fait avec une confiance absolue en sa vérité et en sa puissance. Il révèle aussi que l'Esprit le pousse à retourner à Jérusalem (s'il n'en tenait qu'à lui, il continuerait à établir des églises en terrain missionnaire; Jérusalem est le territoire de Pierre et des autres apôtres). Il révèle aussi que des épreuves et des tribulations l'y attendent. Paul déclare enfin qu'il s'agit là d'adieux et leur rappelle qu'il leur a prêché l'évangile au complet et le leur a confirmé par sa vie afin que personne ne puisse le blâmer s'ils n'obtiennent pas le salut.

Avertissement

> [28]Prenez donc garde à vous-mêmes, et à tout le troupeau sur lequel le Saint Esprit vous a établis évêques, pour paître l'Église du Seigneur, qu'il s'est acquise par son propre sang. [29]Je sais qu'il s'introduira parmi vous, après mon départ, des loups cruels qui n'épargneront pas le troupeau, [30]et qu'il s'élèvera du milieu de vous des hommes qui enseigneront des choses pernicieuses, pour entraîner les disciples après eux. [31]Veillez donc, vous souvenant que, durant trois années, je n'ai cessé nuit et jour d'exhorter avec larmes chacun de vous. [32]Et maintenant je vous recommande à Dieu et à la parole de sa grâce, à celui qui peut édifier et donner l'héritage avec tous les sanctifiés.
> - Actes 20.28-32

Les commentaires de Paul quant à son travail et à sa conduite personnelle ne sont pas de la vantardise mais une exhortation pour ces hommes dans leur rôle d'anciens dans l'Église du Seigneur. Il leur dit, en fait, de l'imiter. Dans ces versets il les avertit d'être prudents et attentifs à leur responsabilité principale de protéger l'église des faux enseignants et de leurs enseignements. Il est intéressant que Paul se serve de trois termes différents en faisant référence à ces hommes et à leur ministère:

1. V. 17: Ancien - homme mûr, plus âgé

2. V. 28: Évêques - tuteur, chef

3. V. 28: Pasteur ("pour paître l'église") - soignant, leader

Dans l'Église primitive, tous ces termes faisaient référence aux mêmes personnes: ceux qui étaient chargés du leadership dans l'église locale. Un "ancien" dénotait son âge et son expérience. Un "évêque" faisait référence à son autorité et à ses responsabilités. Un pasteur ou celui qui "fait paître" décrivait son travail et son ministère. Longtemps après, les églises ont approprié ces noms pour décrire de différentes positions d'autorité contrairement aux Écritures. Par exemple, ils utilisent le terme pasteur ou prêtre pour faire référence à un ministre local ou à un évangéliste, celui d'évêque pour identifier un responsable pour plusieurs congrégations ou pour une région géographique. Avec le temps, de nouveaux titres ont aussi été inventés pour décrire des hommes qui exercent l'autorité au delà de la congrégation locale: archevêque, cardinal, pape, etc. Ce départ des Écritures a même amené certains groupes à utiliser des femmes et aussi des homosexuels ou des lesbiennes à servir en tant qu'évêques pour certaines dénominations.

Le Nouveau Testament enseigne toutefois que chaque congrégation doit avoir ses propres anciens/ évêques/ pasteurs ainsi que des diacres et des évangélistes/prédicateurs, et que ceux-ci ont la responsabilité du leadership pour une congrégation seulement. Une partie de l'effort de la congrégation à laquelle j'appartiens et où je sers (l'église du Christ à Choctaw) est de restaurer la structure et l'ordre de l'église tels qu'ils ont été donnés dans le Nouveau Testament. Cette idée de suivre attentivement la parole de Dieu est exactement ce que Paul encourage les anciens d'Éphèse à faire s'ils veulent maintenir l'intégrité spirituelle et biblique de l'église pour laquelle ils ont été nommés leaders par le Saint Esprit. Chaque ancien/évêque/pasteur depuis ce temps a reçu de Dieu à travers Sa parole la charge d'assumer la même tâche, soit de garder les enseignements du Nouveau Testament et de maintenir le plan qui s'y trouve pour l'organisation et la croissance de l'église locale. C'est la seule manière de reproduire l'Église du Nouveau Testament dans l'âge moderne et dans tout âge jusqu'au retour de Jésus.

> ³²Et maintenant je vous recommande à Dieu et à la parole de sa grâce, à celui qui peut édifier et donner l'héritage avec tous les sanctifiés. ³³Je n'ai désiré ni l'argent, ni l'or, ni les vêtements de personne. ³⁴Vous savez vous-mêmes que ces mains ont pourvu à mes besoins et à ceux des personnes qui étaient avec moi. ³⁵Je vous ai montré de toutes manières que c'est en travaillant ainsi qu'il faut soutenir les faibles, et se rappeler les paroles du Seigneur, qui a dit lui-même: Il y a plus de bonheur à donner qu'à recevoir. ³⁶Après avoir ainsi parlé, il se mit à genoux, et il pria avec eux tous. ³⁷Et tous fondirent en larmes, et, se jetant au cou de Paul, ³⁸ils l'embrassaient, affligés surtout de ce qu'il avait dit qu'ils ne verraient plus son visage. Et ils l'accompagnèrent jusqu'au navire.
>
> - Actes 20.32-38

Luc finit le chapitre avec l'encouragement final de Paul à ces anciens à servir comme lui (sans gains financiers) et à être généreux (il cite Jésus: "Il y a plus de bonheur à donner qu'à recevoir." - v. 35). La scène se termine avec des adieux émotionnels et Luc note que ce sera la dernière fois que ces frères verront Paul.

Le voyage à Jérusalem (21.1-14)

Luc esquisse légèrement le voyage de retour de Paul à Jérusalem et les problèmes qui l'y attendent. Paul reçoit plusieurs avertissements de ne pas y retourner mais il est déterminé à atteindre la ville.

> ⁷Achevant notre navigation, nous allâmes de Tyr à Ptolémaïs, où nous saluâmes les frères, et passâmes un jour avec eux. ⁸Nous partîmes le lendemain, et nous arrivâmes à Césarée. Étant entrés dans la maison de Philippe l'évangéliste, qui était l'un des sept, nous logeâmes chez lui. ⁹Il avait quatre filles vierges qui prophétisaient. ¹⁰Comme

nous étions là depuis plusieurs jours, un prophète, nommé Agabus, descendit de Judée, [11]et vint nous trouver. Il prit la ceinture de Paul, se lia les pieds et les mains, et dit: Voici ce que déclare le Saint Esprit: L'homme à qui appartient cette ceinture, les Juifs le lieront de la même manière à Jérusalem, et le livreront entre les mains des païens. [12]Quand nous entendîmes cela, nous et ceux de l'endroit, nous priâmes Paul de ne pas monter à Jérusalem. [13]Alors il répondit: Que faites-vous, en pleurant et en me brisant le coeur? Je suis prêt, non seulement à être lié, mais encore à mourir à Jérusalem pour le nom du Seigneur Jésus. [14]Comme il ne se laissait pas persuader, nous n'insistâmes pas, et nous dîmes: Que la volonté du Seigneur se fasse!
- Actes 21.7-14

On remarque que Luc s'inclut dans le groupe qui avertit Paul (il écrit "nous"), et se place ainsi dans la narration. Cela explique sa connaissance de tous les détails du voyage de Paul.

Leçons

Je veux tirer quelques leçons de notre étude mais chacune est reliée à Apollos, l'orateur et l'enseignant bien éduqué qui a reçu l'évangile d'un humble faiseur de tentes et de sa femme, celle-ci lui enseignant probablement l'évangile au complet.

Dieu abaisse Ses serviteurs peu importe comment ils sont grands

Pour qu'Apollos puisse grandir dans son service à Dieu, ce grand homme a d'abord dû s'abaisser pour recevoir ce qui lui manquait. L'humilité est nécessaire pour celui qui veut servir efficacement au nom du Seigneur.

Prêchez et enseignez ce que vous savez parce que vous ne saurez jamais tout

Il manquait à Apollos de l'information importante au sujet de Jésus et de l'évangile mais il s'est quand même lancé dans l'enseignement et Dieu a ajouté ce qui lui manquait au temps nécessaire. Malheureusement on utilise parfois un manque de connaissance comme excuse pour ne pas servir du tout.

Passage à lire : Actes 21.15-23.11

Questions à discuter

1. Expliquez la différence entre le baptême de Jean et le baptême de Jésus. Pourquoi les douze disciples ont-ils dû être rebaptisés mais non pas Apollos?

2. Comment expliqueriez-vous que la capacité de guérir miraculeusement ou de parler en langues n'est plus disponible? À votre avis, comment expliquez-vous le fait que beaucoup croient encore que les pouvoirs miraculeux existent encore de nos jours?

3. Expliquez comment la Bible remplace la capacité de faire des miracles ou de prophétiser dans le travail continu de l'Église.

23.
L'ARRESTATION ET L'EMPRISONNEMENT DE PAUL
- 1e PARTIE

ACTES 21.15-23.11

Nous nous sommes arrêtés alors que Paul, qui avait complété son troisième voyage missionnaire, était en route pour Jérusalem. Il avait été averti par plusieurs personnes que des problèmes, sous forme d'arrestation, l'y attendaient mais cela ne le dissuade pas de s'y rendre.

Nous voici donc à la section du livre des Actes qui traite de son arrestation et de son emprisonnement qui commence à Jérusalem.

Paul à Jérusalem - Actes 21.15-26

[15]Après ces jours-là, nous fîmes nos préparatifs, et nous montâmes à Jérusalem. [16]Quelques disciples de Césarée vinrent aussi avec nous, et nous conduisirent chez un nommé Mnason, de l'île de Chypre, ancien disciple, chez qui nous devions loger. [17]Lorsque nous arrivâmes à Jérusalem, les frères nous reçurent avec joie. [18]Le lendemain, Paul se rendit avec nous chez Jacques, et tous les anciens s'y réunirent. [19]Après les avoir salués, il

> raconta en détail ce que Dieu avait fait au milieu
> des païens par son ministère. [20]Quand ils l'eurent
> entendu, ils glorifièrent Dieu.
> - Actes 21.15-20a

Encore une fois, Luc inclut des menus détails au sujet du court voyage de Césarée (où Paul demeure chez Philippe, un des sept diacres originaux, et ses quatre filles, v. 8-9); il nomme ensuite d'autres personnes qu'il a vues et un autre lieu où ils ont passé la nuit (chez Mnason de Chypre). Il ne s'agit pas là de doctrines ni d'aperçus théologiques importants mais plutôt de simples détails qui donnent aux lecteurs la crédibilité historique, sociale et culturelle, même maintenant. Des choses spectaculaires prennent place, des miracles, des langues et des guérisons, mais elles sont entourées d'activités de tous les jours (comment ils voyagent, où ils restent, etc.) et cela donne l'authenticité et la normalité aux écrits de Luc, en faisant une narration ordonnée qui décrit la vie et le ministère de Pierre et de Paul quand ils ont établi l'Église primitive.

On note aussi le patron qui y est établi pour le travail et la coopération entre le missionnaire, la congrégation qui l'envoie et les nouvelles congrégations qu'il établit:

1. **L'église envoie:** on note qu'en Actes 13 c'était l'église qui avait envoyé Barnabas et Paul en terrain missionnaire (Actes 13.1-3). Et bien que Paul avait reçu son appel directement de Dieu, il n'a pas agi jusqu'à ce que l'église l'envoie.

2. **Le missionnaire plante les églises:** qu'il s'agisse d'un missionnaire ou de toute une équipe, le but de ceux qui sont envoyés n'est pas de faire du bénévolat, d'enseigner des langues ou de donner des soins médicaux; le rôle des missionnaires est de planter des églises. Ces autres activités peuvent faire partie d'une stratégie plus vaste mais ne sont pas l'objectif du travail de mission.

3. **L'église qui envoie supervise aussi:** Paul est retourné à Antioche et a rendu compte de son travail à l'église qui l'avait envoyé, et cette fois-ci aussi à l'église à Jérusalem parce que les leaders avaient donné leur assentiment pour son travail parmi les gentils. Les églises que Paul a plantées étaient équipées de leurs propres dirigeants à mesure qu'elles grandissaient en maturité (Tite 1.5), mais Paul continuait à donner un compte-rendu de son travail aux églises qui l'avaient envoyé originalement et qui avaient donné leur bénédiction pour sa mission.

Luc décrit la scène où Paul détaille attentivement son ministère parmi les gentils. Les leaders à Jérusalem soulèvent alors une question qui se pose parmi les chrétiens qui se sont convertis du judaïsme.

> [20b]Puis ils lui dirent: Tu vois, frère, combien de milliers de Juifs ont cru, et tous sont zélés pour la loi. [21]Or, ils ont appris que tu enseignes à tous les Juifs qui sont parmi les païens à renoncer à Moïse, leur disant de ne pas circoncire les enfants et de ne pas se conformer aux coutumes.
> - Actes 21:20[b]

Beaucoup des premiers Juifs convertis au christianisme continuaient à garder les coutumes et les pratiques religieuses juives: ils maintenaient les restrictions alimentaires (c'est à dire qu'ils s'abstenaient de manger du porc), ils pratiquaient la circoncision, ils allaient au temple, etc. Ces activités étaient permises dans la jeune église parce que la religion et la culture juives étaient tellement entremêlées. La seule restriction, par ordre des apôtres (Actes 15), était que ces choses ne pouvaient être imposées aux autres croyants juifs ou gentils comme des conditions pour le salut (comme les judaïsants avaient essayé de le faire). Après la destruction du temple en 70 après J.-C., le christianisme était de plus en plus considéré comme une religion distincte du judaïsme et l'observation des coutumes juives par les convertis de cette foi a éventuellement cessé.

Cependant comme ce passage l'indique, cette pratique est bien vivante au temps du ministère de Paul. Le problème semble résulter de ceux qui répandaient des accusations malicieuses contre Paul en disant qu'il forçait les convertis juifs à abandonner leurs traditions et leurs coutumes pour devenir chrétiens. On l'accusait d'enseigner exactement l'opposé de ce que les judaïsants avaient enseigné:

1. Les judaïsants enseignaient qu'il fallait garder les coutumes juives (c'est à dire la circoncision) pour devenir chrétien.

2. Les accusateurs disaient que Paul enseignait qu'il fallait abandonner les coutumes juives (c'est à dire la circoncision) pour devenir chrétien.

La vérité, évidemment, était que pour devenir chrétien il fallait croire que Jésus était le Fils de Dieu et exprimer cette foi par la repentance et le baptême (Actes 2.38). Que l'on garde les coutumes juives ou non était sans importance parce qu'en devenant chrétien on devenait acceptable à Dieu à cause de la foi en Christ et non à cause des coutumes religieuses maintenues ou abandonnées. Paul l'explique en détail en Romains 14.

En cette occasion particulière toutefois, ces accusations résultent en des problèmes dans les églises composées principalement de ces chrétiens juifs (surtout les congrégations à Jérusalem et aux alentours). Les dirigeants proposent donc la solution suivante: que Paul se joigne à quatre chrétiens juifs de Jérusalem qui avaient fait un vœu selon la loi et les coutumes juives et qui allaient sous peu le compléter.

Le but de ceux qui ont fait des vœux était de remercier Dieu pour des prières exaucées ou des bénédictions reçues ou pour présenter certaines demandes. Les vœux étaient volontaires de nature mais la Loi réglementait comment ils devaient être accomplis (Nombres 6.1-12). Pendant le temps du vœu, habituellement trois mois, une personne laissait pousser ses cheveux, ne buvait pas d'alcool et prenait soin de ne pas venir en contact avec un mort (même un parent). S'il brisait son vœu de quelque manière, même par accident, il fallait le reprendre à nouveau. Une fois le temps complété, il rasait ses cheveux et les brûlait sur l'autel avec le sacrifice d'un animal quelconque (Lenski, Commentaire sur les Actes des apôtres, p. 882). La proposition des anciens, donc, est que Paul se joigne à ces hommes chrétiens juifs pour la dernière semaine de leur vœu et le complète en payant l'offrande nécessaire pour chacun d'eux. Étant donné qu'il était bien connu et observé de près, la participation de Paul à ces coutumes juives éteindrait le bavardage et les accusations à son sujet. Bien sûr, cette action était en accord avec l'attitude de Paul à ce sujet, écrite dans sa lettre aux Corinthiens.

> [19]Car, bien que je sois libre à l'égard de tous, je me suis rendu le serviteur de tous, afin de gagner le plus grand nombre. [20]Avec les Juifs, j'ai été comme Juif, afin de gagner les Juifs; avec ceux qui sont sous la loi, comme sous la loi (quoique je ne sois pas moi-même sous la loi), afin de gagner ceux qui sont sous la loi; [21]avec ceux qui sont sans loi, comme sans loi (quoique je ne sois point sans la loi de Dieu, étant sous la loi de Christ), afin de gagner ceux qui sont sans loi.
> - 1 Corinthiens 9.19-21

C'est pendant qu'ils complètent ces vœux au temple que Paul est arrêté.

Arrestation et emprisonnement de Paul - Actes 21.27-40

> [27]Sur la fin des sept jours, les Juifs d'Asie, ayant vu Paul dans le temple, soulevèrent toute la foule, et mirent la main sur lui, [28]en criant: Hommes Israélites, au secours! Voici l'homme qui prêche partout et à tout le monde contre le peuple, contre

la loi et contre ce lieu; il a même introduit des Grecs dans le temple, et a profané ce saint lieu. [29]Car ils avaient vu auparavant Trophime d'Éphèse avec lui dans la ville, et ils croyaient que Paul l'avait fait entrer dans le temple. [30]Toute la ville fut émue, et le peuple accourut de toutes parts. Ils se saisirent de Paul, et le traînèrent hors du temple, dont les portes furent aussitôt fermées.
- Actes 21.27-30

En dépit de ses meilleurs efforts, Paul est saisi par la foule et accusé faussement d'avoir profané le temple. Les gentils convertis au judaïsme pouvaient entrer dans la cour des gentils mais pas plus loin dans le temple qui était réservé aux Juifs, hommes et femmes. Il y avait des avertissements aux gentils que de traverser le seuil et d'entrer dans la section juive était punissable de mort. Paul étant Juif pouvait naturellement aller dans la section juive avec les quatre chrétiens juifs pour offrir le sacrifice et compléter leurs vœux.

Des Juifs d'Asie (les Juifs éphésiens qui y avaient fomenté des problèmes) reconnaissent Trophimus, un chrétien gentil, qui est aussi de l'église d'Éphèse et qui a accompagné Paul à Jérusalem. Trophimus n'est pas l'un de ceux qui ont fait un vœu, mais il est vu avec Paul dans la ville. Ils utilisent cela comme prétexte d'accuser Paul d'avoir à la fois manqué de respect à la loi et aux coutumes juives et aussi d'avoir amené un gentil dans la section interdite du temple. Luc décrit qu'on saisit Paul et qu'une émeute s'ensuit (Actes 21.31-36). On commence à le battre mais il est sauvé par des soldats romains qui l'arrêtent et l'amènent ailleurs en sécurité. Paul, qui ne veut manquer aucune occasion de parler et de prêcher à ses compatriotes juifs, demande au tribun la permission de s'adresser à la foule.

[37]Au moment d'être introduit dans la forteresse, Paul dit au tribun: M'est-il permis de te dire quelque chose? Le tribun répondit: Tu sais le grec? [38]Tu n'es donc pas cet Égyptien qui s'est révolté dernièrement, et qui a emmené dans le

désert quatre mille brigands? [39]Je suis Juif, reprit Paul, de Tarse en Cilicie, citoyen d'une ville qui n'est pas sans importance. Permets-moi, je te prie, de parler au peuple. [40]Le tribun le lui ayant permis, Paul, debout sur les degrés, fit signe de la main au peuple. Un profond silence s'établit, et Paul, parlant en langue hébraïque, dit:
- Actes 21.37-40

Quand le tribun se rend compte que Paul n'est pas un fauteur de trouble mais un citoyen romain (qui ne pouvait être arrêté ni puni sans un procès selon la loi romaine), il lui permet de parler.

La défense de Paul devant les Juifs - Actes 22.1-30

Le discours de Paul est un récit de sa vie passée, un pharisien bien éduqué, déterminé à détruire la foi chrétienne et ceux qui la poursuivent. Il décrit ensuite sa rencontre avec le Seigneur sur la route de Damas, son baptême et plus tard la vision qu'il a eue dans le temple où Dieu a renouvelé la mission originale pour laquelle il avait été appelé, c'est à dire d'apporter l'évangile aux gentils. Étant Juif, Paul est naturellement retourné à Jérusalem après sa conversion pour prêcher à ses compatriotes, pensant que sa vie passée et sa conversion seraient un témoignage convainquant pour les amener au Christ. Dieu toutefois dit à Paul que les Juifs ne l'accepteront pas et qu'il doit par conséquent apporter l'évangile aux gentils, qui l'accepteront.

À la mention des gentils, l'émeute reprend encore une fois.

[22]Ils l'écoutèrent jusqu'à cette parole. Mais alors ils élevèrent la voix, disant: Ôte de la terre un pareil homme! Il n'est pas digne de vivre. [23]Et ils poussaient des cris, jetaient leurs vêtements, lançaient de la poussière en l'air. [24]Le tribun commanda de faire entrer Paul dans la forteresse,

et de lui donner la question par le fouet, afin de savoir pour quel motif ils criaient ainsi contre lui. [25]Lorsqu'on l'eut exposé au fouet, Paul dit au centenier qui était présent: Vous est-il permis de battre de verges un citoyen romain, qui n'est pas même condamné? [26]A ces mots, le centenier alla vers le tribun pour l'avertir, disant: Que vas-tu faire? Cet homme est Romain. [27]Et le tribun, étant venu, dit à Paul: Dis-moi, es-tu Romain? Oui, répondit-il. [28]Le tribun reprit: C'est avec beaucoup d'argent que j'ai acquis ce droit de citoyen. Et moi, dit Paul, je l'ai par ma naissance. [29]Aussitôt ceux qui devaient lui donner la question se retirèrent, et le tribun, voyant que Paul était Romain, fut dans la crainte parce qu'il l'avait fait lier. [30]Le lendemain, voulant savoir avec certitude de quoi les Juifs l'accusaient, le tribun lui fit ôter ses liens, et donna l'ordre aux principaux sacrificateurs et à tout le sanhédrin de se réunir; puis, faisant descendre Paul, il le plaça au milieu d'eux.
- Actes 22.22-30

On voit ici l'importance de la citoyenneté romaine de Paul alors que le tribun pause l'interrogation et la torture illégale qu'ils allaient lui infliger. La citoyenneté de Paul était probablement héritée de son père qui était citoyen d'une ville située dans la province romaine de Cilicie (Tarse). Le père de Paul aurait obtenu sa citoyenneté en résultat de son service ou du service de sa ville à Rome.

Le fait de déclarer sa citoyenneté est suffisant pour arrêter les procédures. Le tribun accepte la parole de Paul, étant donné que de faire une fausse déclaration de la sorte serait punissable de mort selon la loi romaine, et que les soldats avaient le temps de vérifier cette affirmation vu qu'il était déjà sous leur garde. S'ils étaient dans l'erreur à son sujet, leur arrestation et leur torture d'un vrai citoyen romain les rendraient coupables d'un crime sérieux.

Ils arrivent à un compromis quand ils décident de le relâcher de ses chaînes et de le remettre aux dirigeants juifs pour l'interrogation étant donné que cela leur semble une question religieuse concernant les Juifs et leurs croyances. Les soldats savent que Paul n'a commis aucun crime contre la loi romaine, alors leur permission aux Juifs de le questionner résoudrait peut-être la question et clarifierait aussi pourquoi la foule juive veut le tuer.

Paul devant le Conseil juif - Actes 23.1-11

> [1]Paul, les regards fixés sur le sanhédrin, dit: Hommes frères, c'est en toute bonne conscience que je me suis conduit jusqu'à ce jour devant Dieu... [2]Le souverain sacrificateur Ananias ordonna à ceux qui étaient près de lui de le frapper sur la bouche. [3]Alors Paul lui dit: Dieu te frappera, muraille blanchie! Tu es assis pour me juger selon la loi, et tu violes la loi en ordonnant qu'on me frappe! [4]Ceux qui étaient près de lui dirent: Tu insultes le souverain sacrificateur de Dieu! [5]Et Paul dit: Je ne savais pas, frères, que ce fût le souverain sacrificateur; car il est écrit: Tu ne parleras pas mal du chef de ton peuple.
> - Actes 23.1-5

Paul n'est pas aussi bien traité par le Conseil qu'il l'avait été par les Romains (il est giflé), et il est battu pour avoir violé la loi juive! Sa réponse est de dénoncer l'hypocrisie de celui qui devrait soutenir la loi alors qu'il utilise sa position pour la violer avec impunité. La charge de Paul est que Dieu jugera cette action. Quand on lui dit que l'ordre a été donné par le souverain sacrificateur, Paul s'excuse pour s'être exprimé contre la position, non pas contre l'homme, parce que la loi dit que si une offense est commise par quelqu'un dans cette position, il faut le supporter par respect pour la position et avoir confiance que Dieu fera justice de manière et au temps appropriés dans le futur (Exode 22.28).

Luc n'enregistre que le commencement et la fin de l'enquête. Il ne s'agissait pas d'un procès officiel, seulement d'une enquête demandée et organisée par le tribun pour trouver une charge possible contre Paul qui serait légale dans une cour romaine. Luc ne fournit aucun détail quant aux questions, aux réponses et aux commentaires.

> [6]Paul, sachant qu'une partie de l'assemblée était composée de sadducéens et l'autre de pharisiens, s'écria dans le sanhédrin: Hommes frères, je suis pharisien, fils de pharisien; c'est à cause de l'espérance et de la résurrection des morts que je suis mis en jugement. [7]Quand il eut dit cela, il s'éleva une discussion entre les pharisiens et les sadducéens, et l'assemblée se divisa. [8]Car les sadducéens disent qu'il n'y a point de résurrection, et qu'il n'existe ni ange ni esprit, tandis que les pharisiens affirment les deux choses. [9]Il y eut une grande clameur, et quelques scribes du parti des pharisiens, s'étant levés, engagèrent un vif débat, et dirent: Nous ne trouvons aucun mal en cet homme; peut-être un esprit ou un ange lui a-t-il parlé. [10]Comme la discorde allait croissant, le tribun craignant que Paul ne fût mis en pièces par ces gens, fit descendre les soldats pour l'enlever du milieu d'eux et le conduire à la forteresse.
> - Actes 23.6-10

Luc décrit comment cet affrontement se termine en chaos. On a déjà noté les principales différences théologiques entre les sadducéens qui n'acceptent que la Pentateuque, les cinq premiers livres de la Bible, comme autoritaire et rejettent donc les prophéties, les esprits, les miracles et l'au-delà, et les pharisiens qui acceptent et croient à toutes ces choses. Luc décrit comment Paul, qui était auparavant pharisien, exploite intelligemment ces différences pour interrompre la réunion et désarmer ses ennemis juifs. Le conflit qui s'ensuit entre les deux groupes menace encore une fois de blesser Paul. Les soldats l'enlèvent de là pour sa sécurité, ce qui leur donne ainsi le temps de considérer leur prochaine action.

> La nuit suivante, le Seigneur apparut à Paul, et dit:
> Prends courage; car, de même que tu as rendu
> témoignage de moi dans Jérusalem, il faut aussi
> que tu rendes témoignage dans Rome.
> - Actes 23.11

L'information donnée ici concernant une vision ou une révélation reçue directement du Seigneur au sujet du ministère présent et futur de Paul ne peut être venue que de l'apôtre.

Leçons

Être patient pendant le processus de croissance chrétienne

A. Même si la Bible explique l'évangile en peu de mots:

- Jésus est Dieu fait homme.

- Il est mort pour les péchés de l'humanité.

- Il est ressuscité pour prouver qu'Il était Dieu.

- Le pardon et la vie éternelle sont offerts à ceux qui croient en Lui.

- La foi est exprimée par la repentance et le baptême.

Pour la plupart des gens, comprendre et répondre correctement à ces choses est un long processus qui peut prendre des années.

B. Même si la Bible décrit le chrétien mature en juste quelques lignes:

- Il est rempli de l'Esprit.

- Il connaît la Parole.

- Il montre une attitude humble et aimante.

- Il mène une vie remplie de service et de bonnes actions.

- Il reste fidèle et confiant dans le salut et la vie éternelle à venir.

Ces caractéristiques prennent toutefois beaucoup de temps à cultiver et à être enracinées dans nos vies personnelles.

Le fait que Paul a pris un vœu et s'est soumis au niveau de maturité de ceux qui étaient plus faibles que lui démontrait sa volonté d'être patient avec le processus de croissance d'autres chrétiens.

Notre réaction naturelle et charnelle à l'immaturité des autres est bien souvent de nous fâcher contre eux, de médire d'eux, de les ridiculiser ou tout simplement de les éviter. Être patient avec les autres pendant qu'ils grandissent en Christ garantit que le Seigneur continuera aussi à être patient avec nous pendant que nous traversons le même processus à un autre niveau.

Les voies de Dieu ne sont pas celles des hommes

Paul désirait apaiser ceux qui déclenchaient des problèmes dans son ministère. S'il arrivait à calmer les rumeurs et les médisances, il aurait l'occasion d'atteindre ses compatriotes (les Juifs) dans la ville au centre du judaïsme: Jérusalem, et une fois ce problème résolu, il pourrait alors aller prêcher dans la ville au centre du monde gentil: Rome. L'émeute et son arrestation doivent avoir été décourageantes parce qu'elles ont gâché ses projets.

Toutefois Dieu apparaît à Paul et lui rappelle que les buts sont encore les mêmes (prêcher à Jérusalem et à Rome), mais que cela sera fait selon Son plan et à Sa manière et non ceux de Paul. Par exemple, Paul est venu à bout de prêcher à une foule nombreuse dans le temple mais c'était occasionné par une émeute et son arrêt. Il prêchera aussi à Rome mais comme un prisonnier et non pas en homme libre.

Dieu se sert parfois de problèmes et de douleurs pour avancer Sa volonté non seulement pour nos vies mais aussi pour les vies des autres. Il ne faut pas nous mettre en colère et nous décourager lorsque des difficultés se présentent. Il vaut mieux attendre, être fidèles et attentifs pour pouvoir discerner ce que Dieu accomplit à travers nos souffrances ou nos désagréments. Parfois, le fait de simplement maintenir notre foi pendant que la tempête sévit est l'objectif même de Dieu.

Il faut se rappeler que Dieu utilise des manières différentes des nôtres pour accomplir des changements spirituels en nous.

Questions à discuter

1. Partagez votre expérience personnelle quand vous vous êtes refusé quelque chose simplement pour ne pas faire trébucher quelqu'un d'autre. Est-ce que cela a réussi? Comment vous êtes-vous senti quand vous l'avez fait?

2. À votre avis, quels sont les dangers de s'appointer soi-même aux rôles du ministère, tels ancien, diacre ou prédicateur? Partagez une histoire d'un dirigeant religieux que vous admirez et une de quelqu'un dont vous pensez qu'il n'a pas rempli son ministère. Qu'est-ce qui était différent entre les deux?

3. Avez-vous jamais été accusé injustement? Comment le Seigneur vous a-t-Il aidé durant ce temps?

24.
L'ARRESTATION ET L'EMPRISONNEMENT DE PAUL
- 2ᵉ PARTIE

ACTES 23.12-25.12

Nous voici à la deuxième de trois parties concernant la période longue et variée des emprisonnements de Paul. La première partie décrivait les événements qui ont mené à son sauvetage initial d'une foule en colère au temple de Jérusalem et à sa détention par des soldats romains. Il a essayé de s'adresser à la foule et on l'a amené devant les chefs juifs afin de trouver quelque charge contre lui. Ces tentatives ont échoué alors que la foule et les chefs religieux sont tombés en désarroi total au point où les soldats ont dû détenir Paul pour sauver sa vie.

Luc décrit maintenant le voyage de Paul à travers le système légal romain alors que s'accomplit la prophétie de Jésus de proclamer l'évangile à des gouverneurs et à des rois (Actes 23.11).

Le complot - Actes 23.12-35

> [12]Quand le jour fut venu, les Juifs formèrent un complot, et firent des imprécations contre eux-mêmes, en disant qu'ils s'abstiendraient de manger et de boire jusqu'à ce qu'ils eussent tué

Paul. [13]Ceux qui formèrent ce complot étaient plus de quarante, [14]et ils allèrent trouver les principaux sacrificateurs et les anciens, auxquels ils dirent: Nous nous sommes engagés, avec des imprécations contre nous-mêmes, à ne rien manger jusqu'à ce que nous ayons tué Paul. [15]Vous donc, maintenant, adressez-vous avec le sanhédrin au tribun, pour qu'il l'amène devant vous, comme si vous vouliez examiner sa cause plus exactement; et nous, avant qu'il approche, nous sommes prêts à le tuer. [16]Le fils de la soeur de Paul, ayant eu connaissance du guet-apens, alla dans la forteresse en informer Paul. [17]Paul appela l'un des centeniers, et dit: Mène ce jeune homme vers le tribun, car il a quelque chose à lui rapporter. [18]Le centenier prit le jeune homme avec lui, le conduisit vers le tribun, et dit: Le prisonnier Paul m'a appelé, et il m'a prié de t'amener ce jeune homme, qui a quelque chose à te dire. [19]Le tribun, prenant le jeune homme par la main, et se retirant à l'écart, lui demanda: Qu'as-tu à m'annoncer? [20]Il répondit: Les Juifs sont convenus de te prier d'amener Paul demain devant le sanhédrin, comme si tu devais t'enquérir de lui plus exactement. [21]Ne les écoute pas, car plus de quarante d'entre eux lui dressent un guet-apens, et se sont engagés, avec des imprécations contre eux-mêmes, à ne rien manger ni boire jusqu'à ce qu'ils l'aient tué; maintenant ils sont prêts, et n'attendent que ton consentement. [22]Le tribun renvoya le jeune homme, après lui avoir recommandé de ne parler à personne de ce rapport qu'il lui avait fait.
- Actes 23.12-22

En tant que converti juif le mieux connu et le plus éduqué, Paul est devenu la cible principale pour les dirigeants juifs. Il leur posait un danger pour plusieurs raisons:

1. Il était un pharisien respecté et un enseignant de la loi et il pouvait donc faire appel a tous les segments de la société juive avec l'évangile.

2. Il pouvait débattre avec succès contre les autres enseignants et les prêtres au sujet de Jésus comme Messie d'après les Écritures.

3. Il était bien connu à Jérusalem et à travers l'Empire par les Juifs, par les gentils convertis au judaïsme ainsi que par les Juifs et les gentils convertis au christianisme. Il attirait ainsi l'attention d'une façon dont les chefs juifs étaient incapables de le faire.

4. Sa conduite était irréprochable et il faisait des guérisons et des miracles.

5. Comme citoyen romain il avait la protection de la loi romaine; il était donc hors d'atteinte du pouvoir légal et politique du sanhédrin.

6. Étant accepté comme apôtre dans l'Église chrétienne, il avait de l'influence sur un nombre grandissant de croyants à Jérusalem. Cela menaçait le statu quo que les chefs juifs voulaient maintenir à tout prix (ils avaient tué Jésus; rien ne leur était donc impossible).

7. La chose qui les enrageait toutefois était que Paul était responsable d'avoir amené des gentils dans l'Église et encouragé les convertis juifs et gentils à adorer ensemble comme des égaux: "Il n'y a plus ni Juif ni Grec [...] car tous vous êtes un en Jésus Christ." (Galates 3.28).

Paul violait ainsi leur sens de privilège et de destinée en tant que peuple de Dieu, et il menaçait de détruire la pureté de leur religion qui consistait, selon leur pratique, à maintenir une exclusivité culturelle qu'ils confondaient avec la piété. Ils pensaient que de garder les gentils à l'écart était la manière de demeurer purs et de plaire à Dieu alors qu'en fait, leur tâche était d'amener les gentils au vrai Dieu vivant et de maintenir leur pureté tout en évitant leurs pratiques païennes. Autrement dit, ils devaient aimer et recevoir le pécheur (le gentil) et haïr le péché (ses pratiques et sa religion immorales païennes). En réalité, ils détestaient simplement les païens et marginalisaient les gentils convertis au judaïsme, créant ainsi un système de classes à l'intérieur de la religion juive où les prêtres et les pharisiens étaient au sommet et les gens, les pauvres, les boiteux, les pécheurs (par exemple Matthieu le collecteur de taxes) constituaient les classes inférieures dont les convertis gentils occupaient l'échelon inférieur.

Paul était leur ennemi juré parce qu'il prêchait que toutes ces gens tenaient la même position aux yeux de Dieu en Jésus Christ. Si ce message était accepté, ils craignaient que leur religion, leur position favorable et leur style de vie ne soient détruits. Connaître ces faits nous aide à comprendre leur zèle à comploter de le tuer.

Encore une fois Luc fournit de l'information personnelle en mentionnant le neveu de Paul qui l'avertit du complot. Il s'agit là d'un rare aperçu de la vie de famille de Paul que seul un proche comme Luc peut donner.

> [23]Ensuite il appela deux des centeniers, et dit: Tenez prêts, dès la troisième heure de la nuit, deux cents soldats, soixante-dix cavaliers et deux cents archers, pour aller jusqu'à Césarée. [24]Qu'il y ait aussi des montures pour Paul, afin qu'on le mène sain et sauf au gouverneur Félix. [25]Il écrivit une lettre ainsi conçue: [26]Claude Lysias au très excellent gouverneur Félix, salut! [27]Cet homme, dont les Juifs s'étaient saisis, allait être tué par eux, lorsque je survins avec des soldats et le leur enlevai, ayant appris qu'il était Romain. [28]Voulant connaître le motif pour lequel ils l'accusaient, je l'amenai devant leur sanhédrin. [29]J'ai trouvé qu'il était accusé au sujet de questions relatives à leur loi, mais qu'il n'avait commis aucun crime qui mérite la mort ou la prison. [30]Informé que les Juifs lui dressaient des embûches, je te l'ai aussitôt envoyé, en faisant savoir à ses accusateurs qu'ils

eussent à s'adresser eux-mêmes à toi. Adieu.[31]Les soldats, selon l'ordre qu'ils avaient reçu, prirent Paul, et le conduisirent pendant la nuit jusqu'à Antipatris.[32]Le lendemain, laissant les cavaliers poursuivre la route avec lui, ils retournèrent à la forteresse.[33]Arrivés à Césarée, les cavaliers remirent la lettre au gouverneur, et lui présentèrent Paul.[34]Le gouverneur, après avoir lu la lettre, demanda de quelle province était Paul. Ayant appris qu'il était de la Cilicie:[35]Je t'entendrai, dit-il, quand tes accusateurs seront venus. Et il ordonna qu'on le gardât dans le prétoire d'Hérode.
- Actes 23.23-35

Luc nomme le tribun (Claude Lysias), une autre figure historique et point de repère, et fournit la lettre à Félix, le gouverneur de Judée (le trésorier d'une province romaine). Il résume le cas (en omettant sa bévue d'avoir arrêté et tenté de torturer un citoyen romain) et informe Félix qu'il ne trouve aucune charge légale contre Paul. Toutefois, à cause de la violence des Juifs, il envoie Paul et ses accusateurs à Félix pour qu'il démêle le cas. C'est une question de juridiction. Si Paul est chargé, il faut décider du lieu et du juge. Félix accepte de superviser l'audience préliminaire afin de déterminer si des accusations peuvent être portées. Cependant, comme Paul est originaire d'une autre province romaine (la Cilicie) et il devra alors y être envoyé pour son procès si une loi a été enfreinte.

Paul devant Félix – Actes 24.1-27

Félix a obtenu sa position à travers son frère Pallas qui était secrétaire du trésor pendant le règne de l'Empereur Claude. Lui et son frère étaient des esclaves affranchis qui se sont éventuellement élevés au pouvoir dans le gouvernement romain. Félix était immoral, cruel et sujet aux pots de vin qui ont mené à la hausse du crime et à l'instabilité en Judée. L'historien romain Tacite a dit de Félix qu'il avait la position d'un roi mais le cœur d'un esclave. Il a régné de 52-58 après J.-C. Il vivait dans le palais d'Hérode situé à Césarée près de la mer qui était la résidence officielle du gouverneur, du préfet, du proconsul, du roi ou de l'officiel qui régnait sur la Judée au nom de Rome. Paul, qui n'avait été chargé d'aucun crime, était aussi gardé au palais (mais pas dans la prison) pendant qu'il attendait la formulation d'une charge quelconque contre lui.

(Actes 24.1-9) Les chefs juifs arrivent et leur procureur, Tertulle, fait trois accusations:

1. Paul excite des dissensions parmi tous les Juifs du monde.

2. Il est le chef d'une secte de renégats appelés ici les Nazaréens (référence à la ville natale de Jésus).

3. Il a tenté de profaner le temple.

Il y a bien sûr un élément de vérité dans ces accusations qui leur donne une certaine crédibilité:

1. Il y avait des dissensions parmi les Juifs, mais ils les avaient causées eux-mêmes en suivant et en persécutant Paul d'une ville à l'autre.

2. Il était un chef parmi plusieurs dans l'Église mais leur but n'était pas la rébellion contre le gouvernement.

3. Il était présent au temple mais il en respectait les lois et coutumes; il ne le profanait pas.

Le procureur ment aussi en ce qui a trait aux actions des Juifs en disant qu'ils avaient arrêté Paul et l'amenaient en cour pour être jugé alors qu'en vérité, ils avaient excité la foule contre lui et qu'ils allaient le tuer quand les soldats romains sont intervenus. Luc ajoute que les chefs juifs se sont joints à l'accusation.

Après une brève et respectueuse reconnaissance de Félix, Paul répond à chacune des accusations:

1. Causer des dissensions

> [10]Après que le gouverneur lui eut fait signe de parler, Paul répondit: Sachant que, depuis plusieurs années, tu es juge de cette nation, c'est avec confiance que je prends la parole pour défendre ma cause. [11]Il n'y a pas plus de douze jours, tu peux t'en assurer, que je suis monté à Jérusalem pour adorer. [12]On ne m'a trouvé ni dans le temple, ni dans les synagogues, ni dans la ville, disputant avec quelqu'un, ou provoquant un rassemblement séditieux de la foule. [13]Et ils ne sauraient prouver ce dont ils m'accusent maintenant.
> - Actes 24.10-13

Il nie la charge et met aussi ses accusateurs au défi de fournir des preuves.

2. Diriger une secte de renégats

> [14]Je t'avoue bien que je sers le Dieu de mes pères selon la voie qu'ils appellent une secte, croyant tout ce qui est écrit dans la loi et dans les prophètes, [15]et ayant en Dieu cette espérance, comme ils l'ont eux-mêmes, qu'il y aura une résurrection des justes et des injustes. [16]C'est pourquoi je m'efforce d'avoir constamment une conscience sans reproche devant Dieu et devant les hommes.
> - Actes 24.14-16

Ses accusateurs suggéraient que le christianisme était une forme de fanatisme qui menaçait la stabilité du peuple, et même pire, qui présentait un défi au règne romain. Jésus, leur leader de Nazareth, n'avait-Il pas été exécuté par un gouverneur précédent pour des crimes semblables? Paul soutient que sa foi n'est pas un défi aux règles laïques qui ont leur source et leur promesse dans la religion même de ses accusateurs, et aussi que son message de punition et de récompense au jugement à venir est familier à tous ceux qui sont présents. Il utilise même l'idée du jugement de Dieu pour se défendre en disant qu'en tant que chrétien fidèle, il ne commettrait pas de telles actions (causer des problèmes, attaquer le gouvernement, etc.) par motif de conscience.

3. Profaner le temple

Paul explique la raison pour laquelle il était au temple et soutient qu'il y était en raison de la loi et de ses coutumes. Il blâme l'émeute, qui a ultimement mené à son arrestation et à sa comparution devant Festus, sur les fausses accusations publiques des Juifs d'Asie d'avoir amené un gentil dans la partie du temple qui lui était interdite. Paul termine sa défense en défiant ses accusateurs d'expliquer pourquoi ils ont fomenté une émeute quand il proclamait simplement la promesse de l'évangile qui est la résurrection des morts pour ceux qui croient en Jésus Christ. Le procurateur et les chefs juifs n'avaient apparemment aucun argument ni aucune évidence pour répondre à sa défense.

> [22]Félix, qui savait assez exactement ce qui concernait cette doctrine, les ajourna, en disant: Quand le tribun Lysias sera venu, j'examinerai votre affaire. [23]Et il donna l'ordre au centenier de garder Paul, en lui laissant une certaine liberté, et en n'empêchant aucun des siens de lui rendre des services.
> - Actes 24.22-23

Félix étant familier avec les enseignements du christianisme comprenait les arguments de Paul. Aucune évidence n'a été présentée et Paul a répondu à ses accusateurs de manière convaincante. Cette familiarité a rendu Félix capable d'accepter la crédibilité de Paul et le récit des événements sans témoins supplémentaires. Tout cela concernait toutefois la politique et le pouvoir, et non pas la religion. Utilisant l'excuse qu'il lui fallait consulter Lysias, il remet la décision à plus tard. Il renvoie les chefs religieux juifs chez eux et garde Paul dans le palais avec une certaine mesure de liberté de mouvement lui permettant de recevoir des visiteurs pendant qu'il est en résidence surveillée. On perçoit la vraie raison de Félix aux versets qui suivent.

> [24]Quelques jours après, Félix vint avec Drusille, sa femme, qui était Juive, et il fit appeler Paul. Il l'entendit sur la foi en Christ. [25]Mais, comme Paul discourait sur la justice, sur la tempérance, et sur le jugement à venir, Félix, effrayé, dit: Pour le moment retire-toi; quand j'en trouverai l'occasion, je te rappellerai. [26]Il espérait en même temps que Paul lui donnerait de l'argent; aussi l'envoyait-il chercher assez fréquemment, pour s'entretenir avec lui. [27]Deux ans s'écoulèrent ainsi, et Félix eut pour successeur Porcius Festus. Dans le désir de plaire aux Juifs, Félix laissa Paul en prison.
> - Actes 24.24-27

Félix semble être partagé... D'une part il est désireux d'entendre Paul prêcher et enseigner et son message l'affecte; le fait qu'il est effrayé suggère qu'il a une certaine mesure de foi. D'autre part, il succombe à son avidité espérant profiter de l'emprisonnement de Paul et il démontre son manque d'honneur et de miséricorde en gardant prisonnier un homme qu'il sait innocent pour gagner la faveur d'autres hommes méchants.

Luc termine cette section avec une note historique additionnelle mentionnant que ces événements ont pris place l'année où un autre officiel romain (Porcius Festus) remplaçait Félix comme gouverneur en 59-60 après J.-C.

Le procès devant Festus - Actes 25.1-12

L'histoire enregistre que Porcius Festus était juste et raisonnable, beaucoup plus que ne l'était Félix son prédécesseur. Luc écrit que trois jours après son arrivée en Judée, Festus se rend à Jérusalem pour rencontrer les dirigeants juifs. Leur premier ordre du jour est une demande de ramener Paul à Jérusalem pour y être jugé par Festus.

Étant donné qu'ils ne peuvent gagner leur cas contre lui en cour et qu'ils ne peuvent pas non plus attaquer le palais d'Hérode à Césarée qui est bien gardé, leur but est de tuer Paul pendant le voyage de Césarée. Festus accepte d'entendre les arguments pour un procès à Jérusalem et invite les dirigeants à venir présenter leur demande à Césarée.

> [6]Festus ne passa que huit à dix jours parmi eux, puis il descendit à Césarée. Le lendemain, s'étant assis sur son tribunal, il donna l'ordre qu'on amenât Paul. [7]Quand il fut arrivé, les Juifs qui étaient venus de Jérusalem l'entourèrent, et portèrent contre lui de nombreuses et graves accusations, qu'ils n'étaient pas en état de prouver. [8]Paul entreprit sa défense, en disant: Je n'ai rien fait de coupable, ni contre la loi des Juifs, ni contre le temple, ni contre César. [9]Festus, désirant plaire aux Juifs, répondit à Paul: Veux-tu monter à Jérusalem, et y être jugé sur ces choses en ma présence? [10]Paul dit: C'est devant le tribunal de César que je comparais, c'est là que je dois être jugé. Je n'ai fait aucun tort aux Juifs, comme tu le sais fort bien. [11]Si j'ai commis quelque injustice, ou quelque crime digne de mort, je ne refuse pas de mourir; mais, si les choses dont ils m'accusent sont fausses, personne n'a le droit de me livrer à eux. J'en appelle à César. [12]Alors Festus, après avoir délibéré avec le conseil, répondit: Tu en as appelé à César; tu iras devant César.
> - Actes 25.6-12

Luc ne décrit pas les charges mais note que les accusateurs juifs n'ont aucune preuve. Bien sûr leur but n'est pas de gagner le cas mais de séparer Paul de ses gardes dans le palais d'Hérode. Dans un effort de gagner la faveur des leaders juifs, le nouveau gouverneur propose que le procès ait lieu à Jérusalem (il n'est évidemment pas au courant des vraies intentions de ces hommes).

En tant que citoyen romain, le cas de Paul ne pouvait être tenu sans permission spéciale dans une juridiction autre que la Cilicie (d'où il venait) ou le palais du gouverneur (où il était captif) (Lenski, p.996-997). En voyant qu'il ne pourrait pas recevoir justice devant ce juge (Festus) ni le précédent (Félix) parce que ces officiels romains voulaient éviter tout problème avec les chefs juifs locaux, Paul en appelle à son privilège d'être jugé à la cour de César à Rome, par l'empereur lui-même. Dans le système romain, tout citoyen avait le droit de faire appel à César s'il sentait qu'il ne recevait pas justice dans les cours inférieures. Dans bien des cas, l'Empereur entendait le cas lui-même ou il était entendu par la cour impériale à Rome. À cause de cette requête, Festus est tenu de transférer Paul à Rome où il recevra une comparution juste. L'apôtre échappe ainsi à la menace de violence constante contre lui par les leaders juifs.

Questions à discuter

1. Décrivez des formes de discrimination subtiles qui prennent place dans l'Église. Comment cela peut-il être corrigé?

2. Partagez une fois où il vous a fallu "attendre le Seigneur." Pourquoi était-ce difficile? Quel conseil donneriez-vous à ceux qui sont maintenant dans cette position?

3. Si vous étiez emprisonné pour votre foi, comment passeriez-vous votre temps d'incarcération?

25.
L'ARRESTATION ET L'EMPRISONNEMENT DE PAUL
- 3ᵉ PARTIE

ACTES 25.13-26.32

Nous avons vu la description des comparutions de Paul devant un gouverneur qui finissait son terme et un autre qui commençait le sien. Paul a d'abord défendu son cas devant Félix mais il a été gardé en prison pendant deux ans en faveur aux chefs juifs. Quand Festus est devenu gouverneur, Paul a aussi comparu devant lui et, craignant une attaque de la part des Juifs ainsi qu'un emprisonnement prolongé, il en a appelé à César à Rome.

Festus le lui permet mais il le fait comparaître devant un autre officiel avant son départ. Cet épisode complète la troisième section de son emprisonnement avant son transfert à Rome.

Festus et Agrippa - Actes 25.13-22

Quelques jours après, le roi Agrippa et Bérénice arrivèrent à Césarée, pour saluer Festus.
- Actes 25.13

Festus régnait à Césarée aux abords de la Méditerranée en Judée et le roi Agrippa régnait à Césarée de Philippe qui se trouvait plus au nord-est de la Palestine. Agrippa II était le dernier des descendants d'Hérode à régner. Il avait grandi à Rome et avait été formé à la manière romaine à la cour de l'empereur Claude. Bien qu'il régnait sur un territoire au nord, il était en charge des affaires du temple à Jérusalem et avait l'autorité d'appointer le souverain sacrificateur. À cause de cette responsabilité, il connaissait la loi et les coutumes de la religion juive. C'est peut-être une des raisons pour laquelle Festus sollicitait son opinion dans le cas de Paul qui impliquait à la fois le temple et la religion juive.

Bérénice était la sœur d'Agrippa et la rumeur de l'époque était que ce couple avait une relation incestueuse. Selon la coutume, Agrippa et Bénénice rendaient visite à Festus, le nouveau gouverneur, à son palais à Césarée sur mer pour l'accueillir dans sa nouvelle position. Il est intéressant de noter que le palais où se trouvait Festus avait été construit originalement par le grand-père d'Agrippa et de Bérénice, Hérode le Grand, et qu'ils y avaient joué ensemble pendant leur enfance (Lenski, p. 1003).

> [14]Comme ils passèrent là plusieurs jours, Festus exposa au roi l'affaire de Paul, et dit: Félix a laissé prisonnier un homme [15]contre lequel, lorsque j'étais à Jérusalem, les principaux sacrificateurs et les anciens des Juifs ont porté plainte, en demandant sa condamnation. [16]Je leur ai répondu que ce n'est pas la coutume des Romains de livrer un homme avant que l'inculpé ait été mis en présence de ses accusateurs, et qu'il ait eu la faculté de se défendre sur les choses dont on l'accuse. [17]Ils sont donc venus ici, et, sans différer, je m'assis le lendemain sur mon tribunal, et je donnai l'ordre qu'on amenât cet homme. [18]Les accusateurs, s'étant présentés, ne lui imputèrent rien de ce que je supposais; [19]ils avaient avec lui des discussions relatives à leur religion particulière, et à un certain Jésus qui est mort, et

que Paul affirmait être vivant. [20]Ne sachant quel parti prendre dans ce débat, je lui demandai s'il voulait aller à Jérusalem, et y être jugé sur ces choses. [21]Mais Paul en ayant appelé, pour que sa cause fût réservée à la connaissance de l'empereur, j'ai ordonné qu'on le gardât jusqu'à ce que je l'envoyasse à César. [22]Agrippa dit à Festus: Je voudrais aussi entendre cet homme. Demain, répondit Festus, tu l'entendras.
- Actes 25.14-22

Quelques points à noter au sujet de Festus:

1. Il dit que Paul a été laissé en prison comme s'il y servait une sentence pour un crime quelconque alors qu'en réalité Félix et Festus lui avaient renié son droit à la liberté pour s'attirer la faveur des dirigeants juifs.

2. Festus explique que Paul a rapidement comparu devant lui et qu'il ne trouvait aucune charge contre lui parce que les accusations étaient des violations religieuses qui n'étaient habituellement pas poursuivies dans les cours romaines. Ce qu'il omet toutefois est que ceux qui l'accusaient n'avaient fourni aucune preuve de ces présumés crimes religieux et qu'au lieu de rejeter le cas, il avait choisi de garder Paul avec l'espoir d'en obtenir un pot de vin en échange pour sa liberté.

3. Festus dit à Agrippa qu'il a offert un choix à Paul: d'avoir son procès à Jérusalem ou de demeurer en prison au palais à Césarée. Ce qu'il néglige de mentionner est la troisième option: celle de libérer Paul étant donné que ses accusateurs n'avaient aucune évidence qu'il avait violé quelque loi juive ou romaine.

La requête de Paul d'un appel direct à César place Festus dans une situation politique difficile étant donné que sa payvre gestion de ce cas ferait mauvaise impression non seulement sur les chefs juifs (qui perdraient leur chance de tuer Paul) mais aussi sur ses supérieurs à Rome qui l'avaient récemment appointé à ce nouveau poste. Son effort d'inclure Agrippa était peut-être un essai de s'attirer la faveur d'un roi local qui avait la haute estime de l'empereur.

Paul devant Agrippa - Actes 25.23-26.29

Festus présente le cas de Paul (25.23-27)

[23]Le lendemain donc, Agrippa et Bérénice vinrent en grande pompe, et entrèrent dans le lieu de l'audience avec les tribuns et les principaux de la ville. Sur l'ordre de Festus, Paul fut amené. [24]Alors Festus dit: Roi Agrippa, et vous tous qui êtes présents avec nous, vous voyez cet homme au sujet duquel toute la multitude des Juifs s'est adressée à moi, soit à Jérusalem, soit ici, en s'écriant qu'il ne devait plus vivre. [25]Pour moi, ayant reconnu qu'il n'a rien fait qui mérite la mort, et lui-même en ayant appelé à l'empereur, j'ai résolu de le faire partir. [26]Je n'ai rien de certain à écrire à l'empereur sur son compte; c'est pourquoi je l'ai fait paraître devant vous, et surtout devant toi, roi Agrippa, afin de savoir qu'écrire, après qu'il aura été examiné. [27]Car il me semble absurde d'envoyer un prisonnier sans indiquer de quoi on l'accuse.
- Actes 25.23-27

Le bref discours de Festus devant Agrippa et l'assemblée d'invités est une dissimulation politique habile. Festus a orchestré cet événement pour couvrir son échec en n'ayant pas offert à Paul la justice romaine de base. Voici comment il le fait:

1. En créant un "événement" avec des invités importants et en plaçant Agrippa et Bérénice au centre de l'attention, Festus partage la responsabilité avec Agrippa qui est maintenant impliqué dans la décision et le résultat.

2. Il ne mentionne pas le fait qu'après avoir entendu les accusations des Juifs et la défense de Paul, il a échoué à rendre un verdict, et que par conséquent, Paul reste encore emprisonné et doit en appeler à César.

3. En proclamant son ignorance des coutumes religieuses juives (connaissance qui n'était pas nécessaire pour juger ce cas et rendre un verdict), et en faisant appel à la connaissance d'Agrippa de ces choses, il attache le nom d'Agrippa et son prestige au cas présent.

Festus a peut-être perdu la bonne volonté des chefs juifs mais, étant au début de son terme comme gouverneur de la province de Judée, il s'intéresse davantage à se protéger politiquement devant ses supérieurs à Rome .

La défense de Paul devant Agrippa (26.1-29)

> [1]Agrippa dit à Paul: Il t'est permis de parler pour ta défense. Et Paul, ayant étendu la main, se justifia en ces termes: [2]Je m'estime heureux, roi Agrippa, d'avoir aujourd'hui à me justifier devant toi de toutes les choses dont je suis accusé par les Juifs, [3]car tu connais parfaitement leurs coutumes et leurs discussions. Je te prie donc de m'écouter avec patience.
> - Actes 26.1-3

La référence de Paul au roi est courte et respectueuse. En tant que citoyen romain, il est conscient de ce qui se passe politiquement dans l'empire et il sait donc qui est Agrippa et comment il a été préparé pour son rôle de gouverneur et de superviseur du temple juif.

> [4]Ma vie, dès les premiers temps de ma jeunesse, est connue de tous les Juifs, puisqu'elle s'est passée à Jérusalem, au milieu de ma nation. [5]Ils savent depuis longtemps, s'ils veulent le déclarer,

que j'ai vécu pharisien, selon la secte la plus rigide de notre religion. [6]Et maintenant, je suis mis en jugement parce que j'espère l'accomplissement de la promesse que Dieu a faite à nos pères, [7]et à laquelle aspirent nos douze tribus, qui servent Dieu continuellement nuit et jour. C'est pour cette espérance, ô roi, que je suis accusé par des Juifs! [8]Quoi! vous semble-t-il incroyable que Dieu ressuscite les morts?
- Actes 26.4-8

Paul résume les résultats de ses trois comparutions devant les Juifs, Félix et Festus. Il explique que les Juifs le connaissent comme un pharisien, une position hautement respectée dans cette société. Il mentionne aussi l'absence de témoignages concernant sa vie passée et par extension, l'absence de preuve concernant les crimes qu'il aurait pu commettre. Il déclare ensuite que la source de leur colère et de leur désaccord religieux avec lui est la promesse de la résurrection en Jésus Christ.

Agrippa, qui a été instruit dans les questions de la loi juive, de ses coutumes et de ses enseignements, connaît la division entre les pharisiens et les sadducéens à ce sujet. Le point de Paul est qu'il s'agit d'un désaccord sur des questions religieuses et non pas d'un crime qui mérite la mort, que ce soit devant une cour juive ou une cour romaine. Il plaide même son cas pour croire à la résurrection en affirmant que de ressusciter un homme n'est pas impossible à Dieu s'Il choisit de le faire, et qu'il n'est pas au-dessus des forces de l'homme de croire Dieu capable d'une telle chose.

[9]Pour moi, j'avais cru devoir agir vigoureusement contre le nom de Jésus de Nazareth. [10]C'est ce que j'ai fait à Jérusalem. J'ai jeté en prison plusieurs des saints, ayant reçu ce pouvoir des principaux sacrificateurs, et, quand on les mettait à mort, je joignais mon suffrage à celui des autres. [11]je les ai souvent châtiés dans toutes les synagogues, et je les forçais à blasphémer. Dans mes excès de

fureur contre eux, je les persécutais même jusque dans les villes étrangères.
- Actes 26.9-11

Paul commence ici à raconter son histoire personnelle maintenant qu'il a traité des accusations contre lui et du fait qu'elles sont sans mérite. Il détaille brièvement ses attaques initiales de pharisien zélé contre les chrétiens, dûment chargé par les chefs religieux (qui veulent maintenant sa mort) de détruire cette secte et ses partisans. Il les avait attaqués de la manière la plus vicieuse en les mettant en prison, en encourageant leur exécution (par exemple celle d'Étienne), en les chassant des synagogues locales, en les forçant à maudire et à nier le Christ et en menant cette croisade contre eux de ville en ville.

> [12]C'est dans ce but que je me rendis à Damas, avec l'autorisation et la permission des principaux sacrificateurs. [13]Vers le milieu du jour, ô roi, je vis en chemin resplendir autour de moi et de mes compagnons une lumière venant du ciel, et dont l'éclat surpassait celui du soleil. [14]Nous tombâmes tous par terre, et j'entendis une voix qui me disait en langue hébraïque: Saul, Saul, pourquoi me persécutes-tu? Il te serait dur de regimber contre les aiguillons. [15]Je répondis: Qui es-tu, Seigneur? Et le Seigneur dit: Je suis Jésus que tu persécutes. [16]Mais lève-toi, et tiens-toi sur tes pieds; car je te suis apparu pour t'établir ministre et témoin des choses que tu as vues et de celles pour lesquelles je t'apparaîtrai. [17]Je t'ai choisi du milieu de ce peuple et du milieu des païens, vers qui je t'envoie, [18]afin que tu leur ouvres les yeux, pour qu'ils passent des ténèbres à la lumière et de la puissance de Satan à Dieu, pour qu'ils reçoivent, par la foi en moi, le pardon des péchés et l'héritage avec les sanctifiés.
> - Actes 26.12-18

Luc enregistre ici le récit personnel de Paul de l'apparition de Jésus: une lumière brillante lui est apparue ainsi qu'à ceux qui étaient avec lui alors qu'ils étaient en chemin vers Damas pour persécuter les chrétiens qui s'y trouvaient tel qu'autorisé par les chefs religieux juifs à Jérusalem. Ils ont tous vu la lumière et sont tombés au sol mais seulement Paul a entendu la voix du Seigneur.

Il y a beaucoup de discussion quant à la signification de ce que Jésus dit (v. 14, "Il te serait dur de regimber contre les aiguillons"). Cela fait référence à une situation où un fermier qui laboure un champ avec une équipe de bœufs et qui pousse l'un d'eux avec un bâton ou un "aiguillon" afin qu'il se déplace plus vite ou qu'il maintienne une ligne droite. L'animal "aiguillé" rue et se blesse en résultat. Aujourd'hui on dirait *"Pourquoi se cogner la tête contre le mur?"* Jésus révèle ici deux choses à Paul:

1. Il ne pouvait pas gagner cette bataille contre les chrétiens.

2. Il ne pouvait que se blesser.

Le texte ne mentionne pas qu'en tant que Juif pieux, les tactiques et l'attitude de Paul violaient sa propre foi et la Loi. Il sait par la lumière et par la voix qu'il entend qu'il est en présence d'un être céleste mais il ne sait pas encore de qui il s'agit. Jésus S'identifie à Paul et l'informe qu'il deviendra un ministre; dans son cas, un serviteur appointé directement pour exécuter les instructions de Jésus (parce que c'est le Jésus ressuscité qui lui parle). Autrement dit, il sera un témoin au fait que Jésus est ressuscité. Il est appointé à cette tâche par Jésus Lui-même tout comme les autres apôtres. Cela sera donc son appel à l'apostolat et, tout comme les autres apôtres, Jésus lui donnera d'autres instructions et révélations dans à l'avenir. Finalement, le Seigneur énonce la portée de son service qui consistera à prêcher l'évangile aux Juifs et aux gentils, les libérant de l'ignorance du vrai Dieu et leur accordant le pardon des péchés et la vie éternelle au ciel (l'héritage donné aux chrétiens fidèles).

Jésus résume ce que Paul recevra mais cela ne se réalisera que plusieurs années plus tard.

> [19]En conséquence, roi Agrippa, je n'ai point résisté à la vision céleste: [20]à ceux de Damas d'abord, puis à Jérusalem, dans toute la Judée, et chez les païens, j'ai prêché la repentance et la conversion à Dieu, avec la pratique d'œuvres dignes de la repentance. [21]Voilà pourquoi les Juifs se sont saisis de moi dans le temple, et ont tâché de me faire périr. [22]Mais, grâce au secours de Dieu, j'ai subsisté jusqu'à ce jour, rendant témoignage devant les petits et les grands, sans m'écarter en rien de ce que les prophètes et Moïse ont déclaré devoir arriver, [23]savoir que le Christ souffrirait, et que, ressuscité le premier d'entre les morts, il annoncerait la lumière au peuple et aux nations.
> - Actes 26.19-23

Paul avance son récit du jour de sa rencontre avec Jésus à son ministère pleinement mûr de prédication et d'enseignement de l'évangile aux Juifs vivant à Jérusalem et aux alentours ainsi qu'aux gentils à travers l'empire romain. C'est dans le contexte de ce ministère de prédication et de témoignage qu'il était à Jérusalem (et non pas pour profaner le temple ni violer des lois romaines), pour presser les gens à se repentir et à croire que Jésus était le Messie selon la Loi et les prophètes.

Il finit en plaçant son histoire au moment présent alors qu'il est devant ces hauts fonctionnaires et citoyens éminents et il les exhorte à croire au Christ ressuscité. C'est alors que Festus l'interrompt.

> [24]Comme il parlait ainsi pour sa justification, Festus dit à haute voix: Tu es fou, Paul! Ton grand savoir te fait déraisonner. [25]Je ne suis point fou, très excellent Festus, répliqua Paul; ce sont, au contraire, des paroles de vérité et de bon sens que

> je prononce. [26]Le roi est instruit de ces choses, et je lui en parle librement; car je suis persuadé qu'il n'en ignore aucune, puisque ce n'est pas en cachette qu'elles se sont passées. [27]Crois-tu aux prophètes, roi Agrippa?... Je sais que tu y crois. [28]Et Agrippa dit à Paul: Tu vas bientôt me persuader de devenir chrétien! [29]Paul répondit: Que ce soit bientôt ou que ce soit tard, plaise à Dieu que non seulement toi, mais encore tous ceux qui m'écoutent aujourd'hui, vous deveniez tels que je suis, à l'exception de ces liens!
> - Actes 26.24-29

Festus sent la pression du message de l'évangile ou il craint que le discours audacieux et direct de Paul n'offense certains de ses invités, en particulier Agrippa dont il a besoin de l'approbation et du support dans le cas présent. Paul répond à la charge de Festus en lui rappelant que le roi est au courant de la vie de Jésus, de Ses enseignements, de Sa croix, des rapports de témoins oculaires de Sa résurrection et de la croissance ultérieure de l'Église. Il affirme ainsi sans le dire que Festus ainsi que tous ceux qui sont présents sont responsables face à l'évangile et sujets au jugement de Dieu en n'y répondant pas. En fait, Paul dit à Festus qu'il ne pourra plaider l'ignorance au jugement.

Paul, très audacieux dans sa situation présente, s'est adressé à un roi et il en défie maintenant un autre, Agrippa. Il lui demande directement s'il croit aux prophètes en ce qui a trait au Messie à venir, dont il vient d'affirmer qu'Il est Jésus, le Sauveur ressuscité. Le roi évite la question en répondant qu'il sait que Paul essaie de le convertir au christianisme. S'il répond qu'il croit aux prophètes, ce sera là le premier pas vers sa conversion éventuelle.

Paul, en voyant l'hésitation du roi, étend son invitation à tous ceux qui sont présents. La référence finale à ses "chaînes" est un rappel aux deux rois qu'il est retenu prisonnier pour proclamer le message qu'ils viennent d'entendre et qui de toute évidence n'est pas un bris de la loi, juive ou romaine. Il est enchaîné et emprisonné mais ces deux rois en portent la culpabilité.

La réponse d'Agrippa (26.30-32)

> [30]Le roi, le gouverneur, Bérénice, et tous ceux qui étaient assis avec eux se levèrent, [31]et, en se retirant, ils se disaient les uns aux autres: Cet homme n'a rien fait qui mérite la mort ou la prison. [32]Et Agrippa dit à Festus: Cet homme pouvait être relâché, s'il n'en eût pas appelé à César.
> - Actes 26.30-32

Agrippa confirme ce que l'apôtre a dit et ce que Festus a conclu: que Paul n'était coupable d'aucun crime. Par ces paroles, Agrippa remet le cas aux mains de Festus, le laissant envoyer Paul à Rome sans accusation criminelle. Le roi ne pouvait plus libérer Paul parce qu'il avait fait un appel officiel en cour et cela ne pouvait être modifié.

La scène est maintenant établie pour l'événement final enregistré par Luc: le voyage de Paul à Rome.

Leçons

Le calendrier de Dieu est différent du nôtre

Paul a passé plus de deux ans en prison à Césarée. Il était dans la force de son ministère: les églises avaient besoin de lui et personne d'autre n'apportait effectivement l'évangile aux païens. Il n'existait aucune autre histoire ou aucun autre événement enregistré qui pouvait expliquer ni racheter le temps et l'œuvre que Paul aurait accompli durant cette période. La seule chose qui aidait Paul à supporter la frustration, l'inconfort et la perte perçue de temps et d'occasion était la connaissance que Dieu était parfaitement conscient des circonstances dans lesquelles il se trouvait et de la durée de son emprisonnement.

Reconnaître que Dieu a le plein contrôle du temps et que Son calendrier ne correspond pas au nôtre donne la paix et aide à accepter les périodes de maladie, d'échec et de retard où la seule chose à faire est d'attendre.

Votre propre histoire est votre meilleur témoignage pour le Christ

Paul ne s'est pas adressé à ces gens instruits avec des arguments théologiques ni avec une longue liste d'Écritures expliquées en détail. Il leur a simplement dit son histoire. Sa conversion était familière, sincère et puissante parce qu'elle détaillait les changements qui ont pris place dans sa vie à cause du Christ.

Chacun ne peut enseigner une classe sur la Bible ou débattre des doctrines avec ceux qui ont un point de vue ou une religion différents. Cependant, chacun a sa propre histoire au sujet de sa conversion, de sa croissance en Christ, ou une prière exaucée. Votre histoire est votre meilleur témoignage parce qu'elle est vraie, familière, puissante et qu'elle peut être répétée souvent sans perdre son impact pour le Christ. Quand vous êtes incertain ou placé dans une situation de témoigner, dites votre propre histoire!

Questions à discuter

1. Nommez trois choses que vous feriez pour partager votre foi et aider l'Église si vous étiez le chef de votre pays?

2. Paul dit en 1 Timothée 1.15 qu'il est le pire des pécheurs. Pourquoi dit-il cela et comment son péché pouvait-il être plus grand que, par exemple, celui d'Hitler et de ses terribles actions pendant la deuxième guerre mondiale?

3. Décrivez une fois où quelqu'un à qui vous avez prêché ou enseigné l'évangile l'a rejeté. Pourquoi pensez-vous qu'ils ont refusé d'y croire ou d'y répondre? Qu'est-ce que vous feriez différemment si vous en aviez l'occasion?

26.
LE VOYAGE DE PAUL À ROME

ACTES 27.1-28.31

Paul languit en résidence surveillée dans le palais d'Hérode à Césarée sur mer. Il n'a été chargé d'aucun crime. Il a comparu devant trois gouverneurs romains différents pendant ce temps (Félix, Festus et Agrippa) mais aucun d'entre eux n'a été capable de déterminer quelque loi romaine qu'il aurait brisée, à part les nombreuses accusations sans substance des Juifs. Cela a mené la procédure à une impasse provoquant sa détention prolongée parce que les fonctionnaires romains craignaient que les chefs juifs ne créent des problèmes s'il était relâché.

Paul brise cette impasse en demandant de faire appel, selon son droit de citoyen romain, au tribunal de César à Rome. Cela le libère d'une détention de temps indéterminé à Césarée, fournit une résolution à son cas dans le système judiciaire romain et le distance des Juifs de Jérusalem qui veulent le tuer.

Voyage à Rome - Actes 27.1-28.16

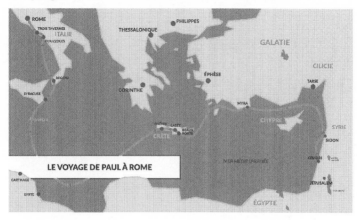

LE VOYAGE DE PAUL À ROME

Départ de Césarée

[1]Lorsqu'il fut décidé que nous nous embarquerions pour l'Italie, on remit Paul et quelques autres prisonniers à un centenier de la cohorte Auguste, nommé Julius. [2]Nous montâmes sur un navire d'Adramytte, qui devait côtoyer l'Asie, et nous partîmes, ayant avec nous Aristarque, Macédonien de Thessalonique. [3]Le jour suivant, nous abordâmes à Sidon; et Julius, qui traitait Paul avec bienveillance, lui permit d'aller chez ses amis et de recevoir leurs soins. [4]Partis de là, nous longeâmes l'île de Chypre, parce que les vents étaient contraires. [5]Après avoir traversé la mer qui baigne la Cilicie et la Pamphylie, nous arrivâmes à Myra en Lycie. [6]Et là, le centenier, ayant trouvé un navire d'Alexandrie qui allait en Italie, nous y fit monter. [7]Pendant plusieurs jours nous naviguâmes lentement, et ce ne fut pas sans difficulté que nous atteignîmes la hauteur de Cnide, où le vent ne nous permit pas d'aborder. Nous passâmes au-dessous de l'île de Crète, du côté de Salmone. [8]Nous la côtoyâmes avec peine, et nous arrivâmes à un lieu nommé Beaux Ports, près

duquel était la ville de Lasée.
- Actes 27.1-8

On voit encore une fois le souci du détail social et historique de Luc alors qu'il raconte le voyage de Paul vers Rome. Il nomme le centenier, Julius, et la cohorte Auguste qu'il commande et qui est responsable des communications entre Rome et ses armées en territoire étranger ainsi que du transfert des prisonniers comme c'était le cas pour Paul.

Tout comme de nos jours il faut trouver une connexion s'il n'y a pas d'envolée directe vers notre destination, à l'époque de Paul, on ne pouvait naviguer directement vers l'Italie à partir d'un port de Judée ou de Syrie. Le centenier et ses soldats, Paul et d'autres prisonniers (probablement envoyés à Rome pour être exécutés), Luc aussi (il dit "nous" au verset 2) et un autre frère, Aristarque de l'église à Thessalonique, font voile sur un navire de Mysie, une province romaine en Asie Mineure, maintenant connue comme la Turquie.

La première escale a lieu à Sidon où Julius permet à Paul d'aller voir ses amis, un acte de bienveillance de sa part. Se déplaçant le long de la côte, Chypre servant d'abri des vents, ils se rendent ensuite à Myra, un port de la province de Lycie, un voyage d'environ 15 jours (Lenski, p. 1067). Ici ils trouvent un plus gros navire qui peut les transporter jusqu'en Italie. Ce bateau avance lentement, en évitant la route plus courte et plus directe sur le côté nord de l'île de Crète, et en naviguant plutôt côté sud de l'île où il y a moins de vent et de meilleurs ports pour les vaisseaux commerciaux comme le leur. Ils arrivent finalement à Lasée, un port du sud de la Crète.

Avertissement de Paul

[9]Un temps assez long s'était écoulé, et la navigation devenait dangereuse, car l'époque même du jeûne était déjà passée. [10]C'est pourquoi Paul avertit les autres, en disant: O hommes, je

> vois que la navigation ne se fera pas sans péril et sans beaucoup de dommage, non seulement pour la cargaison et pour le navire, mais encore pour nos personnes. [11]Le centenier écouta le pilote et le patron du navire plutôt que les paroles de Paul. [12]Et comme le port n'était pas bon pour hiverner, la plupart furent d'avis de le quitter pour tâcher d'atteindre Phénix, port de Crète qui regarde le sud-ouest et le nord-ouest, afin d'y passer l'hiver.
>
> - Actes 27.9-12

La mention du "jeûne" aide à déterminer le temps de l'année où ce voyage prend place. Il s'agit du jeûne qui a lieu le jour des expiations, un temps où les Juifs jeûnaient et priaient alors que le souverain sacrificateur entrait dans le lieu très saint du temple à Jérusalem pour offrir un sacrifice pour le péché, tout d'abord pour lui-même puis pour le peuple. Étant donné que ces événements prenaient place en 59 ou 60 après J.-C., à l'aide du calendrier juif nous savons que le jour des expiations était au début d'octobre. Les historiens maritimes disent que les voyages en mer dans cette région étaient dangereux entre la mi-septembre et le début de novembre, et impossibles après le 10 novembre alors que tout trafic maritime était suspendu jusqu'au 10 mars (Lenski, p. 1069).

Paul les avertit du danger à continuer le voyage. Ce n'était pas là une prophétie mais une opinion basée sur son expérience en mer. Après tout, il dit avoir fait naufrage trois fois dans sa vie (2 Corinthiens 11.25). Il n'y a ici aucune suggestion d'aide divine ou angélique. La manière dont Luc décrit la scène suggère que les matelots, le capitaine et Paul aussi étaient des voyageurs expérimentés et conscients des risques de naviguer à ce temps de l'année et que Paul donne ici son opinion. Luc décrit en partie l'argument du patron du navire qui affirme que le port où ils se trouvent n'est pas bon pour hiverner et sur ces mots, ils se dirigent donc vers un meilleur port situé plus haut sur la côte de Crète à Phénix.

La tempête

¹³Un léger vent du sud vint à souffler, et, se croyant maîtres de leur dessein, ils levèrent l'ancre et côtoyèrent de près l'île de Crète. ¹⁴Mais bientôt un vent impétueux, qu'on appelle Euraquilon, se déchaîna sur l'île. ¹⁵Le navire fut entraîné, sans pouvoir lutter contre le vent, et nous nous laissâmes aller à la dérive. ¹⁶Nous passâmes au-dessous d'une petite île nommée Clauda, et nous eûmes de la peine à nous rendre maîtres de la chaloupe; ¹⁷après l'avoir hissée, on se servit des moyens de secours pour ceindre le navire, et, dans la crainte de tomber sur la Syrte, on abaissa les voiles. C'est ainsi qu'on se laissa emporter par le vent. ¹⁸Comme nous étions violemment battus par la tempête, le lendemain on jeta la cargaison à la mer, ¹⁹et le troisième jour nous y lançâmes de nos propres mains les agrès du navire. ²⁰Le soleil et les étoiles ne parurent pas pendant plusieurs jours, et la tempête était si forte que nous perdîmes enfin toute espérance de nous sauver.
- Actes 27.13-20

Un bon vent souffle et tout se passe bien alors qu'ils lèvent l'ancre et qu'ils longent la côte pendant une soixantaine de kilomètres vers Phénix. Un vent impétueux qu'on appelle *Euraquilon*, se déchaîne bientôt sur eux, un genre de tempête avec lequel les matelots étaient familiers. Le vent entraîne le navire à la dérive et les matelots s'acharnent à éviter de chavirer. La chaloupe de sauvetage normalement attachée et tirée derrière le bateau est remplie d'eau et menace le navire à cause de son poids; on ne peut pas la contrôler. Elle constitue leur seul moyen d'échappatoire et ils ne veulent pas la détacher. Elle est donc hissée à bord.

Ils doivent ensuite ceindre le navire dont les planches de bois se séparent. La force du vent, les vagues et la tension exercée sur le mât qui retient la voile principale font que les planches se séparent, en particulier celles de la coque ou de l'avant du navire, de telle façon que le vaisseau prend de l'eau et commence à couler. Luc dit que les matelots utilisent des câbles pour maintenir l'intégrité du bateau et éviter que ces planches ne se détachent.

Leur défi suivant est de corriger leur trajectoire parce que le vent les pousse vers les célèbres bancs de sables situés entre Carthage et Cyrène, en Syrte. À cette fin, ils lâchent l'ancre et se laissent entraîner par le vent. Ils jettent ensuite leur cargaison et l'équipement du bateau par-dessus bord. Leur stratégie fonctionne et la trajectoire du bateau est changée suffisamment pour éviter les bancs de sable de Syrte; ils restent encore en mer 13 jours et pour environ 800 km de plus, près de l'île de Malte. À ce point, ils ont fait tout ce qui était humainement possible et se trouvent au milieu d'une tempête terrible, incapables de naviguer, de savoir où ils se trouvent ni même s'il fait jour ou nuit. Luc décrit le consensus des matelots, des soldats et des prisonniers qui acceptent leur destin apparent et se résignent maintenant au fait qu'ils mourront dans cette tempête.

L'exhortation de Paul

[21]On n'avait pas mangé depuis longtemps. Alors Paul, se tenant au milieu d'eux, leur dit: O hommes, il fallait m'écouter et ne pas partir de Crète, afin d'éviter ce péril et ce dommage. [22]Maintenant je vous exhorte à prendre courage; car aucun de vous ne périra, et il n'y aura de perte que celle du navire. [23]Un ange du Dieu à qui j'appartiens et que je sers m'est apparu cette nuit, [24]et m'a dit: Paul, ne crains point; il faut que tu comparaisses devant César, et voici, Dieu t'a donné tous ceux qui naviguent avec toi. [25]C'est pourquoi, ô hommes, rassurez-vous, car j'ai cette confiance en Dieu qu'il en sera comme il m'a été dit. [26]Mais nous devons échouer sur une île.
- Actes 27.21-26

On voit ici la différence entre la manière dont Paul s'était adressé à eux plus tôt, les avertissant du risque qu'ils prenaient en faisant voile à cette saison de l'année (une opinion basée sur l'expérience). Au verset 21 il leur rappelle que c'était là son avis et non une prophétie. Il établit ainsi la base de ce qu'il est sur le point de leur dire, qui sera de nature miraculeuse et prophétique.

Il les assure que leurs vies seront épargnées et il décrit la vision reçue d'un ange de Dieu et son message: Paul comparaîtra devant César (Néron à cette époque) et plaidera son cas. En plus de cela, tous ceux qui sont avec lui survivront (et non pas seulement les chrétiens).

On peut tirer quelques conclusions de la manière dont cette promesse est énoncée:

1. Paul avait déjà prié pour que tous soient sauvés et Dieu lui disait que sa prière pour eux serait exaucée.

2. Ces hommes devaient maintenant leurs vies à Paul.

3. Paul utilisait cet épisode pour témoigner à ces païens du vrai Dieu.

L'encouragement de Paul n'est pas une platitude banale (comme de dire "Soyez sans inquiétude, tout va bien se passer"). Son encouragement est spécifique, ils seront tous sauvés; le navire, toutefois, sera perdu; ils s'échoueront près d'une île. Les détails quant à l'avenir sont ce qui font de ses paroles une prophétie. Tout autre témoignage de Paul sera sans valeur si quelque détail de sa prophétie est erroné ou différent.

Le sauvetage (27.27-44)

Luc continue sa description des quatorze jours pendant lesquels le bateau est à la dérive, poussé par le vent, jusqu'à ce qu'éventuellement il s'approche de la terre ferme. À ce point les matelots tentent de s'échapper en utilisant la chaloupe, mais Paul avertit le centenier que si les matelots s'échappent, tous seront perdus. Cette fois le soldat écoute

Paul et contrecarre l'évasion en coupant les câbles et en laissant aller le canot de sauvetage à la dérive.

À l'aube du quinzième jour de tempête, Paul encourage tout le monde à manger; il leur rappelle la promesse de Dieu et il prie en présence de tous (Luc note qu'il s'y trouvait 276 personnes). Sentant qu'ils étaient près de la terre, ils allègent le navire davantage pour pouvoir le diriger plus près de la côte. C'est à ce point que l'une des prophéties de Paul au sujet du bateau s'accomplit.

> [39]Lorsque le jour fut venu, ils ne reconnurent point la terre; mais, ayant aperçu un golfe avec une plage, ils résolurent d'y pousser le navire, s'ils le pouvaient. [40]Ils délièrent les ancres pour les laisser aller dans la mer, et ils relâchèrent en même temps les attaches des gouvernails; puis ils mirent au vent la voile d'artimon, et se dirigèrent vers le rivage. [41]Mais ils rencontrèrent une langue de terre, où ils firent échouer le navire; et la proue, s'étant engagée, resta immobile, tandis que la poupe se brisait par la violence des vagues. [42]Les soldats furent d'avis de tuer les prisonniers, de peur que quelqu'un d'eux ne s'échappât à la nage. [43]Mais le centenier, qui voulait sauver Paul, les empêcha d'exécuter ce dessein. Il ordonna à ceux qui savaient nager de se jeter les premiers dans l'eau pour gagner la terre, [44]et aux autres de se mettre sur des planches ou sur des débris du navire. Et ainsi tous parvinrent à terre sains et saufs.
> - Actes 27.39-44

En voyant la plage les matelots se hâtent de diriger le navire vers le rivage mais ils s'échouent sur un banc de sable. La proue est prise dans un récif et le vent violent et les vagues brisent la poupe. Les soldats, sachant qu'ils seraient tenus responsables si des prisonniers s'échappaient, se préparent à les tuer tous (y compris Paul) mais le centenier, qui veut sauver Paul n'ayant aucune charge contre lui, les en empêche. Il commande à chacun d'abandonner le navire et tout comme Paul l'avait dit, tous sont sauvés, et le bateau est perdu, se brisant sur un banc de sable près de l'île où ils se trouvent sains et saufs (Malte).

Le temps de Paul à Malte - Actes 28.1-10

Luc écrit que les passagers du navire passent trois mois sur l'île et pendant qu'ils s'y trouvent, le patron de ministère de Paul prend forme encore une fois (il fait des miracles et des guérisons, suivis par des enseignements).

Luc décrit l'un de ces événements. Alors qu'un feu est bâti sur la plage, Paul est mordu par un serpent venimeux mais n'en souffre aucune conséquence. Cela étonne les habitants locaux qui en sont témoins et qui lui demandent alors de guérir le père du chef de l'île, ce que Paul fait. Plus tard Luc écrit que tous les habitants viennent à lui pour être guéris et qu'à cause de cela, tous les naufragés du bateau sont honorés et bien traités par le peuple de l'île. On leur fournit même des provisions quand ils repartent.

Luc ne le mentionne pas spécifiquement mais il semble difficile à croire que Paul ferait toutes ces guérisons miraculeuses sans prêcher l'évangile (qui était en fait la raison pour son ministère de guérisons).

Paul à Rome - Actes 28.11-31

> [11]Après un séjour de trois mois, nous nous embarquâmes sur un navire d'Alexandrie, qui avait passé l'hiver dans l'île, et qui portait pour enseigne les Dioscures. [12]Ayant abordé à Syracuse, nous y restâmes trois jours. [13]De là, en suivant la côte, nous atteignîmes Reggio; et, le vent du midi s'étant levé le lendemain, nous fîmes en deux jours le trajet jusqu'à Pouzzoles, [14]où nous trouvâmes des frères qui nous prièrent de passer sept jours avec eux. Et c'est ainsi que nous allâmes à Rome. [15]De Rome vinrent à notre rencontre, jusqu'au Forum

d'Appius et aux Trois Tavernes, les frères qui avaient entendu parler de nous. Paul, en les voyant, rendit grâces à Dieu, et prit courage. [16]Lorsque nous fûmes arrivés à Rome, on permit à Paul de demeurer en son particulier, avec un soldat qui le gardait.
- Actes 28.11-16

Luc résume rapidement la dernière partie du voyage et la rencontre de Paul avec les frères qui vivaient dans la région de Pouzzoles, en Italie. Le fait qu'il est resté toute une semaine démontre la confiance qui s'était établie entre lui et Julius, le centenier responsable de sa garde et de son transport jusqu'à Rome. Éventuellement Julius remet Paul à l'officier de l'empereur ainsi que la lettre contenant les détails du cas et son propre rapport. La lettre de Festus ne contenait aucune charge criminelle et le rapport de Julius présentait sûrement Paul de manière favorable, ce qui lui a évité d'être gardé en prison avec les autres prisonniers mais a plutôt permis qu'il demeure en particulier (probablement avec Luc et Aristarque) pendant deux ans alors que son cas a enfin été présenté devant César. Luc note qu'un seul soldat le gardait.

Paul et les Juifs à Rome (28.17-28)

Une scène familière prend bientôt place alors que Paul commence son ministère bien qu'il soit détenu à domicile. Sa première action, le troisième jour après son arrivée, est d'appeler les dirigeants juifs pour tenter d'expliquer la raison de son arrestation avant que des fauteurs de trouble de Jérusalem n'arrivent et continuent leurs attaques contre lui. À sa surprise, ils disent qu'ils ignorent les troubles qu'il avait avec les chefs à Jérusalem mais ils savent qu'il a joint la "secte" qu'il avait persécutée et ils en sont curieux.

À l'époque, beaucoup de Juifs considéraient le christianisme comme une simple extension ou une secte du judaïsme. Cela a changé radicalement après la destruction de Jérusalem en 70 après J.-C.

Les dirigeants reviennent avec beaucoup d'autres Juifs et Paul leur prêche l'évangile avec les mêmes résultats que dans les synagogues en Judée, en Syrie et ailleurs à travers l'Empire romain.

> [23]Ils lui fixèrent un jour, et plusieurs vinrent le trouver dans son logis. Paul leur annonça le royaume de Dieu, en rendant témoignage, et en cherchant, par la loi de Moïse et par les prophètes, à les persuader de ce qui concerne Jésus. L'entretien dura depuis le matin jusqu'au soir. [24]Les uns furent persuadés par ce qu'il disait, et les autres ne crurent point. [25]Comme ils se retiraient en désaccord, Paul n'ajouta que ces mots: C'est avec raison que le Saint Esprit, parlant à vos pères par le prophète Ésaïe, a dit: [26]Va vers ce peuple, et dis: Vous entendrez de vos oreilles, et vous ne comprendrez point; Vous regarderez de vos yeux, et vous ne verrez point. [27]Car le coeur de ce peuple est devenu insensible; Ils ont endurci leurs oreilles, et ils ont fermé leurs yeux, De peur qu'ils ne voient de leurs yeux, qu'ils n'entendent de leurs oreilles, Qu'ils ne comprennent de leur coeur, Qu'ils ne se convertissent, et que je ne les guérisse. [28]Sachez donc que ce salut de Dieu a été envoyé aux païens, et qu'ils l'écouteront.
> - Actes 28.23-28

En plus du message de l'évangile, Paul dit à son auditoire juif qu'il prêchera le même évangile aux gentils parce que c'est le dessein de Dieu et que ceux-ci y croiront même si les Juifs n'y croient pas.

Épilogue (28.29-31)

> [29]Lorsqu'il eut dit cela, les Juifs s'en allèrent, discutant vivement entre eux. [30]Paul demeura deux ans entiers dans une maison qu'il avait louée. Il recevait tous ceux qui venaient le voir, [31]prêchant

> le royaume de Dieu et enseignant ce qui concerne
> le Seigneur Jésus Christ, en toute liberté et sans
> obstacle.
> - Actes 28.29-31

Luc finit en rapportant que les Juifs sont repartis divisés, certains croyaient et d'autres non. Pendant deux ans Paul continue à prêcher aux Juifs et aux gentils, demeurant en détention. Les résultats?

1. C'est de ces convertis juifs et gentils à Rome que l'évangile s'est propagé de la capitale de l'empire aux quatre coins du monde.

2. C'est de cet endroit confiné que même les gardes prétoriens d'élite de Paul sont devenus chrétiens (Philippiens 1:13), ainsi que beaucoup dans la maison de César.

3. Pendant sa détention à Rome, Paul a écrit les épîtres aux Éphésiens, aux Philippiens, aux Colossiens et à Philémon.

En Philippiens 1:23 et en Philémon 22, des lettres écrites vers la fin de sa deuxième année d'emprisonnement, Paul dit qu'il s'attend d'être libéré. La tradition, non contredite, nous dit qu'après son acquittement il planifiait aller en Espagne (Romains 15.24, 28) et aussi qu'il a revisité les congrégations qu'il avait précédemment établies pendant ses premier et deuxième voyages missionnaires.

En 66 après J.-C., en prison pour une deuxième fois pendant la persécution des chrétiens sous Néron, il a écrit sa dernière épître, 2 Timothée. Paul a été décapité à Rome en 67 après J.-C.

Leçon principale:
Dieu peut se servir de vous

Le livre des Actes contient tant de personnages, d'événements et de détails au sujet de la vie, de l'œuvre et des gens de l'Église qu'il est difficile de choisir une seule leçon ou un thème global. Une leçon qui en ressort toutefois est que peu importe qui vous êtes ou où vous êtes, Dieu peut se servir de vous.

Par exemple, Dieu s'est servi de Pierre, un pêcheur sans éducation vivant loin du siège religieux et politique juif, pour proclamer le message le plus important dans l'histoire de sa nation et de ses dirigeants. Dieu s'est servi de Paul, un fanatique religieux juif, pour enseigner et mûrir les croyants d'une religion qu'il haïssait et qu'il essayait de détruire. Ces deux hommes ont servi d'une position de faiblesse (un pêcheur pauvre et l'autre, un pratiquant d'une religion étrange) et pourtant Dieu les a utilisés tous les deux pour établir une foi et une pratique religieuse qui couvre aujourd'hui le monde entier.

La leçon? Dieu peut se servir de vous, si vous Le laissez! La promesse? Dieu peut se servir de vous pour faire des choses que nous ne pourriez jamais imaginer, si vous Le laissez. La question? Est-ce que Dieu peut se servir de vous? Le laisserez-vous? La prière? Seigneur, me voici, servez-vous de moi.

Questions à discuter

1. Quelle émotion ressentez-vous comme réflexe face à des problèmes ou à du danger? Pourquoi? Que pouvez-vous apprendre de la vie de Paul quand vous faites face à des problèmes ou à du danger?

2. Décrivez une occasion de votre passé où vous croyez que Dieu s'est servi de vous. Quel talent ou quelle ressource possédez-vous que vous n'avez pas encore offert(e) au service de Dieu? Comment pensez-vous qu'Il se servirait de vous aujourd'hui si vous Le laissiez?

BibleTalk.tv est un travail missionnaire sur l'internet.

Nous suppléons gratuitement du matériel d'enseignement biblique sur notre site web et nos apps mobiles, en donnant l'accès aux églises et individus à travers le monde pour leur croissance personnelle, étude en groupe ou pour enseigner dans leurs classes.

Le but de ce travail missionnaire est de répandre l'Évangile à l'énorme quantité de gens qui utilisent la technologie la plus récente disponible. Pour la première fois dans l'histoire, il est possible de prêcher l'Évangile simultanément au monde entier. BibleTalk.tv est notre effort de prêcher l'Évangile à toutes les nations tous les jours jusqu'au retour de Jésus.

L'Église du Christ à Choctaw en Oklahoma (The Choctaw Church of Christ) est la congrégation qui subventionne ce travail et fournit studio d'enregistrement et supervision.

bibletalk.tv/fr/support

Made in the USA
Monee, IL
05 September 2022